Alwyn Humphreys:
Yr Hunangofiant

I Mam, am ei chariad
a'i chefnogaeth ar hyd y
blynyddoedd,

er cof am fy Nhad,

ac i Joy, Deian,
Manon, Llew a Catrin

Alwyn Humphreys:

Yr Hunangofiant

Argraffiad cyntaf: 2006
© Hawlfraint Alwyn Humphreys a'r Lolfa Cyf., 2006

Llun y clawr: Steve Sherman, Efrog Newydd
Cynllun clawr: Y Lolfa

Mae'r cyhoeddwr yn cydnabod cefnogaeth ariannol Cyngor Llyfrau Cymru

Rhif Llyfr Rhyngwladol: 0 86243 901 9

Cyhoeddwyd, argraffwyd a rhwymwyd yng Nghymru
gan Y Lolfa Cyf., Talybont, Ceredigion SY24 5AP
e-bost ylolfa@ylolfa.com
gwefan ylolfa.com
ffôn (01970) 832 304
ffacs 832 782

RHAGAIR

FEL UN SYDD WEDI MWYNHAU DARLLEN hunangofiannau erioed, dwi wastad wedi meddwl bod angen llawer iawn o hunanhyder i wneud y fath beth – y fath hyfdra yn ystyried am eiliad bod pobol am ddarllen stori bywyd rhywun! I rai awduron mae hi wedi bod yn hanfodol gosod yr ymddiheuriad a'r bai yn y rhagymadrodd: 'Pobol eraill wnaeth fy mherswadio i,' meddan nhw, 'meddwl bod gen i stori i'w dweud.' Ond onid oes gan y rhan fwya ohonom ni ryw stori i'w dweud? Y cwestiwn mawr ydi: ydi'r stori honno yn un a all gynnal dros ddau gant o dudalennau? Dyna ble mae angen yr hyder – heb sôn am ddyfalbarhad.

O'm rhan i, wnes i erioed ddychmygu creu'r fath beth. Oni bai am wahoddiad Y Lolfa fyddai dim gobaith mul i hyn oll fod wedi digwydd. Felly dyna osod y cyfrifoldeb hwnnw yn ei le yn syth – ac os am gwyno, mi rydach chi'n gwbod lle maen nhw'n byw! I fod yn deg â nhw, mi ges i ddewis rhwng ysgrifennu hunangofiant a chofnodi hanes Côr Orpheus Treforys. Yn hollol nodweddiadol mi fethais wneud penderfyniad, gan awgrymu rhyw fath o gyfuniad o'r ddau. Ar yr un pryd, wrth gwrs, mi fethais â deud 'na' – gair sydd wedi bod yn absennol o'm geirfa ers y cychwyn cynta am wn i.

O ran olrhain hanes yr Orpheus mae gen i ddyled fawr i Danny Hughes, cyn-aelod o'r côr (a'r Morriston United cyn hynny), a fu'n ddigon caredig i ganiatáu i mi dreulio p'nawn difyr yn ei gartre – yntau'n 95 oed erbyn hyn ond ei gof mor glir ag erioed. O ran y gweddill, mae holl aelodau fy nheulu wedi cyfrannu mewn amrywiol ffyrdd, a dwi'n hynod o ddiolchgar iddyn nhw i gyd am eu goddefgarwch. Hefyd, er gwaetha'r ffaith i mi osod y bai i gyd ar Y Lolfa, dwi'n gwerthfawrogi'r holl frwdfrydedd maen nhw wedi ei ddangos, gan ddiolch iddyn nhw, ac i Alun Jones y golygydd yn arbennig, am eu cefnogaeth a'u gofal.

Ac mae yna un diolch arall – i ardal fy mhlentyndod. Dwi'n ystyried fy hun yn hynod o lwcus i mi gael fy ngeni a'm magu ym mhentra Bodffordd. Er mai lle bychan, di-nod ydi o, fu dim rhaid i mi egluro ble mae o wrth neb yng Nghymru erioed – roedd Charles Williams wedi sicrhau hynny. Y fo roddodd y pentra ar y map, a fo, yn anad neb, a'n dysgodd ni blant i fod yn falch ein bod wedi ein magu yno. Ar y pryd doedd hi ddim yn amlwg beth oedd y rheswm, ond dwi'n gweld y cyfan yn glir bellach.

A gyda llaw, er mai Bodffordd ydi o ar y map, Botfoth 'da chi'n ddeud!

Praeludium

DIM OND RHYW WYTHNOS cyn y perfformiad ac roedd tipyn o waith polisho i'w wneud ar y *Meseia*.

'*Altos! – bar twenty-five – "And the glory"*. *Here we go – one, two, three, one. "And the glo–ry, the glory of the Lord!"*'

Ond nid o flaen Cymdeithas Gorawl Ysgol Uwchradd Caergybi roeddwn i, nid am dri o'r gloch y bore. Awr yn gynharach roeddwn i wedi saethu i fyny yn fy ngwely ar ôl teimlo bom yn ffrwydro yn fy mhen. Dim arwydd, dim rhybudd – dim ond y boen fwya erchyll. Finna wedyn yn lapio fy mreichia dros fy llygaid a sgrechian fel plentyn.

Pan ddaeth y doctor roeddwn i'n dal yn ymwybodol ond roedd y boen mor ofnadwy nes i mi fethu â disgrifio yn union ble'r oedd y broblem. Un ai *meningitis* neu waedlif ar yr ymennydd oedd y penderfyniad – dau bosibilrwydd mor ddifrifol â'i gilydd – ac yna, yn rhyfeddol, fe adawodd y doctor fi yno efo'r addewid y byddai'n trefnu bod meddyg arall yn dod draw yn y bore.

Wedyn, llithro i goma, oherwydd dyna pryd, yn ôl Esther, y dechreuais i ymarfer y *Meseia*.

'*And the glo-ry, the glory of the Lord…*'

Os oedd Handel yn gwylio'r cyfan yn rhywle, nid perfformiad o'i oratorio na chyflwr yr arweinydd fyddai wedi ennyn ei dosturi, ond yn hytrach y ddau blentyn bach oedd yn cysgu yn y stafell nesa, un ohonyn nhw yn ddim ond pum wythnos oed…

PENNOD 1

OS OEDD capeli Cymru, yn y blynyddoedd a fu, yn cael eu hystyried yn ganolfannau diwylliannol yn ogystal â chrefyddol, efo'u corau, eu dosbarthiadau tonig sol-ffa, eu cymdeithasau drama a'u cyfarfodydd amrywiol, roedden nhw hefyd yn bendant yn gweithredu fel *marriage bureaux*. Drwy fod yn aeloda yng Nghapel Gad MC, Bodffordd, roedd Mam a 'Nhad wedi dod i adnabod ei gilydd, er mai dim ond o hyd braich. Ond fe gymrod ffawd neu ragluniaeth ran yn y mater pan etholwyd fy nhad, Hugh Bryn Humphreys, yn arolygwr yr Ysgol Sul un flwyddyn a Mam, Annie Mary Price, yn ysgrifennydd. Roedd yna gryn wahaniaeth oedran – fy nhad yn chwech ar hugain a Mam yn ferch ifanc bymtheng mlwydd oed – felly doedd hi ddim yn ymddangos y byddai yna unrhyw ddyfodol i'r berthynas. Hynny yw, nes y daeth hi'n fater o drefnu'r trip Ysgol Sul blynyddol i Landudno. Dyma lle'r oedd yn rhaid i'r arolygwr a'r ysgrifennydd gydweithio'n agos er mwyn sicrhau llwyddiant yr achlysur.

Ar ddiwrnod y trip, a'r criw stwrllyd wedi cael cinio yng nghaffi enwog Haynes ar y stryd fawr, roedd Mam yn barod i fynd efo'i ffrindia i fyny i Happy Valley. Ond a hithau'n ysgrifennydd fe fu'n rhaid iddi aros ar ôl efo'r arolygwr i setlo'r bil bwyd. Erbyn gwneud hynny roedd pawb wedi diflannu. Merch ifanc braidd yn flin, felly, oedd yn cerdded wrth ochr fy nhad ar ôl iddo fo awgrymu eu bod nhw'n mynd am dro ar hyd y prom. Wrth basio un o'r atyniadau ffair rheiny ar ffurf cas gwydr sgwâr lle rydach chi'n tywys craen bychan i godi anrheg a'i ollwng yn y bocs os ydach chi'n lwcus, fe roddodd fy nhad geiniog i Mam a'i hannog i drio. Yr hyn a godwyd i fyny gan y craen oedd modrwy.

'Y chi fydd fy ngwraig i ryw ddiwrnod,' medda 'Nhad.

'Peidiwch â bod yn wirion, ddyn,' medda Mam.

Ond fy nhad oedd yn iawn – er y bu'n rhaid iddo fo aros am ddeng mlynedd.

Welais i erioed yr un o fy nwy nain gan i'r naill a'r llall farw yn dri deg dau blwydd oed. Maes o law dwi'n credu i hyn fod yn golled enfawr i mi'n bersonol, ond yn amlwg doedd o'n ddim byd i'w gymharu â'r bwlch a adawyd ar aelwydydd y plant a'r ddau ŵr gweddw ar y pryd. Yn achos fy nhad, roedd ei fam o wedi marw ar enedigaeth gefeilliaid – dwy ferch, y bu un farw tra bu'r llall fyw. Yn ôl yr hanes, roedd yr olygfa ar ddydd yr angladd yn arbennig o drist, efo dwy arch yn cael eu claddu yn yr un bedd ac un arch yn hynod o fychan.

Yn achos Mam, o ganlyniad i'r brofedigaeth bu'n rhaid iddi adael yr ysgol i gadw cartra i'w thad a'i brawd bach, Willie, fel bod y naill yn gallu ennill ei fywoliaeth fel adeiladwr a'r llall yn gallu parhau yn yr ysgol a mynd ymlaen wedyn i astudio yn y Brifysgol ym Mangor. Dyna'r math o aberth oedd yn gyffredin yn y cyfnod hwnnw, wrth gwrs, ond fe gafodd Mam gyfle i ehangu ei gorwelion yn ddiweddarach pan aeth i ysgol nyrsio yn Wigan. Ar ôl ychydig dros flwyddyn yno, a'i brawd bellach â'i fryd ar fynd i'r weinidogaeth ac yn gwneud gradd bellach (BD), cafodd Mam bwl o gydwybod ac aeth at y matron er mwyn ymddiswyddo. Chafodd Nyrs Price ddim cydymdeimlad o gwbl gan honno: *'Your brother will be a minister one day and you'll be without a career.'*

Fel William Wmffra, nid William Humphreys, y byddai pawb yn cyfeirio at fy nhaid ar ochr fy nhad. Yn ei rôl fel ffarmwr cas Penbryn y dois i i'w nabod o yn nes ymlaen, ond mi roedd o, mae'n debyg, yn dipyn o saer maen ac adeiladwr tai yn ei ddydd. Roedd o hefyd yn cael ei ystyried yn 'dipyn o ben' ac yn barddoni rhywfaint. Ac yntau'n hunanaddysgedig, doedd hi ddim yn ymddangos ei fod o'n credu llawer mewn ysgolion, oherwydd fe gadwodd fy nhad (a'i frawd hŷn a'i chwiorydd o ran hynny) adra gryn dipyn i weithio ar y fferm.

Ond dianc oddi wrth y byd ffermio ym Mhenbryn wnaeth fy nhad cyn hir a dilyn esiampl ei frawd hŷn drwy ymuno â'r Llynges. Fodd bynnag, byrhoedlog fu'r fenter honno gan iddo fo ddal *malaria* ar arfordir Affrica wedi iddo dynnu'r rhwyd ddiogelwch oddi ar ei wely oherwydd y gwres. Mi ddioddefodd effeithiau'r clefyd am weddill ei oes, gan ei chael hi'n anodd ymgodymu â'r newidiadau tymheredd fyddai'n digwydd o'r haf i'r hydref ac o'r gwanwyn i'r haf bob blwyddyn. Doedd dim amdani ond dychwelyd i ffermio at ei dad ym Mhenbryn, gwaith oedd yn amlwg yn atgas ganddo a throsglwyddwyd yr atgasedd hwnnw yn bendant i mi, naill ai yn uniongyrchol neu fel arall.

Yn sicr, doedd calon fy nhad ddim mewn ffermio. A pham ddylai hi fod ac ynta'n amlwg yn ddigon galluog i wneud cymaint yn well drosto'i hun? Mi fyddai wrth ei fodd yn sôn fel y bu iddo fo ac Evan Hughes, pan oeddan nhw yn yr ysgol ramadeg yn Llangefni, ennill y marcia ucha un tro a chael eu dyrchafu o *Form 2* nid i *Form 3* ond i *Form 4* – hynny yw, cael eu symud ymlaen flwyddyn yn yr ysgol. Ond tra bod Evan Hughes wedi mynd ymlaen i gael gyrfa ddisglair a dod yn brifathro, cael ei garcharu ar y fferm wnaeth fy nhad, a gwastraffu ei ddyfodol. Mae'n achos tristwch mawr i mi bod talentau amlwg a naturiol fy nhad wedi cael eu hafradu yn y fath fodd drwy flynyddoedd o grwydro'n ddibwrpas ar hyd caeau Penbryn.

Doedd o ddim yn ddiog o bell ffordd, ac mi fyddai'n cyflawni'r gorchwylion dyddiol o odro'r gwartheg, carthu'r beudy a bwydo'r anifeiliaid yn ufudd a rheolaidd. Ond yr unig droeon pryd y byddai'n arddangos gwir frwdfrydedd oedd pan fyddai'n taenu ei gopïau miwsig ar fwrdd y gegin ac yn ymgolli yn y gân. Roedd o'n mwynhau canu yn y capel gymaint nes ei fod o'n siglo ymlaen ac yn ôl, o'i sodla i flaenau'i draed, gan esgyn fodfeddi i'r awyr pan fyddai'r llinell denor yn codi i'r entrychion. Oherwydd bod ein sêt ni reit yn y gwaelod wrth ochr y sêt fawr ac yn hanner wynebu'r gynulleidfa, dwi'n cofio teimlo'n reit annifyr wrth feddwl bod pawb yn y capel yn gwylio 'Nhad yn gwneud y fath sioe.

Yn ogystal â'r ddwy nain a gollais, mi fyddwn i hefyd wedi lecio cyfarfod â fy Anti Lilian. Un o chwiorydd ifanca fy nhad oedd hi, ac roedd hi'n ddigon peniog i ddod yn gynta trwy'r sir yn yr arholiadau sirol – y *County Scholarship* – i fynd i'r ysgol ramadeg. Roedd hi'n amlwg yn gerddorol iawn hefyd gan ei bod hi'n chwarae'r organ yn y capel a hynny heb gael yr un wers offerynnol, dim ond darllen y sol-ffa yn reddfol. Cael ei chadw adra i weithio fu ei hanes hitha hefyd, ond mi wnaeth Lilian wrthryfela rhyw gymaint yn ei bywyd cymdeithasol ac roedd hi'n mwynhau mynd allan.

A hithau'n ferch hynod brydferth, mor brydferth fel nad oedd angen iddi wisgo colur pan fyddai hi'n actio yn nramâu'r capel, roedd sôn ei bod hi'n cynnal perthynas efo Pritchard Llan, ffarmwr cyfoethog a gŵr priod a ddaeth wedyn yn flaenor parchus yng Nghapel Gad. Dwi'n cofio dod o hyd i ddyddiadur yn perthyn i Lilian mewn cwpwrdd ym Mhenbryn un tro, ac roedd o'n llawn cyfeiriada dirgel ac awgrymog at ei nosweithiau allan. Roedd ei bywyd yn swnio fel deunydd ar gyfer stori drasig glasurol ac, yn wir, felly y bu. Oherwydd cyflwr dychrynllyd carffosiaeth Ynys Môn yn y cyfnod hwnnw roedd nifer fawr o farwolaethau o ganlyniad i'r diciâu, ac ar 11 Hydref 1932 fe fu farw Lilian yn bump ar hugain oed.

Yn ei alar roedd William Wmffra wedi cyfansoddi englyn. Mae o i'w weld hyd heddiw ar garreg fedd Lilian yn eglwys Llangwyllog:

> Dan dywyrch, r'un dynerach – yn naear
> I mi, neb anwylach;
> Ei chwmni ni chaf bellach,
> Dyma lan bedd Lilian bach.

Yn y cyfamser roedd Cymdeithas Ddrama Capel Gad, Bodffordd, dan gyfarwyddyd y gweinidog, Owen Roberts, yn creu cynyrchiadau o *Nora Plas y Foel*, *Lluest y Bwci*, *Y Ddraenen Wen* a dramâu eraill, gan gadw'r criw yn brysur a diddig. Mewn un cynhyrchiad roedd Mam, wrth chwarae cymeriad o'r enw Mabli, yn gorfod eistedd ar lin fy nhad. Mae'n debyg bod y ddau'n eitha hapus efo hynny a chyn hir roedden nhw'n fwy na ffrindia, ac fe briodon nhw ym 1939.

Ar ôl priodi mi aeth Mam a 'Nhad i fyw ym Modorgan, cartra fy nhaid arall, Hugh T Price, gŵr oedd yn casáu'r term 'Taid' ac a fynnodd fy mod i'n ei alw'n Hugh o'r funud gynta. Tyddyn ar gyrion Bodffordd oedd Bodorgan, gyda rhyw bum acer o dir ac un neu ddau o fustych yn pori yn y caeau. Ond adeiladwr oedd Hugh wrth ei waith bob dydd, ac mae yna nifer o dai ym Môn heddiw sy'n dystiolaeth i'w fedr fel saer maen o'r radd flaena.

Ym Modorgan y ganwyd Ann fy chwaer, ac roedd yn achlysur eitha dramatig oherwydd roedd 20 Ionawr 1940 yn ddiwrnod garw iawn yng nghanol storm o eira. Am 11.30 y nos bu'n rhaid i fy nhad frwydro drwy'r lluwchfeydd o Fodorgan i Fodffordd i ffonio am y nyrs o Walchmai, a honno'n deud na allai byth ddod yn y fath dywydd heb help. Wrth i fy nhad gerdded yr wyth milltir i Walchmai ac yn ôl i hebrwng y nyrs, roedd fy nhaid wedi sylweddoli bod y babi, oedd ar fin cael ei eni, yn *breach* (hynny yw, yn pwyntio'r ffordd anghywir, efo'r traed gynta). Pan gyrhaeddodd fy nhad a'r nyrs ymhen rhai oriau roedd Ann Elizabeth wedi'i geni'n barod, a Hugh, efo'i brofiad o dynnu ŵyn, wedi perfformio tasg y fydwraig yn berffaith.

Tipyn llai o ddrama fu fy ymddangosiad i bedair blynedd yn ddiweddarach, a hitha'n fis Mai a'r tywydd yn llawer mwy ffafriol. Y tro yma, rhag ofn i'r un broblem godi eto, mae'n debyg bod mintai o gynorthwywyr wrth law i helpu, gan gynnwys y nyrs, Anti Maggie a Mrs Parry, Pencloc. Mi ddois i allan y ffordd arferol, ond doedd petha ddim mor rhwydd â hynny chwaith. Roeddwn i'n anghenfil o fabi ac yn pwyso dros 10 pwys!

Oherwydd iddo fod yn forwr, dewis cynta fy nhad am enw i mi oedd Arfor. Ond gan nad oedd Mam yn gallu yngan y llythyren 'r' yn arbennig o dda fe brotestiodd: 'Fe fydd yn rhaid i chi roi label ar y goets,' medda Mam, 'achos dydw i ddim yn mynd i ddeud ei enw fo!' Felly, fe gytunwyd ar Alwyn, enw y gwnes i ei gasáu am o leia ddeng mlynedd ar hugain cynta fy oes. Hyd yn oed heddiw dydw i ddim yn berffaith gyfforddus efo fo – hen enw llipa, merchetaidd. Ond rhaid bod yn ddiolchgar – pwy ar y ddaear allai fynd trwy'r byd yma efo enw fel Arfor?

Bob bore mi fyddai 'Nhad yn croesi'r ychydig gaeau o Fodorgan i Benbryn i weithio ar fferm y teulu, ond yna fe ddaeth newid ar y drefn. Ym mhentre Llangwyllog, rhyw filltir neu ddwy i'r dwyrain o Fodffordd, roedd y tŷ roedd William Wmffra wedi ei adeiladu ar ei gyfer o a'i wraig bellach yn wag, ac fe symudodd y pedwar ohonom ni yno. Rhianfa oedd enw'r tŷ, a dyma'r cartref cynta i mi ei gofio. Roedd o'n lle delfrydol i dyfu i fyny ynddo fo, tŷ ar ei ben ei hun ar ochr y ffordd y tu allan i bentre Llangwyllog. Roedd gardd fechan dwt wrth ochr y tŷ a golygfa agored dros y caeau yn y cefn efo mynyddoedd Eryri yn y cefndir. Bob tro y bydda i'n pasio'r lle heddiw mi fydd fy llygaid i'n gloywi.

Roedd yna stesion yn Llangwyllog, a phob dydd Iau mi fydda Mam a finna'n mynd i Langefni ar y trên i siopa. Roedd patrwm cyson i'r bererindod, ac ar y ffordd yn y trên mae'n debyg fy mod i'n gallu enwi'r tair siop y byddem ni'n galw ynddyn nhw – Siop Stesion, sef siop Mr Hughes y groser, siop gig Thomas John a Siop Smyrna Jones, lle byddai Mam yn prynu gwlân i weu dillad i ni. Mae'r cof am yr olaf yn berffaith glir oherwydd bod arogl y gwlân mor gryf yn y siop, y peli wedi eu stwffio ar y silffoedd yr holl ffordd i fyny i'r nenfwd, a dynes bigog, ofnadwy o hyll, efo llais main o'r enw Miss Peacock yn gweini. Druan ohoni – yn gaeth i'r ystafell fechan honno efo dim ond patrymau, gweill a thunelli o wlân rhyngddi hi a gwallgofrwydd!

Un diwrnod mi ddwedodd Mam wrth fy nhad ei bod yn flwyddyn i'r diwrnod ers iddyn nhw symud i fyw i Rhianfa. A'i ateb ynta oedd: 'Wyddwn i ddim ei bod hi'n bosib bod mor hapus!' – brawddeg sy'n gyrru ias i lawr fy nghefn i heddiw ac yn gwneud i'r dagra gronni yn fy llygaid wrth feddwl sut y gallai petha fod wedi bod i ni i gyd, ac mor wahanol y bu hi mewn gwirionedd. Yn fy nghof i, heblaw am y diwrnod yr aeth y lorri wartheg dros y gath a'r diwrnod pan gusanais i'r tarmac ar ôl plymio dros lyw fy nhreisicl, roedd bywyd yn Rhianfa yn nefoedd ar y ddaear. Ac mae'r ddau ddigwyddiad yna yn dal yn hollol fyw yn fy nghof.

Yn achos y cynta, ar ein ffordd i nôl wya a menyn o Ddreiniog House roedd Mam a minna ac, yn ôl ei harfer, roedd y gath yn ein dilyn. Mae'n amlwg bod y blynyddoedd wedi chwarae tricia efo fy nghof, oherwydd yn fy nychymyg dwi'n gweld dwy olwyn ôl fawr y lorri yn mynd dros Pwsi, a honno wedyn yn codi'n ôl i fyny yn gyfan fel balŵn ar ôl bod yn hollol fflat eiliad ynghynt. Wedi iddi godi, fodd bynnag, roedd yna sbotia coch drosti, ac mi aeth i guddio rhwng brigau'r clawdd wrth ochr y lôn i lyfu'i chlwyfau, a finna'n mynd i lawr ar fy nghwrcwd i syllu arni.

Yna, yn yr olygfa nesa, galwodd Yncl Bob heibio. Oherwydd ei fod o'n ystyried ei hun yn rhywun hynod bwysig yn y Cyngor Sir – er mai clerc eitha cyffredin oedd o mewn gwirionedd – fo oedd y dewis naturiol i fod yn offeiriad ar gyfer y gwasanaeth yn yr ardd, a chafodd Pwsi ei chladdu efo'r dyledus urddas a pharch.

Yn ôl yr hanes go iawn, mae'n debyg mai fy ngeiriau i ar yr achlysur trychinebus yma oedd 'O Mam, dwi isio crio' – ond bod y dagrau yn gwrthod ac yn methu â dod.

Ond, yn unol â'r hen ddywediad am oes cathod, roedd Pwsi wedi cael dihangfa ryfeddol cyn hynny, pan ddaeth i mewn o'r glaw yn wlyb diferol rhyw ddiwrnod. I mi, y peth mwya naturiol oedd ei rhoi yn y popty i sychu, a dyna wnes i. Dim ond pan ddaeth Mam i mewn a chlywed yr arogl mwya ffiaidd yn yr ystafell y cafodd y gath ei rhyddhau o'r ffwrnais.

Yn sicr roedd yna wylofain mawr a sgrechian annaearol adeg yr ail amgylchiad. Rhyw hen beth rhydlyd, oedd y treisicl, siŵr o fod, ac roedd lonydd Llangwyllog yn llawn tyllau, felly i mewn â mi efo'r olwyn flaen i un ohonyn nhw, a'r gweddill ohona i'n trio dilyn ac yn hedfan wyneb i waered efo'm holl bwysau'n disgyn ar fy ngheg. Mae'n rhaid bod golwg ofnadwy arna i efo fy ngwefusau drylliog yn gwaedu fel mochyn a minnau'n gwneud y math o synau fyddai fel arfer yn codi'r meirw. Ond roeddem ni'n rhy bell o gyrraedd clyw Rhianfa, ac felly mae'n debyg bod Ann fy chwaer – un nad ydi'r gair 'cyffro' erioed wedi bod yn rhan o'i geiriadur – wedi cerdded yn hamddenol i'r tŷ a chyhoeddi'r frawddeg anfarwol: 'Dwi'n meddwl bod Alwyn wedi brifo.'

Yn ôl y teulu, rhwng dwy a phedair oed y digwyddodd y profiadau trawmatig yma i mi, felly, yn eu barn nhw, does dim posib fy mod i'n eu cofio ac mae'n rhaid mai clywed amdanyn nhw gan bobl eraill yn ddiweddarach wnes i. Ond dwi'n gwbod y gwir, ac mi dwi'n gallu gweld y lluniau yr un mor glir heddiw.

Un o'r lluniau mwya trawiadol, ac un sy'n dal i godi cwestiynau yn fy meddwl i hyd heddiw, ydi hwnnw am yr adeg pan oeddem ni'n chwarae cuddio yn Siop Stesion un diwrnod. Roedd yna griw ohonom ni yno ac, oherwydd mai fi oedd y lleia siŵr o fod, doeddwn i ddim yn cael mynd i guddio ar fy mhen fy hun. Dyna lle'r oeddwn i felly efo merch oedd ddeng mlynedd yn hŷn na fi – rhyw bedair ar ddeg oed – yn cuddio yn y cwt glo, pan ddechreuodd hi dynnu ei dillad. Dwi'n cofio'n glir gweld top ei sanau neilon a'r *suspenders* a'r cnawd nid ansylweddol rhwng y naill a'r llall.

Ond dyna'r cyfan! Does dim mwy i'w adrodd! Pam ar y ddaear roedd merch yn ei harddegau yn gwneud y fath beth o flaen hogyn bach pedair oed, does gen i ddim syniad. Ond, yn sicr, mi roedd hon yn wers gynnar iawn mewn bywyd i mi – sef bod merched, ar brydia, yn gwneud y petha rhyfedda a phetha anodd iawn eu deall.

Llai cyffrous, ond yr un mor eglur, ydi'r cof am gerdded efo Ann fy chwaer i'r ysgol gynradd agosa, rhyw filltir a hanner i ffwrdd ym Modffordd. Mewn gwirionedd, yn yr oedran hwnnw, roeddwn i'n rhy ifanc i fod yn ddisgybl, ond cawn fynd yno yn achlysurol ar adeg pan nad oedd rheolau rhy gaeth yn bodoli yn ardaloedd gwledig Môn. Fel *part-timer,* felly, y dechreuais i fy ngyrfa addysgol, ac roedd honno'n sefyllfa ddelfrydol – cael mynd a dod yn ôl yr angen.

Ond fyddai'r bywyd nefolaidd yma ddim yn para. Un diwrnod fe ddaeth tractor a threlar at ffrynt Rhianfa, ac fe ddechreuwyd cario'r dodrefn allan o'r tŷ. Roedd William Wmffra yn awyddus i gael arian trwy werthu Rhianfa, ac mi roeddem ninna, fel teulu, yn mynd i fyw i Benbryn ato fo. Hyd yn oed yn yr oedran ifanc hwnnw roeddwn i'n gallu synhwyro bod gadael Rhianfa yn mynd i fod yn gamgymeriad. Pam gadael lle mor hapus?

Fferm yn perthyn i deulu 'Nhad oedd Penbryn, ychydig i'r de o bentre Bodffordd ar y lôn i Langefni, a'r ffermdy wedi ei godi ar fryncyn yng nghanol y coed. Mewn gwirionedd, tyddyn gyda rhyw ddeuddeg acer o dir oedd o, ond bod fy nhaid hefyd yn dal rhyw ddeugain acer o dir cyfagos er mwyn creu fferm weddol ei maint. Wnes i ddim setlo ym Mhenbryn am yn hir iawn. Roedd yna nifer o bethau gwrthun ynglŷn â'r lle. Un peth oedd y cas gwydr mawr wedi ei leoli wrth y drws ffrynt efo anferth o gi dŵr, neu ddyfrgi, wedi ei stwffio ynddo fo – digon i godi ofn yn y dydd ac i greu hunllefau yn y nos. Roedd o'n edrach yn hynod o realistig yn ei gôt ddu ddyfrllyd, ac yn cario pysgodyn gwaedlyd yn ei geg, un roedd o'n amlwg newydd ei ddal. Gan ei fod o wedi ei leoli reit ar waelod y grisia i'r llofftydd roedd hi'n amhosib ei osgoi, a sleifio heibio efo fy ngwynt yn fy nwrn fyddwn i.

Peth arall gwirioneddol atgas gen i oedd cynnyrch y fferm, yn enwedig y menyn ffiaidd fyddai'n cael ei wneud yn wythnosol gan fy nhad a'i gorddwr. Roedd y talpiau hallt yma yn codi cymaint o gyfog arna i fel y bu'n rhaid i Mam druan ildio yn y diwedd a phrynu menyn siop yn arbennig ar fy nghyfer. Yr unig ddewis arall oedd fy ngadael i lwgu. Roeddwn i'n ddigon tenau fel ag roedd hi, ac rydw i'n cofio'n iawn Mam yn fy molchi un noson cyn i mi fynd i'r gwely a hithau'n rhedeg y sebon ar hyd fy mreichiau eiddil gan ddeud: 'Alwyn bach, rhaid i ti fyta mwy, neu marw wnei di sti.' Ac nid cellwair oedd hi, na chodi ofn, ond yn hytrach ddangos gwir bryder, oherwydd dwi'n cofio'r dagrau yn cronni yn ei llygaid. Ond beth allwn i wneud? Roeddwn i'n casáu'r holl syniad o fyw ar fferm, yr aroglau a'r hinsawdd. Ac, wrth gwrs, roedd un peth arall wedi difetha ein huned fach deuluol hapus yn llwyr, sef presenoldeb William Wmffra.

Er bod parch mawr iddo fo fel gŵr amldalentog, yn enwedig fel crefftwr, roedd sôn am William Wmffra drwy'r ardal fel dyn cas a blin, a rŵan mi gawn inna brofiad uniongyrchol o'r peth. Er fy mod i bellach wedi anfon llawer o'r atgofion i bellafoedd y cof, rydw i'n cofio cael fy nghuro'n galed yn fy nghefn pan ddigwyddais un tro ddod rhyngddo fo a'r lamp baraffin ar y bwrdd, a finna'n ddiarwybod wedi ffurfio cysgod du dros ei bapur newydd. Dyna'r unig dro i mi gofio cael fy mrifo'n gorfforol ganddo fo, ond llawer mwy poenus i mi oedd y ffordd roedd o'n effeithio ar Mam. Dyna lle'r oedd hi'n gwneud menyn bob wythnos, yn cadw'r cartref, yn llaethu'r lloeau, yn bwydo'r ieir ac yn gwneud bwyd i ni i gyd tra bod William Wmffra yn rhoi'r holl arian a gâi drwy werthu anifeiliaid yn ei goffrau ei hun. Er na fyddai'n trin Mam ei hun yn wael roedd y ffordd y byddai o'n trin fy nhad yn effeithio arni hitha. Bwli oedd William

Wmffra, wedi dylanwadu'n gryf ar ei blant o'r cychwyn cynta ac yn dal i drin fy nhad fel plentyn ac un oedd yn gyfan gwbl o dan ei ddylanwad.

Y symud i Benbryn oedd un rheswm dros fy ansicrwydd inna. Ac y mae ansicrwydd yn troi'n ddiffyg hyder, a diffyg hyder ydi gelyn mwya hapusrwydd. Yr unig beth sy'n waeth na diffyg hyder ydi gormod ohono fo, ond ychydig iawn o bobol sydd yn ymwybodol eu bod nhw'n diodde o hynny.

Peth arall ddaeth i achosi pryder mawr i mi oedd y ffaith fy mod i'n cael cur pen yn gyson, yn enwedig ar ddiwrnod heulog. Ar yr un pryd mi fyddwn i'n profi rhyw hen deimlad annifyr iawn sy'n anodd ei esbonio. Y ffordd ora alla i ei ddisgrifio fo ydi 'mod i'n sydyn iawn fel pe bawn i'n sylweddoli bod ychydig eiliadau neu funudau wedi mynd heibio nad oeddwn i'n ymwybodol ohonyn nhw – rhyw ddeffro allan o stad o drwmgwsg bron, ac ailafael unwaith eto. Wnes i ddim sôn wrth neb am hynny ar y pryd, a dyma'r tro cynta i mi drio egluro'r peth erioed. Mi basiodd heibio 'mhen amser, ond bryd hynny mi ychwanegodd gryn dipyn at fy stad o ansicrwydd cyffredinol.

Ond roedd yna un ofn yn fwy na'r lleill i gyd. Wrth blygu ar fy nglinia wrth ochr fy ngwely bob nos i ddeud fy mhader, mi fyddwn i'n ychwanegu gweddi arall. Yn aml mewn dagra, mi fyddwn i'n erfyn ar i Iesu Grist gadw Mam yn fyw. Allwn i ddim dychmygu mor ofnadwy y bydda petha petai rhywbeth yn digwydd iddi hi, oherwydd i bob pwrpas mi fydda'r byd yn dod i ben. Mewn blynyddoedd i ddod mi fyddwn i'n teimlo'n euog iawn ynglŷn â'r ffaith nad oeddwn i'n teimlo'r un peth am fy nhad. Ond y gwir oedd mai Mam oedd angor y teulu, a hi fyddai'r dylanwad mwya ar fy mywyd i.

O edrach yn ôl, un o'r ychydig wir bleserau dwi'n ei gofio ym Mhenbryn oedd y gramoffon. Wn i ddim o ble y daeth hi ond dyna lle'r oedd hi un diwrnod a pheil o recordia 78 wrth ei hochr, pob un ag enw tenor enwog ar y clawr: Beniamino Gigli, Enrico Caruso, Heddle Nash, Josef Locke, Richie Thomas ac, wrth gwrs, David Lloyd.

Ond roedd un llais ben ac ysgwydd uwchlaw y lleill i gyd i mi. Llais clir, glân, ond yn llawn angerdd, efo noda uchel cynhyrfus fyddai'n codi gwallt fy mhen i. Enw perchennog y llais oedd Jussi Björling, ac ym mysg ei berfformiada ar y recordia roedd yr aria 'Nessun Dorma'. Does neb byth wedyn, er gwaetha'r holl ffwdan a'r heip, wedi medru dod yn agos at greu'r wefr roeddwn i'n ei deimlo bryd hynny, ac rydw i'n dal i'w gael, gan yr hen Jussi. A dyna felly fyddai fy uchelgais – bod yn denor fel Jussi Björling, yn canu 'Nessun Dorma' a'r gynulleidfa'n cymeradwyo yn syth ar ôl y nodyn uchel ola ac yn parhau i glapio tan i'r gerddorfa orffen yn y clo.

Dyna fyddai fy mreuddwyd, bod yn denor gora'r byd. Ond yn y cyfamser mi fyddai'n rhaid i mi helpu i fwydo'r ieir a godro'r gwartheg.

PENNOD 2

Y TU ALLAN i Benbryn roedd bywyd yn cylchdroi o gwmpas Ysgol Gynradd Bodffordd a Chapel Gad. Yn llywodraethu yn y cynta roedd Frank Grundy, prifathro â chanddo bersonoliaeth gref ac un oedd yn ogleuo'n gryf hefyd o fwg sigarets *Senior Service*. Roedd ei fysedd yn oren wedi blynyddoedd o smocio tanbaid.

Bwriad gwreiddiol Mr Grundy yn amlwg oedd bod yn weinidog, ond beth bynnag oedd y rheswm pam iddo fethu â gwireddu ei freuddwyd roedd o'n fwy na hanner ymarfer y ddawn honno yn yr ysgol. Efo emynau ac adnodau y bydda fo'n ceryddu. Pe byddai'n dod i mewn i'r dosbarth a ninna'n siarad mi fyddai'n bloeddio mewn llais crynedig, ffug-bregethwrol:

> O! distewch gynddeiriog donnau
> Tra fwy'n gwrando llais y nef.

Dro arall, pan oedd o am i ni gofio rhyw berl o wybodaeth y byddai newydd ei ddatgelu i ni, byddai'n deud: 'Ysgrifenna ef ar lech dy galon.'

Ar fore Llun fe fyddai Mr Grundy'n mynd o'n hamgylch ni, holl blant y dosbarth, fesul un, gan ofyn sawl tro oeddem ni wedi bod yn y capel y diwrnod cynt. Doedd o ddim yn trafferthu gofyn i rai ohonom: 'Tair! Tair! Tair! Tair!' meddai o wrth basio heibio Dic Graig, Victor Graig Bach, John Morris a finna. Yr un modd oedd hi efo'r pechaduriaid yma ac acw yn yr ystafell: 'Dim un! Dim un! Dim un!' Wedyn mi fyddai'n gofyn:

'Pwy oedd y pregethwr tua Gad acw ddoe?'

'Y Parch. W J Jones Bodedern, syr.'

'Wnaeth o ganu?'

'Naddo syr.'

'O, da i ddim felly. Dydi pregethwr yn werth dim os nad ydi o'n canu ar ei bregeth.'

Oedd, mi roedd Mr Grundy wedi methu'r llwybr yn rhywle, ond ni oedd ar ein hennill yn sgil colled yr eglwys. Yn un peth, roedd Mr Grundy yn credu'n gryf mewn trwytho'i ddisgyblion mewn hanes lleol, hynny yw hanes Sir Fôn. Ar wal yr ystafell ddosbarth roedd map anferth o'r ynys efo enwau rhai lleoedd wedi'u nodi ynghyd â llun adeilad neu berson arbennig. Fe fyddem ni'n dod i wbod am yr holl chwedlau a'r hanesion sydd yn gysylltiedig â'r ardaloedd oedd wedi eu nodi ar y map yn eu tro. Mi fyddai Mr Grundy'n crynu drwyddo wrth godi hwyl yn ei arddull areithio bregethwrol, a doedd dim posib peidio â chael ein swyno gan ei frwdfrydedd wrth iddo adrodd hanesion anhygoel fel yr un am y dyn cryf hwnnw, Huw Cymunod. Roedd Huw wedi derbyn sialens gan saer y pentre i gario trol o'r gweithdy i fferm Cymunod heb ei rhoi i lawr unwaith. Pe byddai'n llwyddo, Huw fyddai piau'r drol. Doedd y baich ddim yn broblem i Huw, wrth iddo gario'r drol drwy'r pentre ar ei ysgwyddau fel petai ond megis rhyw gist fach. Pan sylweddolodd y saer ei fod yn mynd i golli ei fet mi roddodd chwecheiniog i hogyn bach redeg o flaen Huw a chau giât Cymunod. Pan ddaeth Huw at y giât fe fu'n rhaid iddo fo roi'r drol i lawr er mwyn ei hagor, ac felly collodd y sialens.

Ond fy hoff stori i oedd yr un am y maen morddwyd yn Eglwys Llanidan ger Brynsiencyn. Yn ôl Mr Grundy, roedd y garreg ar ffurf clun ddynol, a phe byddai rhywun yn ei gario o'r eglwys mi fyddai'r maen yn siŵr o ddychwelyd yno erbyn y bore trannoeth. Un tro roedd Iarll Caer, ar ôl goresgyn Môn, wedi penderfynu rhoi prawf ar y chwedl. Mi drefnodd i glymu'r maen wrth gadwyni trymion a'i roi wedyn yn sownd wrth garreg anferth cyn lluchio'r cyfan i ddyfroedd berw Afon Menai. Y bore wedyn roedd y maen yn ei ôl fel arfer.

Ond tra bod ein haddysg yn hollol gadarn o ran crefydd, yr iaith Gymraeg a hanes lleol, doedd yr iaith Saesneg ddim yn bodoli yn ysgol Botfoth bron. Ar wahân i ryw lyfrau anferth o fawr oedd yn cael eu galw'n *workbooks*, lle'r oedden ni'n gorfod ateb cwestiynau drwy lenwi bylchau

– bylchau roedd cenedlaethau o blant eraill wedi eu llenwi ynghynt efo'u pensiliau ac yna wedi ceisio dileu eu hatebion, ond eu bod serch hynny'n dal yn amlwg – doedd yr iaith fain ddim yn ymddangos fel petai'n cael ei chyfri'n bwysig. Ambell dro fe fyddem ni'n cymryd ein tro rownd y dosbarth i ddarllen yn uchel allan o ryw lyfr yn yr iaith estron. Roedd hon yn broses ddychrynllyd o feichus gan nad oedd rhai o'r plant yn gallu darllen geiriau yn eu mamiaith heb sôn am yr *hieroglyphics* tramorol. Yn achlysurol fe fyddai Mr Grundy yn ein cywiro pan fyddem yn camynganu rhyw air (hynny yw, bob yn ail eiliad!) ond o safbwynt synnwyr yr hyn roeddem ni'n ceisio'i ddarllen doedd gennym ni ddim cliw, a waeth i ni fod wedi bod yn brwydro'n ffordd drwy Tacitus yn y Lladin gwreiddiol ddim.

Ar ambell achlysur prin yn ystod y flwyddyn mi fyddai Mr Grundy, efo rhyw osgo hynod o ddramatig, yn agor y ddau ddrws ar ddwy ochr y brif ystafell ac yn gadael i'r holl blant ddod i mewn o'r ddau ddosbarth arall, a'r rhan fwya ohonynt yn gorfod stwffio i rywle ac eistedd ar y llawr. Roedd yna awyrgylch disgwylgar, ofnus hyd yn oed, oherwydd roedd y plant hŷn yn gwbod yn union beth oedd yn mynd i ddigwydd, tra bod y newydd-ddyfodiaid yn edrych yn syn.

Yna fe fyddai Mr Grundy yn gosod cadair yng nghanol yr ystafell er mwyn i John Albert allu sefyll arni. Hogyn tal, tenau, oedd John Albert, gryn dipyn dros yr oedran pan ddylai fod wedi gadael yr ysgol gynradd, fel pe bai wedi'i gadw'n ôl yn fwriadol er mwyn i Mr Grundy allu parhau â'i gynhyrchiad rhyfedd.

Dwi'n medru gweld yr olygfa'n fyw o hyd yn y cof. Unwaith ei fod yn ei le, mae John Albert yn plethu'i freichiau ac yna'n hoelio ei lygaid difrifol yn syth o'i flaen fel pe bai'n gweld pen draw'r byd. Ar ôl saib hir, mae gweddill yr actorion yn ymddangos, dau arall o fyfyrwyr aeddfed yr academi hynod hon. Un yn gwisgo lliain sychu llestri dros ei ben i ddynodi mai portreadu merch y mae, a'r llall yn gosod ei fraich yn dyner dros ei hysgwyddau. Y ddau wedyn yn ymlwybro'n boenus o araf i gyfeiriad John Albert. Dim gair yn cael ei yngan drwy'r cyfan – meim ydi hon – a dim smic o sŵn i'w glywed drwy'r gynulleidfa chwaith, gymaint ydi'r tensiwn.

Mae'r tensiwn hwnnw'n cynyddu eto wrth i Mair a Joseff – oherwydd dyna pwy ydyn nhw – gyrraedd drws y llety. Yn bwrpasol araf a phetrus, mae Joseff rŵan yn dynesu at y porthor ac yn gorfod codi'i olygon yn uchel iawn i geisio tynnu sylw John Albert ymhell i fyny ar dop y gadair. Ond dydi JA ddim hyd yn oed yn symud amrant, dim ond dal i syllu'n sobr tua'r gorwel.

Ar ôl un ymgais aflwyddiannus arall, mae Joseff yn gorfod newid tacteg, ac mae'n estyn arian o'i boced. Mewn gwirionedd, bwnsied trwm o allweddi Mr Grundy ydi'r 'arian', wedi eu lapio mewn cadach glanhau melyn. Wrth ymestyn ar flaenau'i draed i ddal y cwdyn mor agos â phosib at freichiau JA, mae Joseff yn edrych fel dyn taer, sydd wedi cyrraedd pen ei dennyn. Ar ôl iddo ysgwyd tipyn ar y cynnwys i gyfleu sŵn yr arian, mae JA yn ymateb o'r diwedd. Yn boenus o ara, mae ei lygaid a'i ben yn gostwng yn raddol nes cysylltu â'r cwdyn. Yna mae ei freichiau'n graddol ddatgysylltu a'i fysedd yn cydio yn y cadach gwerthfawr ac yn teimlo'i gynnwys.

Efo'r awyrgylch bellach yn drydanol, a'r gynulleidfa gyfan yn dal un anadl cymunedol, mae John Albert yn sydyn yn troi i wynebu'r ochr ac yn lluchio'r cwdyn nes ei fod yn sglefrio'n swnllyd yr holl ffordd ar hyd y llawr i'r dosbarth pella gan daro'r wal efo clec. A dyna'r perfformiad drosodd – mor ddisymwth ag y dechreuodd o.

Fe allech chi dorri awyrgylch y lle efo cyllell. Yna, yn dawel ac ufudd, mi fyddai'r plant ieuenga'n dychwelyd i'w hystafelloedd tra bod Cecil B DeGrundy yn adfer ei allweddi ac yn ailfeddiannu ei hun fel prifathro ysgol fach yn y wlad. Yn ei dddychymyg, fyddwn i ddim yn synnu bod John Albert wedi breuddwydio bob hyn a hyn am y dydd y byddai'n cael ei anrhydeddu ag Oscar am ei berfformiad gwefreiddiol, oherwydd yn fy marn i does neb wedi haeddu un yn fwy.

Ond yr achlysur mwya arbennig o ddigon yn ystod fy holl flynyddoedd yn ysgol Botfoth oedd ein perfformiad yng Ngŵyl Gerdd Môn, rhyw fath o jambori mil o leisia i blant ysgolion cynradd y sir yn Neuadd y Dref, Llangefni. Tra bod pawb yn uno yn y côr mawr roedd rhai ysgolion dethol yn perfformio eitemau eu hunain yn ogystal. Doedd yno ddim mil o leisia, wrth gwrs, ond bryd hynny roedd llond llwyfan o blant o bob cwr o'r sir yn ymddangos yn andros o lot. Am flynyddoedd roedd Mr Grundy wedi gresynu nad oedd ysgol Botfoth wedi gallu cyfrannu eitem unigol yn yr ŵyl oherwydd nad oedd yna arbenigwr cerdd ar staff yr ysgol. Ond yna, fel ateb i weddi, fe ymddangosodd Miss Mair T Williams, athrawes ifanc ddeniadol o'r Gaerwen a aeth ati'n syth i ffurfio parti o leisia i ddysgu, o bob dim, gosodiad cerdd dant o gerdd enwog I D Hooson, 'Seimon fab Jona'.

Oherwydd natur storïol y gerdd honno, efo dogn helaeth o ddatganiadau gan Seimon ei hun, roedd angen unawdydd i ganu'r rhan. Dewis cynta Mair T oedd Eric Pwros, ond rhag ofn i drychineb ddigwydd iddo fo cyn y noson fawr roedd angen eilydd a fyddai'n gwbod rhan yr unawd ac yn medru neidio i'r adwy pe bai rhaid. Y fi gafodd y job ddiddiolch honno, ac yn ystod yr ymarferion dyddiol roedd disgwyl i mi ganu efo'r parti y rhan fwya o'r amser a rhoi cynnig ar yr unawd yn achlysurol er mwyn sicrhau 'mod i'n dal i gofio'r gwaith.

Wrth i'r diwrnod mawr agosáu fe newidiodd y sefyllfa. Heb unrhyw amheuaeth, llais Eric Pwros oedd yr un gora, ond mi roedd o'n dueddol o gracio ar ambell nodyn uchel ac roedd Mair T yn amlwg yn dechra poeni. Mae'n bur debyg iddi golli cwsg ynglŷn â'r holl beth, a Mr Grundy ynta hefyd, ond yn y diwedd fe wnaethpwyd y penderfyniad i chwarae'n saff – Alwyn Penbryn fyddai'n canu'r unawd yn yr Ŵyl Gerdd.

Mae yna ambell ddiwrnod yn ein hanes ni i gyd pan fo rhyw brofiad neu'i gilydd yn cael ei serio ar y cof am byth, un y gallwn ni ddeud yn onest ei fod o wedi bod yn dyngedfennol. Mae'n siŵr gen i bod ein criw bach ni o Ysgol Botfoth wedi cael cryn sioc wrth fynd i mewn i Neuadd y Dre, Llangefni, i'r ymarfer ar gyfer yr Ŵyl Gerdd y p'nawn hwnnw – lle llawer mwy a chrandiach na festri Capel Gad, efo'r llwyfan mawr a'r galeri anferth uwchben y seti cefn. Mwy na thebyg ein bod ni'n nerfus iawn hefyd, ond does gen i ddim cof o hynny. Yr hyn rydw i'n ei gofio, ac yn gliriach o lawer na bron unrhyw beth arall erioed, ydi'r sŵn anhygoel a dorrodd allan yn gymeradwyaeth ar ddiwedd ein perfformiad o 'Seimon fab Jona' y noson honno. Yn gymaint felly, pan gyrhaeddais i'r grisia oedd yn arwain i lawr o flaen y llwyfan i gorff y neuadd allwn i ddim teimlo 'nhraed. Roeddwn i'n llythrennol yn cerdded ar wagle! Os mai dyma'r math o wefr oedd i'w gael wrth ganu i bobol, yna yn bendant, canwr oeddwn i am fod.

I goroni'r noson, a minna'n sefyll y tu allan i'r neuadd efo Mam ar y diwedd – yn hollol anymwybodol o'r gwynt a'r glaw gan fy mod i wedi meddwi'n llwyr ar lwyddiant y noson – o'r tywyllwch fe ymddangosodd Mair T a rhoi andros o gusan i mi a'm gwasgu i'n dynn yn ei chôl. Hyd yn oed pe bawn i ddim wedi cael fy ngwobr yn barod, roedd hyn yn well na'r trysor mwya. Ac o, oeddwn – doedd dim amheuaeth am y peth – mi roeddwn i mewn cariad mawr efo Mair T.

Mi fyddai'n hynod o biti pe bai Mair T, ar ôl hynny, yn diflannu o'r darlun am byth – ond dydi hi ddim. Flynyddoedd lawer yn ddiweddarach, pan oeddwn i'n mynd yn weddol gyson i gyffiniau Telford a'r Amwythig i gynnal cyngherddau efo Côr Orpheus Treforys, fe ges i ar ddeall bod Mair T yn byw rhywle yn yr ardal a'i bod yn alarus iawn ar ôl marwolaeth ei gŵr. Yna, ymhen blwyddyn neu ddwy, roedd Mair T wedi cryfhau digon i ddod i gyngerdd, ac o'r diwedd, yn eglwys hardd St Chad's yn yr Amwythig, fe ges i gyfle i adrodd y stori ynghylch y perfformiad o 'Seimon fab Jona' a thalu teyrnged a diolch yn bersonol – ac yn gyhoeddus – i un oedd wedi bod mor gefnogol ac yn gymaint o ysbrydoliaeth i mi yn fy mlynyddoedd cynnar. Edrach yn swil iawn a throi yn rhyw liw pinc wnaeth Mair T pan ofynnais iddi godi ar ei thraed er mwyn i'r holl gynulleidfa gael ei gweld. Ond dwi'n siŵr ei bod hi'n falch.

Dwi'n gobeithio hefyd na chafodd hi ormod o sioc pan es i ati ar y diwedd a'i gwasgu'n dynn – yn union fel roedd hitha wedi'i wneud i minna yr holl flynyddoedd ynghynt.

Mae yna epilog ynglŷn ag Eric Pwros hefyd. Rhyw b'nawn Sadwrn ar sgwâr Botfoth, gryn fisoedd ar ôl yr Ŵyl Gerdd mae'n siŵr, mi benderfynodd Eric roi andros o gweir i mi. Dwi ddim yn cofio be oedd y rheswm ond mi fuaswn i'n lecio meddwl mai dial oedd o am fy mod i wedi dwyn ei foment fawr i ganu'r unawd yn 'Seimon fab Jona' a difetha ei gyfle i fod yn un o sêr La Scala rhyw ddydd.

P'run bynnag, dyna lle'r oeddwn i yn fy nagrau pan ddigwyddodd Hugh, fy nhaid, ddod heibio yn ei Ford 8. Neidio ar ei feic wnaeth Eric yn syth a phedlo fel gwallgofddyn tua Pwros, oedd rhyw filltir dda o'r pentra. Pan ddwedais fy stori wrth Hugh mi waeddodd 'I'r car!', a ffwrdd â ni ar ôl y dihiryn. Oherwydd bod Eric wedi cael digon o flaen arnom ni, a'r ffaith nad oedd y Ford 8 fawr cyflymach na beic p'run bynnag, roedd o fewn rhyw ddau gan llath i Pwros pan welsom ni o. Felly mi stopiodd Hugh y car, agor y drws a gweiddi ar ei ôl: 'Pan ga i afael arnat ti mi ffycin lladda i di!'

Wn i ddim am Eric, ond roeddwn i mewn sioc. Doeddwn i erioed wedi clywed oedolyn, heb sôn am aelod o'm teulu – fy nhaid i fy hun, o bawb! – yn defnyddio iaith o'r fath. Ddwedais i'r un gair ar y ffordd yn ôl, na Hugh chwaith o ran hynny, fel pe bai rhyw newid di-droi'n-ôl wedi digwydd yn ein perthynas ni.

Ond mi wyddwn i un peth – doedd Hugh ddim yn ddyn i'w groesi.

PENNOD 3

ER GWAETHA'R FFAITH 'mod i gymaint o'i ofn o, mi fyddwn i'n treulio eitha tipyn o amser efo Hugh, gan gadw cwmni iddo fo pan oedd o'n mynd o gwmpas ei waith ar forea Sadwrn. Yn eitha aml mi fyddai hynny'n golygu mynd i osod gratiau mewn tai, a hyn yn dilyn ysfa ddiweddara'r cyfnod o gael Triplex yn lle stof henffasiwn neu rât agored. Hen job fudr oedd gosod gratiau, efo'r ystafell yn un niwl tew, du o lwch a pharddu myglyd unwaith y byddai Hugh wedi tynnu'r hen rât o'i lle. A chan ei fod o wedi colli un ysgyfaint wedi iddo ddiodde'r o'r diciâu yn ei blentyndod mi fyddai'r awyr ffiaidd yn rhoi cryn straen ar ei ysgyfaint arall, nes byddai Hugh yn pwffian a chwythu fel hen fegin llawn tyllau. O'm rhan fy hun, a finna ym mlodau fy nyddiau, mae'n bur debyg bod y profiad o fod yn bresennol yn y fath awyrgylch afiach wedi bod yn gyfystyr â phe bawn i'n smocio hanner cant o sigarets y dydd, ond heb ddim o'r pleser.

Weithia mi fydda Hugh yn gofyn:

'Pasia'r bethma 'na i mi,' gan amneidio tuag at ei focs twˆls.

'Hwn?' meddwn inna gan gynnig morthwyl iddo fo.

'Naci, y bethma 'na!'

'Y triwal 'ma?'

'Wel naci siwˆr, y bethma!'

Fe allai hyn fynd ymlaen am hir, nes 'mod i wedi tynnu popeth allan o'r bocs, a Hugh yn dal i ysgwyd ei ben.

Yn ddiweddarach, yn ystod gwylia'r haf a minna yn fy arddegau ac angen arian, mi fyddwn i'n mynd i weithio efo Hugh yn eitha rheolaidd. Ac er bod yr arian yn werthfawr iawn ar y pryd, roedd yna fantais ychwanegol, llawer mwy pellgyrhaeddol i'r profiad o godi am saith y bore, cyrraedd rhyw stad adeiladu erbyn wyth a threulio'r diwrnod yn y glaw yn cymysgu sment a stryglio i'w gario mewn berfa at Hugh. Nid dyma oedd fy syniad i o'r math o waith roeddwn i am ei wneud, ac mi benderfynais y byddwn i'n gweithio'n galetach yn yr ysgol o hynny ymlaen er mwyn gwneud yn siŵr y byddwn i'n gallu osgoi'r ffordd hynod ddiflas a chaled hon o ennill bywoliaeth.

Fe ddaeth y foment dyngedfennol un haf pan oeddwn i'n gorfod gadael Hugh a'i frics a'i goncrid i fynd am dair wythnos i chwarae'r viola yng Ngherddorfa Genedlaethol Ieuenctid Cymru. Efo fy nwylo a'm bysedd yn llawn briwiau a chraciau, roeddwn i siŵr o fod yn edrych fel labrwr wedi cael tröedigaeth. Fe gymrodd hi wythnos go dda i gael y viola i swnio rhywbeth yn debyg i offeryn cerdd. Na, o hynny ymlaen, llwybr celfyddyd fyddwn i'n ei ddilyn, ac fe fyddai'n rhaid i Hugh wneud heb fy nghymorth.

Ond mi dwi wedi llamu ymlaen rŵan. Yn ôl ym mhentra Botfoth fy mhlentyndod roedd yna lu o gymeriadau rhyfedd. Tua gwaelod Scotland Terrace roedd Ty'n Giât, cartra John Thomas, bardd lleol a stesion-master Llangwyllog. Yn ôl yr hanes roedd rhywun wedi dwyn cariad John Thomas pan oedd o'n hogyn ifanc ac ynta wedyn wedi addunedu y byddai'n priodi'r 'ferch hylla wela i'. Ac mi wnaeth. Yn ogystal â'i hwyneb nad oedd yn arbennig roedd gan Mrs Thomas y dannedd gwaetha welsoch chi erioed – rhyw stympia duon yn ymwthio drwy'r *gums* pinc. Ond y peth rhyfedda ynglŷn â theulu Ty'n Giât oedd bod un ohonyn nhw bob amser – a dwi'n golygu BOB amser – ar stepan y drws ffrynt, beth bynnag fyddai'r tywydd, yn edrach i fyny ac i lawr y stryd ac yn cyfarch unrhyw un a ddôi heibio. O fore gwyn tan nos mi fyddai Mrs Thomas, ei mab neu ei merch (byth John Thomas) yno ar garreg y drws fel sowldiwr ar ddyletswydd, yn gwarchod y tŷ, y stryd a'r pentra.

Doedd fy nheulu inna ddim yn llai rhyfedd. Yn cadw tŷ capel Gad roedd Yncl Johnnie, brawd fy nain ar ochr fy mam, a'i briod, Anti Maggie. Ymhell cyn i mi ddod ar draws y cymeriad Mrs Malaprop yn nrama enwog Sheridan, *The Rivals,* yng ngwersi Saesneg Ysgol Llangefni, roedd Anti Maggie wedi bod yn gynrychiolydd cig a gwaed o'r ffenomenon.

'Dyma fwy o gwpanau,' medda rhywun, wrth i'r merched baratoi te yn y festri un diwrnod.

'Y Môr Tiberias,' medda Anti Maggie, gan olygu *the more the merrier*.

Dro arall, pan oedd Mam yn cynnig lle i aros i ymwelwyr yn Rhianfa, sylw Anti Maggie oedd bod gan Annie, 'visitors Bread and Butter'.

Meddwyn a diogyn mwya'r pentra oedd Ŵan (Owen) John, gŵr ffraeth a fyddai'n creu adloniant wythnosol i staff swyddfa'r di-waith yn Llangefni. Un diwrnod roedd gan Ŵan John gi *dachshund* yn gwmni iddo.

'Sausage dog ydi hwnna?' gofynnodd y swyddog.

'Naci,' medda Ŵan John, 'milgi oedd o, ond bod ei goesa fo wedi gwisgo wrth fynd rownd efo mi yn chwilio am waith.'

Yr actor Charles Williams oedd y seleb lleol, wrth gwrs, ond roedd o'n fwy nag actor radio a digrifwr i ni blant y pentra. Roedd Charles yn ddiddanwr naturiol, llawn-amser, yn ein bodloni'n gyson efo sylwadau bachog a straeon digri. Roedd ganddo fo stôr o hanesion am gymeriadau'r pentra, ac un o'r atgofion mwya pleserus sydd gen i'n blentyn ydi chwerthin llond fy mol wrth wrando ar 'Nhad a Charles o bobtu tân y parlwr ym Mhenbryn yn dynwared y bobl ryfedda ac yn sôn am eu helyntion.

Y ffefryn oedd Owen Jones Deiliwr. Fel pe bai'n ymwybodol o'r hyn oedd yn mynd i ddigwydd yn yr oes sydd ohoni, roedd Owen Jones yn mynnu gordreiglo, a hynny ar bob cyfle posib. Dyna pam mai 'deiliwr' oedd Owen Jones wrth ei alwedigaeth, nid 'teiliwr'. Ar y ffordd i'r Ysgol Sul mi fyddai Owen Jones yn dweud wrth y plant a fyddai'n cydgerdded â fo ei fod wedi cael 'borc' i ginio. Ac wrth gyhoeddi o'r sêt fawr un tro bod tair drama fer i'w perfformio yn fuan fe ychwanegodd bod y manylion i'w cael 'yn y borch'.

Fel pe bai'n chwilio am hyd yn oed fwy o sialens yn ei fywyd roedd Owen Jones wedi priodi Saesnes, *evacuee* o'r enw Rachel. Ond i'w gŵr, 'Rajal' oedd hi, ac fe fyddai'r ddeialog fyddai'n llifo allan o Penrhos House yn ymylu ar yr abswrd. Un tro, a Rachel yn yr ardd, fe ddaeth Owen Jones allan o'r tŷ'n ddiamynedd a dweud: *'Rajal, go to 'ouse and make a bowl of "bala lath"'* (bara llaeth).

Ond adeg y Diwygiad, pan oedd yr ysbryd yn rymus, yr enillodd Owen Jones ei anfarwoldeb. Yng ngwres y gorfoleddu dyna lle'i gwelwyd yn gorwedd ar ei hyd yn y sêt fawr, ei draed yn cicio yn yr awyr ac yntau'n gweiddi: 'Ladd fi, Arglwydd!'

Yn bendant, roedd dylanwad y Diwygiad yn gryf iawn yng Nghapel Gad, ac mi fyddai'r rhai oedd yn ddigon hen i gofio'r cyfnod yn gweddïo'n daer ac yn gyson am i'r ysbryd ddychwelyd. Y prif flaenor a'r blaenor hynaf, oedd Hugh Roberts, Talfryn, gŵr roeddwn i'n ei ystyried yn sant. Wrth ledio emyn mi fyddai Hugh Roberts yn ei chael hi'n anodd cyrraedd diwedd yr ail linell. 'Rhif yr emyn dau gant tri deg ac un,' meddai yn ei lais gwylaidd. 'O Fab y Dyn, Eneiniog Duw, fy Mrawd… a'm Ceidwad cry', Ymlaen y… cerddaist… dan y groes… a'r gwawd…' Ac yna mi fyddai'r llifddorau'n agor a Hugh Roberts yn crio fel plentyn. 'Fedra i ddim… peidio wyddoch chi,' medda fo'n grynedig, 'wrth sôn… am… Iesu Grist.' Sniff arall wedyn ac yna mi fyddai'n amneidio ar yr organyddes i gychwyn.

Ar ôl i ninna ganu'r emyn mi fyddai Hugh Roberts yn ymostwng ar ei liniau'n ara ac yn gweddïo'n ddwys a dagreuol am ryw ddeng munud. Yng nghanol y seibiadau hirion mi fyddai'n ochneidio wrth gyffesu ei lu o bechodau, tra 'mod inna'n methu deall pam roedd y dyn mwya duwiol yn y byd yn edifarhau yn y fath fodd.

Hugh Roberts fyddai'n ein paratoi fel parti cydadrodd i berfformio cyfres o adnodau yn y Gymanfa Blant, a hyd yn oed bryd hynny mi fyddai dagrau'n cronni yn ei lygaid wrth drin y testun. Ond Anti Lizzie, Cerrig Duon, fyddai'n gyfrifol am ddysgu'r emynau a'r tonau i ni, a hynny yn y Cyfarfod Plant wythnosol. Er bod pawb yn ei galw hi'n Anti Lizzie, roedd hi'n fodryb go iawn i mi, gwraig fy Yncl Willie, brawd fy nhad. Mi roddodd wasanaeth anhygoel i'r capel, rhywbeth fel deng mlynedd a thrigain fel organyddes, athrawes Ysgol Sul ac athrawes ganu. Doedd hi ddim yn berchen ar y llais canu gorau, ond roedd ei brwdfrydedd a'i dygnwch yn anhygoel, a chanddi hi y dysgom ni, blant Gad, *repertoire* sylfaenol pob capel, o 'Iesu tirion' i 'Rwy'n caru dweud yr hanes' ac o 'Cysegrwn flaenffrwyth' i 'Rwyf innau'n filwr bychan'.

Ond nid oddi wrth Anti Lizzie y dysgais i fy hoff emyn i blant. Un bore Llun fe ddwedodd 'Nhad wrtha i ei fod o isio dysgu emyn newydd i mi. Ar ôl i mi ei ddilyn i'r tŷ llaeth yng nghefn y tŷ dyma fo'n dechra:

> Rwy'n canu fel cana'r aderyn
> Yn hapus yn ymyl y lli;
> A dyna sy'n llonni fy nodyn
> Bod Iesu yn Geidwad i mi.
> Mae'r Iesu yn Geidwad i mi…

Ac i gyfeiliant y corddwr, felly, nid unrhyw offeryn cerdd, y dois i i ddysgu'r emyn sy'n golygu mwy i mi nag unrhyw un arall. Os oes gen i ronyn o ymdeimlad cerddorol, yna brwdfrydedd fy nhad fu'n gyfrifol am hynny. Y tristwch ydi na chafodd o unrhyw gyfle i fynd ymhellach, dim ond rhygnu ymlaen efo'i gorddwr.

Rhwng pawb, doeddwn i ddim yn brin o hyfforddiant canu. Yn ogystal â'r cyfarfodydd plant fe fyddai Anti Lizzie yn gofyn i mi fynd draw i Gerrig Duon am wersi ychwanegol. Yno mi fyddai Yncl Willie hefyd yn rhoi ei big i mewn – unrhyw beth i osgoi gwneud gwaith ar y fferm. Yncl Willie, Capt W R Humphreys, oedd brawd hŷn fy nhad, ac roedd o wedi ymddeol yn gynnar o'r môr ar ôl i'w long gael ei suddo gan y Jyrmans. Ac yntau wedi hen arfer â rhoi ordors a chael pobl eraill i wneud gwaith drosto, doedd Yncl Willie ddim yn ymddangos fel pe bai'n lladd ei hun ar y fferm, ac mi fyddai'n cario bwced fel pe bai honno'n llawn o wenwyn, o hyd braich megis. Mi fyddai'n dod i mewn i'r tŷ bob rhyw hanner awr i eistedd yn ei gadair esmwyth a darllen y *Daily Post* gan smocio'i *Capstan Full Strength* ac er mwyn cynnal y math yma o fywyd hamddenol fe fyddai'n cyflogi gwas – neb llai na Charles, pan na fyddai hwnnw mewn rhyw stiwdio neu'i gilydd.

Yncl Willie oedd arweinydd Côr Meibion Bodffordd, er bod pawb yn cydnabod mai 'Nhad oedd y cerddor gora o'r ddau. Roedd Yncl Willie, wedi'r cyfan, wedi bod yn gapten llong ac wedi arfer trin dynion, felly roedd ganddo fo brofiad o ddisgyblu. Maes o law mi ddes inna'n aelod o'r côr, ond mi gawn ni ddod at hynny eto. Am y tro fy nefnyddio fel ffordd i osgoi budreddi'r fferm fyddai Yncl Willie pan fyddai'n dod i mewn i'r parlwr efo'r esgus o helpu Anti Lizzie.

Ond mi allwch chi gael gormod o bwdin. Un diwrnod, ar ôl dychwelyd o sesiwn ganu o'r fath yng Ngherrig Duon, mae'n debyg i mi fynegi fy rhwystredigaeth wrth Mam: 'Ar bwy dwi i fod gwrando? Anti Lizzie, Yncl Willie, ynta Dad?'

Pan oeddwn i'n rhyw saith a hanner oed fe ddaeth yna ychwanegiad i'r teulu, fy mrawd bach Arwel. Mae'r ffaith bod yna gymaint o flynyddoedd rhyngom ni'n awgrymu mai camgymeriad oedd o, ac fe ddechreuodd fod yn bac o drwbwl o'r cychwyn cynta. Hyd yn oed cyn ei eni, efo dim ond ychydig wythnosa i fynd, roedd Mam wedi cael ei rhuthro i ysbyty'r 'C & A' (Caernarvon & Anglesey') ym Mangor ar ôl syrthio oddi ar ben cadair wrth baentio *ceiling* y parlwr. Fe gafwyd cymhlethdodau yn ystod yr enedigaeth ei hun gan fod Arwel yr hyn a elwir yn *blue baby* sef cyflwr peryglus lle mae yna ymyrraeth rhag i waed y plentyn allu cario ocsigen. Ond mi oroesodd, a phan glywais i fod Mam wedi dod adra o'r ysbyty mae'n debyg i mi redeg drwy'r drws ffrynt a llamu i fyny'r grisia mewn cynnwrf mawr er mwyn gweld fy mrawd bach newydd, ac yna gorfod wynebu'r siom fawr na alla fo ddŵad allan i chwara efo fi'n syth.

Ond roedd gwaeth i ddod. Ymhen rhyw ddwy flynedd, a ninna bellach wedi symud o Benbryn i stad tai cyngor Fronheulog ym Modffordd oherwydd bod Mam wedi cael llond bol ar gastia William Wmffra, mi aeth Arwel yn ddifrifol wael. Y cyflwr oedd *fluid on the lung*, a phenderfyniad doeth Dr Parry Jones oedd y byddai'n well ei gadw adra rhag ofn i'r sioc o ganfod ei hun mewn ysbyty fod yn ormod iddo fo. Y canlyniad oedd i wely Arwel gael ei gario i lawr o'r llofft a'i roi reit o flaen y tân yn y stafell fyw. Roedd hi'n olygfa od, a thrist iawn, efo'r plentyn bach eiddil dwy oed yma'n gorwedd yn y fan honno, yn edrach fel drychiolaeth, yn union yr un lliw â'r dillad gwely. Dwi'n cofio chwara ffwtbol efo'r hogia eraill yng Nghae Parc ac yn methu canolbwyntio oherwydd bod fy meddwl yn crwydro wrth ystyried tybed oedd fy mrawd bach yn mynd i fyw ai peidio. Un peth sy'n sicr, oni bai am Lucozade mi fyddai Arwel druan wedi'n gadael ni. Dyna'r unig beth oedd o'n fodlon ei gymryd i mewn i'w gorff bach gwan, a dyna sut y daeth o drwyddi.

Wrth iddo fo dyfu roedd y gwahaniaeth oedran rhyngom ni'n golygu fy mod i'n gallu cam-drin Arwel yn reit ddrwg, yn enwedig pan oeddem ni'n ymladd efo clustoga'r gwely, pan fyddwn i'n ei guro'n ddidrugaredd. Mae'n dda na wnaeth o erioed ddal dig am hynny, oherwydd heddiw mi rydan ni'n benna ffrindia. Mae o'n berson llawer mwy diddorol a chymdeithasol na fi, ac yn aml iawn mae o'n fy atgoffa i o 'Nhad, efo'i ddiddordeb angerddol mewn canu.

Un diwrnod, a minna'n chwara ar iard ysgol Botfoth, mi welais 'Nhad yn cerdded heibio wedi ei wisgo mewn du i gyd. Wnaeth o ddim hyd yn oed codi ei ben i edrach arna i. Wedyn mi welais yr hers yn ei ddilyn ac mi sylweddolais fod William Wmffra wedi marw. Mi fyddwn i'n anonest petawn i'n deud 'mod i'n drist, ond ar yr un pryd dwi'n cofio teimlo cymaint o resyn oedd hi ein bod ni'n deulu rhanedig fel hyn, ac nad oedd neb ohonom yno i rannu profedigaeth fy nhad.

Ond canlyniad ymarferol tranc William Wmffra oedd y byddem ni, rŵan yn mynd yn ôl i fyw ym Mhenbryn. Un noson mi aeth Mam a finna i weld sut siâp oedd ar y lle ar ôl dwy flynedd o esgeulustod. Wrth fynd i mewn drwy'r drws ffrynt roedd bygythiad y ci dŵr cyn waethed ag erioed, a dwi'n cofio Mam yn gorfod poeri allan blas cas y tŷ wedi iddi adael y lle. Ar ôl byw mewn tŷ modern newydd am gwpl o flynyddoedd mi fyddai hyn fel dychwelyd i oes yr arth a'r blaidd eto.

Lacrymosa

PAN DDEFFRAIS I O'R CÔMA roeddwn i'n gwbod yn syth fy mod i'n ddifrifol wael. Wrth edrych o'm cwmpas roedd hi'n amlwg fy mod i mewn ysbyty, ond yn waeth na hynny roeddwn i mewn math o ystafell roeddwn i'n hen gyfarwydd â'i gweld. Droeon pan oeddwn yn blentyn, wrth fynd efo'r teulu i ymweld ag Yncl Johnnie neu bwy bynnag, yn ysbyty'r C & A, roeddwn i wedi sylwi bod gan bob ward un ystafell arbennig ar wahân ar y ffordd i mewn, efo paneli gwydr yr holl ffordd i fyny i'r to, a'r ystafell honno wedi ei lleoli nesa at swyddfa'r Sister. Dyna lle byddai rhywun gwirioneddol wael yn gorwedd, ac yn edrach fel drychiolaeth. Sawl tro roeddwn i wedi crynu drwyddof wrth gymryd cipolwg sydyn wrth basio drws agored ystafell y creadur anffodus, ac yntau'n gorwedd yno efo llu o diwbiau yn sticio allan o'i gorff gwantan.

A rŵan dyma finna yn yr union le. Yn ogystal â gordd yn curo'n ddidrugaredd yn fy mhen roeddwn i hefyd yn teimlo'r syched mwya ofnadwy. Er ei bod hi'n andros o ymdrech mi fedrais droi fy mhen at y cwpwrdd wrth ochr y gwely ac ymestyn at y gwydraid o ddŵr. Dyna pryd y gwaeddodd rhyw lais o gyfeiriad y drws: 'Lie down! – You're not supposed to move!'

Roedd y nyrs yn edrach yn bryderus, a chyn hir fe ddaeth y cynta o nifer o feddygon i fy holi a gwneud profion trwy godi fy mraich dde, wedyn fy mraich chwith, ac yna fy nghoesa yn eu tro i weld beth oedd yr ymateb. Wnaeth neb egluro wrtha i beth oedd wedi digwydd, ac mewn gwirionedd roeddwn i'n teimlo mor sâl fel nad oeddwn i isio gwbod p'run bynnag. Ar wahân i'r boen annioddefol yn fy mhen, yr unig gliw arall oedd y tamaid o Elastoplast y gallwn ei deimlo ar fy nghefn. Yn nes ymlaen fe fyddwn i'n dod i wbod mai o ganlyniad i'r *lumbar puncture* roedd hwnnw yno.

Doeddwn i chwaith ddim yn ymwybodol ei bod hi erbyn hyn yn nos Sul, ac fy mod i wedi colli diwrnod cyfan o fy mywyd mewn stad o drwmgwsg. Roedd fy nheulu, mae'n debyg, wedi cael eu rhybuddio i beidio â dod i'r ysbyty i'm gweld, gymaint oedd difrifoldeb fy sefyllfa, felly gorwedd yno'n dawel oedd yr unig ddewis.

Ac yna fe glywais i'r llais yma. Llais cyfarwydd o'm plentyndod. Yn y ward fawr drws nesa roedd rhywun yn mynd o gwmpas y cleifion. 'Sut 'dach chi heno? Ydach chi'n teimlo'n well? Ydach chi mewn poen? Fasach chi'n hoffi i mi ddeud gair o weddi?'

Wrth i'r gweinidog fynd o gwmpas y gwelyau roeddwn inna'n mynd yn fwy sicr ohono, ac yn llwyr gredu mai dim ond mater o funudau fyddai hi cyn y byddai wrth fy ochr inna. Ond, oherwydd rheolau'r ysbyty siŵr o fod, pasio heibio drws ystafell y difrifol wael wnaeth y gweinidog.

Rhywsut neu'i gilydd fe ges i ddigon o nerth o rywle i weiddi ar ei ôl: 'Willie!'

Ac mi glywodd.

'Dew, be ar y ddaear wyt ti'n wneud yn fan'ma was?'

Roeddwn i mor falch o'i weld o. Yn ei rôl fel gweinidog un o gapeli'r Felinheli, roedd y Parchedig W R Williams wedi galw i gysuro cleifion y 'C & A' ar ei ffordd adra o'i oedfa nos Sul. Ond fel Willie Charles roeddwn i'n ei nabod o, mab hyna'r actor Charles Williams a ffrind da o ddyddiau'r Ysgol Sul ers talwm. Ychydig a wyddai o pan aeth ar ei ddyletswydd fugeiliol y noson honno y byddai'n gweld Alwyn Penbryn yn hofran rhwng byw a marw. Ond i mi roedd gweld Willie ar yr awr ddu honno'n hwb aruthrol, oherwydd o leia roeddwn i'n gallu adnabod rhywun yn y byd poenus a rhyfedd roeddwn i wedi deffro iddo fo.

Y gwir oedd fy mod i wedi cael yr hyn a elwir yn *subarachnoid haemorrhage* oherwydd *aneurysm* ar y rhydweliau, sef y math gwaethaf o waedlif ar yr ymennydd. Sefyllfa ydi hon lle mae'r gwaed yn dianc o'r rhydwelïau ac yn llifo i'r ardal o gwmpas yr ymennydd (y gofod *subarachnoid*). Os bydd y gwaed yn cyffwrdd â'r celloedd ymenyddol mae yna berygl o ddifrod parhaol.

Mae'r ystadegau'n frawychus: 50 y cant o bobol yn marw o fewn y munudau cynta. O'r 50 y cant sy'n weddill mae eu hanner nhw'n marw o fewn rhai dyddiau. O'r ychydig sy'n ddigon ffodus i oroesi mae nifer fawr yn dioddef effeithiau tymor-hir difrifol am weddill eu bywydau. Ychydig iawn sy'n byw bywyd normal ar ôl y fath salwch.

PENNOD 4

MAE'N FY NHARO I bod taith bywyd y Cymro, o'r crud i'r bedd, yn debyg iawn i ryw eisteddfod fawr hir – cyrraedd y maes, mynychu rhagbrofion ac yna, os yn llwyddiannus, perfformio ar y llwyfan mawr a disgwyl am y dyfarniad.

Yn sicr mae bywyd yn cynnwys lot o gystadlu. Weithia rydan ni'n ennill, dro arall yn colli. Ry'm ni'n lwcus o gael gwobr ambell dro, ond yn aml beirniadaeth lem a siom enbyd sy'n ein haros. Beth bynnag ydi'r canlyniad, mae rhywun yn dysgu cryn dipyn o'r profiad ac yn fwy parod 'falla i wynebu'r her nesa. Hynny yw, oni bai ein bod ni'n cael cam, wrth gwrs – a phwy sydd heb gael cam erioed?

Mi fydda rhywun yn dychmygu bod yr holl lwyfannu yma, mewn capel ac eisteddfod, wedi rhoi hunanhyder aruthrol i ni gystadleuwyr, ond rhywsut neu'i gilydd dydw i ddim yn credu bod hynny'n wir yn yr oes a fu. Ymhell cyn bodolaeth *Pop Idol* a rhaglenni cyffelyb roedd *wannabes* Cymru yn strytian ar lwyfannau neuadda pentra neu yn sêt fawr y capeli bob dydd Sadwrn bron, yn adrodd, canu, chwara piano ac yn y blaen. Ond ychydig iawn, yn fy nghyfnod i, wnaeth gysylltu llwyddiant eisteddfodol efo tocyn i anfarwoldeb. Roedd y rhan fwya o bencampwyr eisteddfodol bryd hynny, ar ôl tyfu'n hŷn, yn berffaith hapus i ddychwelyd i'r fferm, y chwarel, y siop, yr ysgol neu'r gweithdy. Diddordeb oedd cystadlu, wedi ei fwydo i'n cyfansoddiad ni, mor naturiol â bara a llefrith, a doedd yna ddim byd anghyffredin mewn ymdaflu i'r cylch ymryson bob cyfle posib.

Roedd yna ddigon o eisteddfodau bychain lleol yn cael eu cynnal ym Môn yn ystod fy mhlentyndod i i'm cadw'n brysur bron bob penwythnos yn ystod y flwyddyn. Yn ogystal ag ambell un sy'n dal i fynd heddiw, fel Eisteddfod Talwrn ac Eisteddfod Llanddeusant, roedd hyd yn oed ardaloedd diarffordd, lle nad oedd ond llond dyrnaid o dai, fel Llandyfrydog er enghraifft, yn cynnal steddfod. Dim ond rhyw neuadd fechan, gymaint ag ystafell ffrynt gyffredin, oedd yn Llandyfrydog, ond doedd hynny ddim yn mynd i atal y ffyddloniaid rhag cynnal jamborî.

Roedden ni fel teulu yn mynd i amryw o'r eisteddfoda yma, a hynny oherwydd y gred gyffredinol bod gen i lais canu *boy soprano* gweddol dderbyniol. Mewn gwirionedd roeddwn i'n eitha mwynhau canu, yn enwedig ar yr achlysuron prin rheiny pan oeddwn i'n teimlo bod y cyfan – corff, anadl, llais ac ysbryd – yn cydweithio'n iawn ac yn disgleirio. Bryd hynny mi allwn i deimlo'n arbennig o dda – yn wir, roedd yn well nag unrhyw deimlad arall yn y byd – ac mi alla i gofio dau neu dri achlysur yn berffaith.

Dyna'r tro hwnnw yn festri Capel Gad a finna'n canu 'Wele gwawriodd ddydd i'w gofio' ar yr hen alaw 'Y Bachgen Main' mewn *penny reading* ychydig cyn y Nadolig. Am ryw reswm mi allwn i glywed a theimlo'r nodau uchaf yn atseinio yn nho'r festri, ac yn swnio bron fel mai rhywun arall oedd yn eu canu. Roedd o'n deimlad hynod o braf, ac mi allwn i hefyd deimlo'r awyrgylch – yr hyn a elwir y *tingle factor*.

Fe ddigwyddodd dro arall mewn rhagbrawf rhyw eisteddfod yn Sir Gaernarfon. Roedd fy rhieni'n amlwg wedi penderfynu ehangu fy nalgylch cystadlu y tro hwnnw a mynd â fi 'dros y bont'. Dwi ddim yn cofio'n union lle, ond mewn rhyw gapel reit fawr roedd yr eisteddfod, a'r rhagbrofion yn cael eu cynnal yn y bore. Dwi'n cofio'r darn prawf yn iawn, 'Y Rhosyn Rhudd' gan Schubert – hen ddarn merchetaidd mewn gwirionedd, ond y bore hwnnw mi ddaeth y cyneddfau ynghyd ac roedd fy llais yn digwydd bod ar ei ora. Wrth wrando ar y cystadleuwyr eraill yn y rhagbrawf mi sylweddolais i fod yna dipyn gwell safon yn Arfon nag yn yr eisteddfoda eraill ro'n i wedi arfer cystadlu ynddyn nhw. Ond ar ôl rhoi fy siot ora ar y Schubert, roeddwn i'n eitha ffyddiog.

Pan gyhoeddwyd canlyniad y rhagbrawf roedd hi'n amlwg bod y beirniad hefyd yn falch o'r safon, oherwydd yn lle'r tri arferol roedd yna bedwar drwodd i'r llwyfan, ac roedd yr estron o Fôn yn un ohonyn nhw.

'Falla oherwydd 'mod i'n sylweddoli maint y sialens o'm blaen, neu o bosib am fod gen i ychydig o annwyd – beth bynnag y rheswm, mi es i brynu paced o *Vick's Lozenges* o'r siop leol cyn cyfarfod y p'nawn, a phrysuro i'w sugno'n ddidrugaredd cyn y gystadleuaeth. Mae'n siŵr gen i bod fy mhen i'n nofio mewn cwmwl o *menthol* erbyn i mi esgyn ar y llwyfan, ond yr hyn sy'n sicr ydi nad oedd fy mherfformiad i ddim byd tebyg i un y rhagbrawf, a phedwerydd go sâl oeddwn i'r diwrnod hwnnw.

Camgymeriad braidd hefyd yn y cyfnod hwn oedd fy nghyplysu ar gyfer canu deuawd efo Hilda Price. Roedd hi'n hŷn na fi – dim ond o ryw flwyddyn neu ddwy mae'n siŵr, ond roedd hynny'n oes bryd hynny. Roeddwn i'n gallu dychmygu llawer o betha gwell i'w gwneud efo Hilda Price na chanu – nid ei bod hi mewn unrhyw berygl, cofiwch, a minna mor ofnadwy o ifanc a diniwed – ond mi roeddwn i'n cael trafferth canolbwyntio weithia a hitha mor ddeniadol.

Felly, yn naturiol, roedd yna gymhelliad cryf i ennill cystadlaetha, oherwydd does dim byd tebyg i lwyddiant er mwyn creu rhwymyn a meithrin perthynas rhwng deuawd. Yng nghyfarfodydd cystadleuol y Gylchwyl, oedd yn gyfyngedig i gapeli'r dosbarth, doedd dim problem – roeddan ni'n enillwyr cyson – ond allan yn y byd go iawn, yn yr eisteddfoda o gwmpas yr ynys, mater arall oedd hi, a hynny oherwydd un broblem. Sêr byd y ddeuawd o dan ddeuddeg oed bryd hynny, yn yr holl fydysawd, oedd Elizabeth a Norah o Landegfan, a nhw'n ddieithriad fyddai'n cael pob gwobr gynta.

Un tro, a 'Hilda ac Alwyn' – oherwydd dyna oedd enw llwyfan hynod wreiddiol yr *ensemble* hon – yn paratoi ar gyfer Eisteddfod Llangwyllog, mi ddangosodd Anti Maggie Tŷ Capel ei lliwiau go iawn. Fel arfer, cyn y Gylchwyl, mi fydda hi'n ein cefnogi ni'n frwdfrydig, yn gymaint felly ar un achlysur fel iddi greu embaras mawr i bawb drwy dorri allan i glapio ar ddiwedd ein pennill cynta! Ond roedd Anti Maggie yn berthynas waed i Elizabeth a Norah, nid perthyn trwy briodas fel yn fy achos i, a doedd dim amheuaeth pwy roedd hi'n eu cefnogi. 'Ar eich tina byddwch chi!' medda hi ychydig ddyddia cyn yr eisteddfod, gan wagio'r holl hyder roeddwn i wedi ceisio'i fagu cyn yr ymryson mawr.

Efallai fod hynny wedi cythruddo'r duwiau, oherwydd ar y noson fe benderfynodd y beirniad – dyn clên iawn o'r enw Garrison Williams – ar ôl cystadleuaeth yr unawd dan ddeuddeg, fy mod i'n eitha 'sbesial'. Roedd o'n fy nisgrifio droeon yn ei feirniadaeth fel 'yr hogyn efo'r tei coch' ac mi roddodd y wobr gynta i mi. Mae'n rhaid bod hynny wedi rhoi rhyw sbardun arbennig i mi oherwydd yn ddiweddarach mi wnaeth Hilda a finna roi andros o gweir i Elizabeth a Norah, a hynny, siŵr o fod, am yr unig dro yn ein hanes. Mi faswn i'n lecio meddwl bod Anti Maggie wedi syrthio ar ei cham a'n llongyfarch yn wresog, ond does gen i ddim cof o gwbl am yr hyn a ddilynodd. O ran hynny, dwi ddim yn cofio achos o ddathlu mawr efo Hilda chwaith – lle'r oedd hi'n gafael ynof fi a'm tynnu i'r llawr ac yn fy nghusanu'n daer gan ymhyfrydu yn ein gorchest – felly mae'n rhaid na wnaeth o ddim digwydd.

O edrych yn ôl mae'n eitha posib, wrth gwrs, mai'r beirniad caredig hwnnw, Garrison Williams, efo'i gyfeiriada cyson at fy nhei coch, a blannodd y syniad yn fy meddwl i bod y dewis o dei yn hynod o bwysig er mwyn sicrhau llwyddiant wrth wneud rhywbeth yn gyhoeddus! Tybed?

Ond nid cyfeirio at fy newis o ddillad wnaeth y cerddor a'r beirniad ardderchog hwnnw, Gwilym Gwalchmai, un tro mewn eisteddfod arall y cofiaf yn dda amdani. Er mwyn dyblu'r posibiliadau o ennill arian mi fyddwn i, ambell waith, yn rhoi cynnig ar yr unawd cerdd dant hefyd, er mai anaml iawn roedd y fath gystadleuaeth yn y rhestr testunau bryd hynny. Y gwir ydi nad oedd yna fawr ddim cerdd dant yn cael ei ddysgu yn ein hardal ni, ond rhywsut neu'i gilydd roeddwn i'n gwbod un darn, ac un darn yn unig. 'Cerdd yr Hen Chwarelwr' oedd y darn hwnnw, telyneg hynod ddagreuol am ddamwain yn y chwarel lle mae hogyn ifanc delfrydol ym mhob ffordd yn cael ei ladd. Yr alaw oedd 'Llanofer', a gyda llaw mi alla i gofio'r gosodiad heddiw – nid yn unig y noda a'r geiria, ond y llefydd cywir i ddod i mewn hefyd!

Gan fy mod i wedi gwneud yn eitha da ar yr unawd yn gynharach y noson honno roeddwn i'n eitha ffyddiog ynglŷn â'r cerdd dant hefyd, ac eisoes wedi gwario arian y gwobrau yn fy nychymyg. Ond yn ei feirniadaeth fe wnaeth Mr Gwalchmai gyhoeddiad syfrdanol: 'Dylai'r bachgen yma ddewis rhwng canu clasurol a chanu cerdd dant. Dydi hi ddim yn bosibl gwneud cyfiawnder â'r ddau.' A dyna fo. Mewn ychydig eiriau fe gaewyd y drws ar beth allai fod wedi bod yn yrfa ddisglair i mi fel datgeinydd ac arbenigwr gyda'r tannau. Yn lle Aled Lloyd Davies, mae'n bur bosib mai fy enw i, erbyn hyn, fyddai'r cyntaf i gael ei grybwyll wrth drafod y grefft a'r gelfyddyd hynafol honno yn y cylchoedd eisteddfodol! Mi fyddwn i wedi cael fy nyrchafu i uchelfannau'r sefydliad a'm cyfarch wrth yr enw y byddwn wedi ei ddewis yn yr Orsedd, sef Alwyn Penbryn. Fe fyddai Leah Owen a Catherine Watkin a'u tebyg yn crynu yn eu sodla pan fyddwn i, fel prif feirniad y genedl, yn esgyn i'r llwyfan i draddodi fy meirniadaethau, gymaint fy arbenigedd ar gorfannu a chroes-acennu! Ond nid felly y bu, a mawr ydi'r golled siŵr o fod!

Dwi wedi meddwl llawer am eiria Gwilym Gwalchmai. Oedd o'n awgrymu bod gen i ddyfodol fel canwr, bod rhywbeth arbennig ynglŷn â'm llais i, ac felly y dylwn i ganolbwyntio ar hynny yn lle potsian efo cerdd dant? Oedd yna ddeunydd Jussi Björling yno i? Yn sicr, yn y cyfnod hwnnw, doedd dim yn well gen i na sefyll ar lwyfan a chanu nerth fy mhen, ac mi fyddwn i'n profi teimlad hynod o wefreiddiol pan fydda petha'n mynd yn dda.

Wrth gwrs, ar y llaw arall, mae'n bosib mai ystyried cynulleidfaoedd y dyfodol roedd Mr Gwalchmai a'i fod yn credu fy mod yn cyflawni digon o droseddau yn erbyn cerddoriaeth fel roedd hi, heb ychwanegu rhai yn erbyn cerdd dant.

Yn anffodus, doeddwn i ddim yn bresennol yn un o'r eisteddfodau pentrefol rheiny ar achlysur un o'r beirniadaethau mwya hynod gafwyd erioed, mewn unrhyw wlad ac mewn unrhyw iaith. Mae'r rhai oedd yn ddigon ffodus i fod yno yn rhan o'r profiad – fel J O Roberts, sydd wedi cofnodi'r hanes yn ei hunangofiant *Ar Lwyfan Amser* – yn dal i golli pob rheolaeth ar eu hunain wrth gofio'r digwyddiad, ac yn aml yn gorfod ymladd am anadl ac ennyn cymorth hances boced i atal llif y dagrau. Yn naturiol, mae'r stori hefyd wedi cael ei gloywi dros y blynyddoedd.

Cystadleuaeth y 'twll botwm' oedd hi – rhyw fath o sialens gwaith gwnïo oedd yn boblogaidd bryd hynny, lle'r oedd gofyn i'r cystadleuwyr agor hollt mewn defnydd ac yna wnïo o amgylch y twll i'w wneud yn briodol ar gyfer cau botwm, fel ar grys neu flows.

Roedd yr un oedd yn traddodi'r feirniadaeth yn amlwg am wneud yn fawr o'i gyfle i annerch y gynulleidfa yn gyhoeddus, a hyn er gwaetha'r ffaith bod ganddo nam ar ei leferydd – neu, a bod yn fanwl gywir, nam ar ei 'lefefydd'. O'r cychwyn cynta fe welodd rhai beryglon doniolwch y sefyllfa, a dim ond ychwanegu at hynny wnaeth brwdfrydedd yr areithiwr.

'Mi ges i dfi twll yn y gystadléuaeth,' dechreuodd. 'Twll Mafi, twll Maftha a thwll Mifiam. Mi ddechfeua i efo twll Mafi. Bfaidd yn fach oedd twll Mafi. Pan oeddwn i'n fhoi fy mys bach yn nhwll Mafi, pfin oeddwn i'n medfu ei gael o i mewn – fhy dynn o lawef. Eto i gyd, twll digon twt oedd twll Mafi.'

Yn naturiol, roedd carfan fechan o'r gynulleidfa yn rhyw ddechra anesmwytho a gwyro eu penna erbyn hyn. Roedd rhai'n methu atal rhag chwerthin yn ysgafn, ond doedd hynny ddim yn amharu o gwbl ar lifeiriant y traddodwr.

'Wedyn fe ges i dwll Maftha. Bfaidd yn fawf oedd twll Maftha, ac mi foedd fy mys i'n mynd i mewn iddo fo yn llawef fhy hawdd. Hefyd, twll bfaidd yn flef oedd twll Maftha, efo fhyw hen faflings o gwmpas ei ochfa fo.'

Erbyn hyn, wrth gwrs, roedd y gynulleidfa wedi dechra chwerthin yn uchel, efo un neu ddau yn stwffio hancesi poced i mewn i'w cegau ac eraill yn griddfan ar y llawr. Ond roedd yr ymadroddwr yn ddi-hid, ac yn symud ymlaen yn hyderus tuag at ei uchafbwynt.

'Ac yna fe ges i dwll Mifiam. O! Dyma i chi dwll bfaf oedd twll Mifiam

– dim fhy fach a dim fhy fawf – jyst digon o le i fy mys bach i fynd i mewn ac allan heb dfaffeth. Mae twll Mifiam yn batfwm o beth ddylai twll da fod, ac…' – a dyma lle mae gwir artist geiriol yn coroni ei gampwaith – '… wif i chi, gyfeillion, twll Mifiam sy'n mynd i'w chael hi gen i heno!'

PENNOD 5

YNYS MÔN, MAE'N DEBYG, oedd un o'r ardaloedd cyntaf, os nad yr ardal gynta un, i fabwysiadu system yr ysgolion cyfun, a fyddai'n rhoi mwy o chwarae teg i blant drwy eu rhoi i gyd o dan yr un to a chael gwared ar y syniad bod angen eu rhannu rhwng dau fath o ysgol ac i ddau fath o ddosbarth – y clyfar a'r twp. Wfft i'r *11 plus* a'i annhegwch – roedd yn bryd rhoi cyfle cyfartal i bawb.

Wel, syniad canmoladwy yn y bôn – 'falla. Ond pa wallgofrwydd fu'n gyfrifol am orfodi plant un ar ddeg oed fel ni ym Modffordd, o ysgol gartrefol gyfan gwbl Gymraeg, i ddal y bws un bore Llun ym mis Medi a theithio dwy filltir i lawr y lôn i rhyw anghenfil o adeilad oedd yn dal mil o blant, lle'r oedd iaith y dosbarth yn gyfan gwbl Saesneg a lle rhoddwyd profion i ni yn yr iaith honno, yn yr wythnos gyntaf?

Cael gwared ar yr *11 plus* yn wir! Dyma fo'n dal yn fyw, ond rŵan yn waeth o lawer nag o'r blaen gan ein bod, yn hytrach na'i sefyll yng nghynhesrwydd ein hysgol ein hunain efo'n hathrawon cyfarwydd, yn gorfod wynebu'r union 'run peth mewn awyrgylch diarth a dychrynllyd. Yn waeth fyth, roedd y cwestiynau a'r tasgau bron i gyd mewn iaith estron!

Ar ddiwedd yr wythnos fe'n galwyd ni, ddisgyblion y flwyddyn gynta, i gyd i'r neuadd – dros ddau gant ohonom ni siŵr o fod – i wynebu'r Prifathro, yntau â'r papurau tyngedfennol yn ei law. Doeddem ni ddim yn gwbod hynny ar y pryd, ond y papurau rheiny oedd yn mynd i selio'n dyfodol, a hynny er gwaetha unrhyw retoric ac addewidion bod ysgolion cyfun yn rhoi cyfleoedd newydd o hyd.

'*The following will go to form 1H with Miss Morris,*' meddai'r Kommandant gan ddechrau'r rhestr enwau yn nhrefn yr wyddor. Wedyn yr un peth efo 1G, 1F ac yn y blaen.

Mae'n ddirgelwch i mi hyd heddiw – ac mi fydd am byth – sut y dois i i fod ym mysg y rhai dethol yn nosbarth 1A. Ond fe alwyd fy enw, ac fe godais fy mhac yn ufudd a dilyn. Dwi ddim yn credu fy mod i wedi deall arwyddocâd yr holl beth am beth amser p'run bynnag, ond am mai fi oedd yr unig un o Fotfoth yn 1A mi sylweddolais un peth yn fuan iawn – ar amrantiad roeddwn i wedi colli fy ffrindia i gyd.

Mewn gwirionedd doedd ysgol Llangefni yn y cyfnod yma ddim yn ysgol gyfun o gwbl, ond yn hytrach yn ysgol ramadeg ac ysgol *sec mod* yn cydredeg â'i gilydd yn yr un adeilad. Wrth gwrs, mi fyddai'r timau pêl-droed a hoci yn croesi ffiniau, ac roedd yna ryw ychydig o ffrydio yn digwydd yn y gwersi Cymraeg, neu *'lessons Welsh'* chwedl Dafydd Iwan. Ond, i bob pwrpas, roedd y plant wedi eu labelu am byth, ac yn annhebygol iawn o fedru newid eu safle.

Y ffaith amdani oedd bod y plant oedd yn fewnfudwyr o Loegr, fel y rhai oedd â'u rhieni'n gweithio yn RAF Valley, yn teimlo'n llawer mwy cartrefol na ni. Y ni, blant pentrefi'r ynys, oedd y rhai a orfodwyd i deimlo'n estron ac anghymwys yn ein cynefin ein hunain! Fel pe bai'n awyddus i ychwanegu halen at y briw, dwi'n cofio un athro (Cymro Cymraeg) yn strejio'i hun ar draws top ei ddesg un diwrnod a chyhoeddi'n huawdl: *'This is probably the Welshiest of all the Anglesey schools.'* Wel, o edrych yn ôl, mi ddylem ni fod wedi defnyddio'r ymadrodd Saesneg *'You could have fooled me'*. Ond, ar y pryd, doeddem ni ddim yn ymwybodol o'r annhegwch – dim ond teimlo'n ansicr ac yn annigonol fel ffoaduriaid difreintiedig, a cheisio gwneud ein gora posibl mewn sefyllfa gywilyddus.

Weithia mi alla i deimlo'n reit ddig ynghylch hyn i gyd – nid yn gymaint o'm rhan fy hun, oherwydd roeddwn i'n ddigon lwcus i fedru goroesi'r system, ond ar ran y rhai hynny nad oedd ganddyn nhw yr un adnoddau i ymdopi. Ar adega dwi wedi teimlo fel trefnu carthiad tebyg i'r hyn ddilynodd y cyfnod comiwnyddol, a chasglu athrawon gwaetha Llangefni i gyd at ei gilydd a'u martsio ar hyd traeth Aberffraw yn noeth yn y glaw.

A dwi'n gwbod yn union pwy fydda ar dop y rhestr – Young Bach,

Mr J A Young, Dirprwy Brifathro ac athro daearyddiaeth, yn wreiddiol o Fanceinion mae'n debyg, ac un na symudodd fodfedd i gyfarfod â'r iaith Gymraeg drwy gydol hanner can mlynedd ei yrfa yn Ynys Môn. Hyd ddiwedd ei gyfnod yn ysgol Llangefni fe gyhoeddai enwau'r disgyblion oddi ar lwyfan yr achlysur ofnadwy hwnnw, y *School Prize Day* blynyddol, fel pe bai wedi glanio yng Nghymru'r diwrnod hwnnw, gan ymhyfrydu yn ei dalent i gamynganu: 'Mare (Mair) Williams, Guhrrent (Geraint) Jones, Miffanway (Myfanwy) Roberts...'

Y cwbl fyddai gwersi daearyddiaeth Young Bach yn ei olygu oedd copïo nodiadau diddiwedd oddi ar y bwrdd du – nodiadau roedd o ei hun wedi eu copïo o lyfr ei annwyl ferch Anne pan oedd hi yn yr ysgol, a'i gwaith yn amlwg yn batrwm o sut i gyflawni'r gamp o gopïo. Doedd hanner y geiriau ddim yn gwneud unrhyw synnwyr i mi, heb sôn am rhyw 'N & S' oedd yn ymddangos bob hyn a hyn. Bu'n rhaid i mi ofyn am eglurhad oddi wrth un o academyddion Llanerchymedd wrth fy ochr. 'North and South' sibrydodd hwnnw mewn anghredinedd, fel pe bai newydd gyfarfod mwnci.

Mae'n anhygoel i feddwl hyn, ond roedd Young Bach yn casglu'n llyfrau ni ar ddiwedd pob gwers ac yn eu marcio wedyn i wneud yn siŵr ein bod wedi copïo'r cyfan yn gywir. Wrth eu dosbarthu'n ôl ar ddechra'r wers ganlynol roedd ton o bryder yn hofran uwchben y dosbarth, oherwydd gwae unrhyw un oedd yn darganfod y geiriau *'See me'* mewn coch ar waelod y dudalen. I bob pwrpas roedd hyn gyfystyr â chael eich condemnio i uffern am byth.

Yn gynnar iawn, felly, roedd hi'n amlwg y byddai'n rhaid i mi roi o'r neilltu unrhyw syniad o fod ryw ddydd yn Athro Emeritws mewn Daearyddiaeth yn Rhydychen, gan nad oeddwn yn deall gair o Young Bach na'i bwnc. Daeth hyn yn fwy amlwg fyth pan ddechreuodd rwdlan am *latitude* a *longitude*, a gosod gwaith cartref oedd yn ymddangos i mi yn fwy fel mathemateg astrus na daearyddiaeth.

Adre'r noson honno uwchben fy ngorchwyl, roedd y niwl yn fy ymennydd yn prysur droi yn dduwch perffaith. Ond yna, yn sydyn, fel ateb i weddi dyma Yncl Bob yn galw, ynta wedi bod yn ddiwyd yn ei ddyletswyddau yn achub dyfodol y Cyngor Sir yn ei waith bob dydd fel clerc hynod bwysig.

'Dim problem,' medda Yncl Bob, gan ymdaflu i'r tasgau fel dyn ar dân, wedi'i ysbrydoli gan gyfle i ddisgleirio. Yn ei eglurhad o'r broses o newid ffigurau *latitude* i *longitude* roedd Yncl Bob yn gwneud i Young Bach swnio fel patrwm o eglurder, ac roedd perygl o fewn ychydig iawn o amser na fyddai digon o bapur yn y deyrnas i gynnwys ei ddadansoddiadau cymhleth. Erbyn tua hanner nos roedd mynydd o bapur dros fwrdd y gegin ar ôl holl lafur Yncl Bob, ac efo ochenaid o ryddhad fe gopïais y canlyniadau'n ofalus a destlus i mewn i'm llyfr daearyddiaeth a mynd i'r gwely'n eitha hapus. Pan ges i'r llyfr yn ôl gan Young Bach, roedd *'See me'* enfawr mewn gwaed ar waelod y dudalen. Yn ddieithriad roedd Yncl Bob wedi llwyddo i gael yr atebion i gyd yn hollol anghywir!

Er cymaint y demtasiwn, does dim pwrpas i mi barhau efo'm rhestr o'r athrawon aneffeithiol rheiny yn Llangefni oedd yn ymhyfrydu, ac yn hollol gefnogol i system addysg wallgo a barodd i mi a'm cyfoedion syrthio'n bendramwnwgl rhwng dwy stôl ieithyddol, efo un iaith ar gyfer addysg ac un arall ar gyfer bywyd bob dydd. Gwell canolbwyntio ar y positif.

Cymraeg oedd y pwnc mwya pleserus o ddigon, er bod fy athro Cymraeg cynta, Bobi Gosb (a ddatblygodd i fod yn fardd ac academydd o'r enw yr Athro Bobi Jones), yn benderfynol o'n trwytho yn yr holl gynganeddion cyn diwedd y flwyddyn gynta! Wn i ddim i ba *syllabus* roedd Bobi Gosb yn gweithio, ond y tro nesa y dois i ar draws y cynganeddion oedd yn y Chweched Dosbarth! Ia, 'cosb' oedd hoff air Bobi Jones, a hwnnw'n cael ei ynganu ganddo fel siot allan o wn, nid efo'r llafariad hir 'ô' fel roeddem ni yn ei ddeud ym Môn. Os nad oeddem yn dysgu'r gerdd 'Ynys Llanddwyn' erbyn y wers ganlynol fe fyddem ni'n cael 'cosb!' â'r gair yn diweddu gydag 'ssss' hir, gan hisian fel neidr.

Prif bleser Bobi oedd cerdded ar hyd y coridorau gan chwifio dwy lawes hir ei ŵn du fel melin wynt, a'r rheiny yn cynnwys dwy bêl rwber galed yn y gwaelod a fyddai'n cysylltu efo pen unrhyw blentyn digon gwirion i groesi ei lwybr. Yn ddiweddarach yn fy ngyrfa ysgol fe fûm yn ffodus o gael gwersi Cymraeg o'r radd flaena gan Megan Lloyd (Megan Jones wedi hynny), Dewi M Lloyd a D Gareth Edwards, a mawr ydi fy nyled iddyn nhw.

Yr athro cerdd oedd Chips, ond fyddai bywyd ddim gwerth ei fyw petai o'n eich clywed chi'n ei alw'n hynny. Un tro aeth rhyw fam i'r ysgol i drafod gwersi ffidil ei merch, a deud: '*You see, it's like this, Mr Chips. I really think that Beryl ought to... Are you feeling alright, Mr Chips?*' Roedd wyneb Chips wedi troi'n biws, ac roedd y fam yn lwcus i adael yr ysgol yn un pishyn. Doedd dim bai arni hi, oherwydd doedd hi erioed wedi clywed ei merch yn galw'r athro yn Mr Arwyn Jones. '*I honestly thought that Mr Chips was his real name,*' medda hi wedyn ar ôl cyrraedd adra, wrth i'w merch udo a sgrechian a mynnu eu bod fel teulu'n ymfudo y funud honno i Awstralia.

Roedd Chips yn ddyn tal, bygythiol ac felly wnes i ddim cymryd at y gwersi cerdd o gwbl ar y dechra. Roeddem ni i gyd ei ofn, a digon di-lun oedd y canu yn y dosbarth oherwydd hynny, efo lleisia a thonau crynedig yn deillio o'r arswyd a'r nerfusrwydd, yn hytrach na thremolo naturiol. P'run bynnag, doeddwn i ddim yn awyddus i arddangos fy llais *boy soprano* rhag ofn i'r anwariaid gwyllt o Niwbwrch a Gwalchmai fy mwlio. Mae rhai pethau pwysicach na chanu, ac un o'r rheiny ydi aros yn fyw.

Un diwrnod fe gyhoeddodd Chips fod cyfle i ni yn ystod gwers ola'r dydd fynd draw i'r neuadd am brawf i weld a oeddem yn gymwys i gael gwersi ffidil. Wn i ddim beth ar y ddaear ddaeth dros fy mhen i ac a barodd i mi fynd, ond dyna lle roeddwn i yn ddiweddarach yn sefyll yn anghyfforddus tra bod merch hynod o liwgar yn stwffio ffidil o dan fy ngwddf. Enw'r ferch oedd Miss Glenys Lloyd Williams, a fu'n gyfrifol am ddysgu cenedlaetha o blant ym Môn i chwarae'r ffidil dros gyfnod hir iawn. Pan dwi'n deud 'lliwgar' dwi'n golygu ym mhob ffordd: roedd ei gwallt yn anarferol o ddu, ei chroen yn anarferol o dywyll, ei gwefusau'n anarferol o goch a'i dillad yn... wel, anarferol a deud y lleia. Rhywsut neu'i gilydd fe basiais y prawf a chael benthyg ffidil tri-chwarter y maint cyffredin oherwydd bod fy mreichiau a'm bysedd yn rhy fach.

Bron o'r cychwyn cynta mi ddechreuais gasáu'r ffidil. Roeddwn i wedi dychmygu, mae'n siŵr, mai mater o ychydig ddyddiau fyddai hi cyn fy mod i'n swnio fel Yehudi Menuhin. Ond wrth grafu'r llinynnau a dioddef sŵn annaearol fy ymdrechion, nad oeddent yn gwella o un wythnos i'r llall, fe sylweddolais yn fuan 'mod i wedi gwneud andros o gamgymeriad. Doedd dim gobaith dianc, wrth gwrs, gan fy mod wedi ymgymryd i feistroli'r offeryn, ac, yn union fel rhywun yn ymuno â'r fyddin, cytundeb oedd cytundeb y dyddiau hynny. Roeddwn i wedi cael fy newis ac felly roedd yn rhaid anrhydeddu'r ymrwymiad. Roeddwn i'n hollol gaeth i ddysgu chwarae'r ffidil am weddill fy nyddiau ysgol.

Ac onid ydi hi'n rhyfeddol bod arogl arbennig yn gysylltiedig â phob profiad annifyr mae rhywun yn ei gael? Efo'r ffidil, arogl y *resin* oedd o – y stwff afiach hwnnw roeddech chi'n ei daenu ar hyd gwallt eich bwa er mwyn ei wneud yn fwy crafadwy, os oes yna ffasiwn air. Bob tro roeddwn i'n agor cês y ffidil roedd arogl y *resin* yn chwydu allan ohono, ac mi fyddai fy nghalon yn sincio'n syth.

Un peth, ac un peth yn unig, oedd yn gymorth i'w gwneud hi'n haws diodde bywyd yn ysgol Llangefni yn ystod y dyddia cynnar rheiny, a hynny oedd merch fach benfelen efo llygaid glas hiraethus o Lanfairpwll o'r enw Dilys Myfanwy Jones. Pan fyddwn i'n eistedd ym mlaen y dosbarth mi fyddwn i'n troi'n ôl yn achlysurol dim ond i wneud yn siŵr ei bod hi'n dal yno, ei bod hi'n berson go iawn, i edrych arni ac edmygu ei phrydferthwch. Pe bawn i yn y cefn mi fyddwn i'n methu tynnu fy llygaid oddi arni ac mi gawn edmygu'r olygfa o'r fan honno. Ble bynnag roedd hi a beth bynnag roedd hi'n ei wneud, roedd Dilys Myfanwy yn angyles mewn cnawd, ac mi brofais yn fuan iawn y boen ofnadwy honno wrth sylweddoli na fyddai hi byth yn cydnabod fy mod yn byw ar yr un blaned â hi hyd yn oed.

Prifathro'r ysgol oedd E D Davies, hen lanc ac un o'r ychydig hwntws oedd wedi setlo ym Môn. Fel Bos y byddai pawb yn cyfeirio ato fo ac, yn sicr, y fo oedd yn rhedeg pob agwedd ar fywyd yr ysgol. Byddai'n cyrraedd yno oddeutu 7 o'r gloch y bore yn ei Morris 1000 ac, yn cael gwared ar ei waith gweinyddu yn ei swyddfa cyn dyfodiad y gweddill ohonom. Wedyn fe allai grwydro'r coridorau a chadw llygad barcud ar bawb a phopeth drwy gydol y dydd. Roedd o'n ddyn esgyrnog, pen moel, ac roedd dim ond edrych arno'n ddigon i'ch dychryn. Wedyn roedd ei lais cryglyd, cwynfanllyd yn gyrru ias drwy'ch cyfansoddiad, a gwae chi pe byddai eich enw yn cael ei alw ar ddiwedd y gwasanaeth boreol.

'*I want to see the following after registration,*' fyddai'r symbyliad boreol i bob un disgybl ddal ei wynt yn dynn. A dim ond ar ôl cael gwbod eich bod yn saff am ddiwrnod arall y gallech chi ollwng eich gwynt. I'r rhai oedd yn cael eu henwi fe fyddai math arall o waredu gwynt yn fwy tebygol.

Doedd hi ddim yn ymddangos bod gan Bos unrhyw synnwyr hiwmor o gwbl, ond flynyddoedd yn ddiweddarach, ac yntau wedi ymddeol ac yn dal i fyw yn Llangefni, mi ddechreuodd arddangos y ffaith ei fod yn berson dynol wedi'r cwbl. Ac mi fyddai wrth ei fodd yn adrodd hanesion difyr am ei deyrnasiad yn yr ysgol uwchradd.

Un tro roedd hogyn wedi cael ei yrru at Bos ar ôl cael ei ddal yn darllen cylchgrawn merched noeth o dan ei ddesg. Trefnodd y Prifathro bod mam y pechadur yn dod draw i'r ysgol i'w weld y diwrnod canlynol, ac ar ôl iddi eistedd i lawr fe dynnodd Bos y cylchgrawn allan o'i ddrôr a'i ddangos iddi.

'Dyma beth oedd gan eich mab chi yn yr ysgol ddoe,' meddai'n ddifrifol.

Ar ôl troi ambell dudalen fe gododd y fam a sefyll wrth ochr Bos, a chan roi pwn go dda yn ei ystlys, medda hi:

'Ew! Sut fasach chi'n lecio noson efo hon Mr Davies?'

Risoluto

PAN OEDD POBL yn ffonio'r 'C & A' i holi ynghylch fy nghyflwr yr ateb roedden nhw'n ei gael oedd *'He's seriously ill but no worse'*. Ar y dydd Llun fe gafodd Esther a Mam ganiatâd i ddod i'm gweld i, ac er eu bod nhw'n trio'u gora i guddio'u pryderon drwy wenu'n annaturiol roeddwn i'n eu hadnabod nhw'n rhy dda.

Ymhen deuddydd roeddwn i'n cael fy nghludo mewn hen ambiwlans (oedd yn amlwg ar fenthyg o amgueddfa Sain Ffagan) i Ysbyty Walton yn Lerpwl i weld a oedd hi'n bosib rhoi llawdriniaeth i atgyweirio'r wythïen oedd wedi achosi'r gwaedlif. O ystyried fy mod i wedi cael fy nghadw mewn wadin ym Mangor, heb ganiatâd i godi fy mhen oddi ar y gobennydd hyd yn oed, roedd cael fy ysgwyd yn ddidrugaredd yn y cerbyd cyntefig hwnnw'n brawf pendant y gallwn wynebu unrhyw beth wedi hynny. I wneud petha'n waeth, roedd y nyrs oedd yn teithio efo mi (i wneud yn siŵr 'mod i'n dal yn fyw ar ddiwedd y daith) yn smocio fel stemar!

Roedd cynllun y wardiau yn Walton yn wahanol i'r arfer – unedau bychain o bedwar gwely o gwmpas safle canolog lle'r oedd y staff a'r adran weinyddu. Ar ôl cyrraedd cefais fy rhoi mewn uned lle nad oedd ond un claf arall – dyn anferth o gorffolaeth efo clamp o archoll ddofn ar draws top ei ben fel petai bwyell wedi disgyn o ben to rhyw dŷ a honno wedi plannu ei hun yn ei gorun. Roedd y dyn yn ymddangos yn hollol ddiymadferth – os nad yn farw – yn ystod y dydd, ond yna, tua dau o'r gloch y bore, fe fyddai'n ysgwyd i gyd ac yn gweiddi'n groch wrth drio codi o'i wely. Roedd hyn er gwaetha'r ffaith ei fod o wedi ei glymu'n dynn i'w le gan strapiau lledr trwchus. Bob hyn a hyn fe fyddai'r staff yn dod i mewn, i geisio'i dawelu ac i dynhau'r strapiau, ond roedd y cyfaill yn eitha penderfynol, a thros y nosweithiau canlynol mi deimlais fy mod i mewn mwy o berygl o gael fy ngwasgu gan y mynydd hwn o ddyn gwallgo na'r perygl wrth ddioddef salwch cymharol bitw fel gwaedlif ar yr ymennydd.

Yna, un diwrnod, fe ges fy symud i ward fach arall. Roedd y gwelyau yn hon yn llawn, a'r tri chlaf arall yn amlwg ymhell ar y ffordd i wellhad llwyr. Fe allech chi ddeud hynny oherwydd y ffaith bod gan y tri ohonyn nhw set deledu bersonol yr un, a phob un, wrth gwrs, wedi ei thiwnio i orsaf wahanol ac yn cystadlu i fod y mwya swnllyd.

O fewn ychydig funuda roedd fy mhen i'n brifo fwy nag erioed, ac fe wnes gais i gael fy symud yn ôl i'r ward wreiddiol. Llawer gwell cymryd fy siawns efo fy hen ffrind Goliath y Cynddeiriog na chael fy merwino gan ymryson setiau teledu.

PENNOD 6

A R Y CYFAN, FELLY, cyfnod eitha anhapus oedd fy nyddia cynnar i yn ysgol Llangefni. Roedd yna gryn dipyn o fwlio ac oherwydd fy ansicrwydd cyffredinol, y diffyg hyder, y cur pen cyson a'r ffaith fy mod i'n dod o Fotfoth ac yn cario ffidil o gwmpas y lle, roeddwn i'n darged amlwg. O ran y gwersi, roeddwn i'n gallu dal fy nhir yn weddol gyfforddus tua chanol y safon gyffredinol yn nosbarth 1A, ond doeddwn i ddim yn lladd fy hun o bell ffordd, nac yn cael fawr o fwynhad efo'r gwaith. Pan fyddai hi'n dod yn arholiadau canol neu ddiwedd blwyddyn roed un peth yn fy syfrdanu. Am ryw reswm mi fyddwn i'n cael marciau hynod o uchel mewn cerddoriaeth, a hynny heb wneud sgrapyn o baratoi. Mewn gwirionedd, ar ôl ychydig o amser, mi fyddwn i'n trio 'ngora i beidio gwneud yn rhy dda yn y pwnc er mwyn peidio ymddangos yn *sissy*, ond fyddai hynny chwaith ddim yn tycio.

Y tu allan i'r ysgol roed petha'n llawer gwell. Yn un peth roeddwn i'n aelod o barti Noson Lawen Charles – criw o ddynion ifanc yn perfformio mewn neuadda pentra ar hyd y lle. Mi fyddai'r adloniant yn cynnwys Charles ei hun fel cyflwynydd a digrifwr, nifer o sgetsys doniol ac eitemau canu amrywiol gan fy nghynnwys inna fel *boy soprano*. Roed bod yn rhan o hyn i gyd yn andros o hwyl ac roed Charles yn arwr mawr i mi yn ogystal â bod yn fodd i roi rhywfaint o hunanhyder i mi.

Un diwrnod mi ddwedodd Charles wrtha i ei fod o isio i mi fynd efo fo i stiwdio'r BBC ym Mangor i gael *audition* ar gyfer rhannau bachgyn mewn rhaglenni radio. Roed nifer fawr o raglenni ar gyfer ysgolion yn cael eu cynhyrchu ym Mangor a hynny dan gyfarwyddyd gŵr hyfryd o'r enw Elwyn Thomas. Dwi'n cofio dim beth ddigwyddodd y diwrnod hwnnw ond mae'n rhaid fy mod i wedi pasio'r prawf oherwydd o fewn

llai na phythefnos roeddwn i'n cael fy ngalw i wneud rhaglen – nid i
Elwyn Thomas ond i Wilbert Lloyd Roberts. Roedd o wrthi'n paratoi
cyfres ddrama radio ar nos Sul o Neuadd y Penrhyn ac fe fyddai fy angen
ar gyfer y bennod gynta, a fyddai, wrth gwrs, yn cael ei darlledu'n fyw ar
y noson. Pan ddaeth y sgript drwy'r post mi welais mai addasiad Gruffydd
Parry o'r nofel *Y Dreflan* gan Daniel Owen oedd y cynhyrchiad. Ymhen
rhai dyddiau dyna lle'r oedd fy enw ymhlith y cast yn y *Radio Times*.

A minnau rhyw ddeuddeg oed ar y pryd, mae'n siŵr 'mod i'n rhy ifanc
i sylweddoli'r pwysau amlwg allai fod arna i wrth wneud drama radio fyw,
heb y cyfle i ail-wneud rhywbeth pe byddwn i'n baglu, felly digon di-hid
oeddwn i pan ddaliais y bws i Fangor. Ond er nad oedd y profiad ei hun
yn ormod o straen, ar ôl rihyrsals y p'nawn roedd gen i anferth o gur pen
ac roeddwn mewn peryg o fod yn sâl unrhyw funud.

A dyna pryd y daeth actor ifanc arall i'm hachub, sef neb llai na Hywel
Gwynfryn Evans. Ac yntau'n rhyw ddwy flynedd yn hŷn na mi, roeddwn
i'n ei led adnabod yn ysgol Llangefni fel hogyn tal, byrlymus a fyddai'n
arfer chwarae reslo efo'i ffrind Buff ar iard yr ysgol. Ond fel Samaritan
trugarog roedd o'n ymddangos rŵan, yn mynd â fi i chwilio am siop oedd
ar agor ym Mangor ar b'nawn Sul lle y gallwn brynu tabledi. Ond doedd
hynny ddim yn ddigon. '*Do you have any tablets for a headache,*' gofynnodd
i'r siopwr, '*and do you have some that will work quickly?*' Nid dyma'r tro ola
y byddai Hywel yn gofalu amdana i, ac mae ei gyfeillgarwch hyd heddiw
yn rhywbeth sy'n golygu llawer iawn i mi.

Er mai'r dramâu nos Sul, dan gyfarwyddyd Wilbert Lloyd Roberts, efo
actorion adnabyddus fel Dic Hughes a Sheila Huw Jones, oedd y cynnyrch
uchel-ael, y rhaglenni ar gyfer ysgolion oedd y bara menyn. Mae'n siŵr
'mod i wedi gwneud degau ar ddegau o'r rhain yn ystod y tair blynedd
ganlynol, gan gael fy nhalu'n hael efo'r ffi arferol o ddwy gini bob tro. Y
brif gyfres roeddem ni'n ei gwneud oedd *Byd Natur*, lle byddai Mr Parri
(Charles) yn cerdded y wlad yng nghwmni dau blentyn delfrydol, hynny
yw, rhai oedd yn gofyn y cwestiynau iawn yn gwrtais ac yn frwdfrydig.
Dydw i ddim yn cofio enw fy nghymeriad i na'r ferch oedd yn gwmni i

mi, ond yr actores ifanc arall oedd Joan Wyn Hughes, merch y Co Bach, a ddaeth ymhen blynyddoedd yn drefnydd cerdd Sir Feirionnydd.

Gan Charles y dysgais i'r cyfan am dechneg radio. Ei wylio fo wrthi oedd yr addysg ora: sut i droi'r pen oddi wrth y meic wrth godi'r llais; sut i amseru'r ddeialog i greu amrywiaeth; sut i dorri ar draws yn y lle iawn pan fyddai angen; sut i wneud ebychiadau i greu awyrgylch, ac yn y blaen ac yn y blaen.

Mi fyddai'r ymweliadau cyson yma â stiwdios y BBC yn bleser pur i mi, ac roeddwn i wrth fy modd yng nghwmni Charles a'r actorion eraill. Roedden nhw'n bobl ddiddorol, wahanol, ac yn ymddangos fel pe baen nhw'n cymryd petha'n llawer mwy ysgafn ac yn mwynhau bywyd yn llawer mwy na phobl eraill. Roedd yna straeon di-ri a thynnu coes, hyd yn oed ym mysg y rhai oedd i fod yn barchus. Un ohonyn nhw oedd O T Williams, a oedd yn meddu ar y llais darlledu gora a glywais i erioed. Offeiriad eglwysig oedd o wrth ei alwedigaeth, ond fuasech chi ddim yn meddwl hynny o'i glywed o'n sôn am rhyw helbulon yn ymwneud â photeli whisgi a helyntion tebyg. Mi fuaswn i'n rhoi unrhyw beth i gofio rhai o'r hanesion hynny heddiw ond mae gen i ofn eu bod nhw wedi diflannu am byth i bellteroedd eithaf y cof.

Yr hyn dwi'n ei gofio ydi'r mwynhad a, rhaid bod yn onest, y sylw. Ychydig yn ddiweddarach mi wnes fy ymddangosiad teledu cynta, yn portreadu neb llai nag O M Edwards yn blentyn, yn stiwdio Broadway yng Nghaerdydd. Unwaith eto, rhaglen fyw oedd hon ac unwaith eto roedd Hywel Gwynfryn yn y cast. Yn wir, roedd mam Hywel, Lowri, yno hefyd yn chwarae rhan fy mam i ac yn mynd â fi i'r ysgol am y tro cynta. Dwi'n cofio Lowri'n crynu drwyddi wrth ddal fy llaw wrth ddisgwyl am yr arwydd i fynd ar y set. Dwi hefyd yn cofio meddwl, 'Ydw i i fod i deimlo'n nerfus a chrynedig fel hi?' Wrth gwrs, y gwir oedd fy mod i'n rhy ifanc i fod yn nerfus. Cofiwch chi, roedd gofyn i mi actio fel pe bawn i'n gwneud yn fy nhrowsus, yn enwedig pan gawn i'r gansen am fod yr ola i wisgo'r 'Welsh Not' ar ddiwedd y dydd.

Cynan oedd wedi sgwennu'r sgript ac fe fu'n ddigon caredig wedyn i anfon cerdyn post ata i i'm llongyfarch ar y perfformiad 'o safbwynt yr awdur'. Mi gedwais i'r cerdyn hwnnw'n saff a'i drysori am flynyddoedd, a phe bawn i'n chwilio'n galed heddiw mae'n bur debyg y byddwn i'n dod o hyd iddo fo.

Wrth ymwneud â'r holl bobl enwog hyn, a bod yn sylw'r cyhoedd, mi fyddai rhywun yn dychmygu bod posibilrwydd i'r cyfan wneud i'm pen chwyddo, ond doedd fawr o beryg i hynny ddigwydd o fod efo Charles. Mi fyddai'n gwneud pwynt yn gyson ynglŷn â phwysigrwydd cadw traed ar y ddaear, ac yn gwneud hynny weithia yn y ffordd fwya cyfrwys.

Un tro, a ninna'n cerdded tuag at stiwdios Bryn Meirion ym Mangor Ucha, mi stopiodd Charles yn sydyn y tu allan i adeiladau'r Brifysgol.

'Dyma ti,' medda fo'n ddramatig, gan godi'i law i fyny i'r awyr, 'fan yma byddi di rhyw ddiwrnod.'

'Ew, wn i ddim, Charles,' meddwn inna, gan deimlo'n reit wylaidd ac anghyfforddus.

'O, wyddost ti ddim,' medda ynta, 'yn paentio neu'n ll'nau ffenestri neu rwbath!'

PENNOD 7

PAN DDAETH HI'N adeg dewis pynciau ar gyfer lefel O roedd gen i broblem. Roedd un categori'n cynnwys Hanes, Addysg Grefyddol a Cherddoriaeth. Roeddwn i'n casáu'r pwnc cynta, yn anobeithiol yn yr ail (er 'mod i'n un o hogia'r Ysgol Sul) ac roeddwn i'n rhy lwfr i ddewis y trydydd. Dim ond merched oedd yn astudio cerddoriaeth ac yn sicr doeddwn i ddim yn mynd i fod yr unig fachgen yn y dosbarth.

Yna mi ddwedodd Brian Roberts wrtha i ei fod o'n bwriadu astudio cerdd, felly fe gytunom i wynebu'r her efo'n gilydd. Y diwrnod y daeth Bos atom i'r dosbarth i gymryd manylion ein pynciau roedd Brian adre'n sâl felly fi'n unig gafodd ei wawdio gan y bechgyn eraill wrth ddatgan fy newis. Pan ddaeth Brian yn ôl roedd o wedi newid ei feddwl – neu, falla mai jôc fawr ar fy nhraul i oedd y cyfan – felly dyna sut y dois i i fod yr unig hogyn yng nghanol dosbarth o ferched yn dilyn cwrs cerddoriaeth efo Chips yn *Room 16*. Wel o leia mi fydd gen i un lefel O, cysurais fy hun, wrth sylweddoli na fyddai'n rhaid i mi wneud fawr o ymdrech yn y pwnc.

Yn y cyfamser roedd fy llais *boy soprano* wedi dechra cracio a chyn hir fe dorrodd yn gyfan gwbl. Doeddwn i ddim yn siŵr am ba hyd y byddwn i'n gorfod swnio fel petai gen i annwyd trwm a llyffant yn fy ngwddw, ond rhyw ddiwrnod, cyn hir, mi fyddai'r llais tenor mwyn, rhywbeth yn debyg i un fy nhad, yn siŵr o seinio allan fel cloch ac mi fyddwn i ar fy ffordd. Felly ymhen mis neu ddau y peth cynta fyddwn i'n ei wneud ar ôl deffro yn y bore fyddai agor fy ngheg a chanu 'la'. Na, nid canu oedd o, ond crawcian rhydlyd hen frân. Ac felly y bu hi, ddydd ar ôl dydd, fis ar ôl mis.

Mae'n siŵr gen i fy mod i wedi parhau perfformio'r ddefod foreol hon am rhyw flwyddyn cyn sylweddoli nad oedd y llais yn mynd i ddod. Ddaeth o byth, ac mi alla i roi fy llaw ar fy nghalon a deud mai dyna siom fwya 'mywyd i. All neb fod yn ganwr heb lais, a dydi chwarae offerynnau, arwain corau, na chyflwyno rhaglenni teledu yn ddim byd i'w gymharu â sefyll ar lwyfan ac agor eich ceg i lenwi'r lle efo canu.

Fel rhyw fath o halen ar y briw fe benderfynodd Glenys Lloyd Williams newid fy offeryn o'r ffidil i'r viola. Rŵan, y dyddia yma, mae chwaraewyr viola'n destun yr un math o jôcs ag y bu'r Gwyddelod yn eu diodda cyn iddyn nhw gael eu diddymu pan ddaeth PC yn ffasiynol.

Cwestiwn: *What's the difference between a viola and a coffin?*

Ateb: *The coffin has the dead person on the inside.*

Cwestiwn: *What do a viola and a lawsuit have in common?*

Ateb: *Everyone is happy when the case is closed.*

Ac yn y blaen. Er nad oedd y math yma o beth yn bod yn y chwe degau roedd chwarae'r viola yn gyfystyr â bod yn berson difreintiedig, ac fe baratois fy hun ar gyfer y gwaetha.

Ond, yn rhyfeddol, y viola fu'n gyfrifol am fy nadeni. Am ryw reswm mi ddechreuais ymarfer fel ffŵl ac fe ddaeth yr offeryn a minna'n dipyn o fêts. Cyn hir roeddwn i yng Ngherddorfa'r Sir ac ar fy ffordd i fod yn olynydd i neb llai na John Cale (o'r *Velvet Underground* yn ddiweddarach) fel prif fiolydd Cerddorfa Genedlaethol Ieuenctid Cymru. Wrth gwrs, roedd hynny i ddod yn y dyfodol, ond mae'n anodd i mi gadw'n dawel amdano fo rŵan oherwydd pan ddechreuais i efo'r viola roeddwn i'n meddwl 'mod i wedi cyrraedd gwaelod y pydew.

Y gwir amdani oedd 'mod i'n llawer hapusach yn yr ysgol wrth dyfu'n hŷn o flwyddyn i flwyddyn, ac ar ôl pasio lefel O, yn hytrach na gwneud y pynciau *macho* (Phys, Chem a Maths), mi benderfynais gymryd y llwybr haws (i mi) a dewis Cymraeg, Saesneg a Cherddoriaeth. Un fantais amlwg oedd y gallwn, yn y gwersi Cerdd, eistedd wrth ochr Dilys Myfanwy, oedd bellach o leia'n gwbod bod fy enw i'n dechra efo A. Pan fyddai Chips yn rhoi record ar y gramoffon ac yn rhoi un copi sgôr o'r miwsig i ni ei ddilyn yr un pryd mi fyddwn i'n gallu closio reit i fyny at Dilys Myfanwy a theimlo'i hanadl – ond dim ond ei hanadl yn anffodus. Am ryw reswm mi fyddai sain corn Ffrengig yn ei chyffroi i'r byw gan wneud iddi ochneidio mewn pleser, ac wrth droi tudalennau'r sgôr mi fyddwn i'n gweddïo bod ffanffer swnllyd ar y gorwel. Gwnes adduned yn syth i brynu'r cyfryw offeryn fel y gallwn ddysgu ei chwarae o fewn mis ac yna sefyll o dan ffenest ei llofft yn 5 Snowdon View, Llanfairpwll liw nos a'i gyrru'n wyllt. Yn anffodus, roedd corn Ffrengig yn costio cymaint â dau fustach ym Mhenbryn, a bu'n rhaid anghofio'r syniad. Rhywsut neu'i gilydd fyddai mynd i sefyll o dan ffenest Dilys Myfanwy efo viola ddim cweit yr un fath.

Ym myd y ddrama, a minna bellach yn rhy hen i wneud rhannau bechgyn ar y radio – Gareth Lewis oedd fy olynydd gyda llaw – mi fuom yn ffodus o gael athro newydd yn gyfrifol am y pwnc yn Llangefni, sef R Maldwyn Jones. Ein cynhyrchiad cynta oedd *Gŵr Llonydd* gan John Gwilym Jones, ac fe ges fy newis i chwarae'r brif ran, sef Glyn, cymeriad braidd yn bathetig ar ffyn baglau. Mi ddaeth y dramodydd ei hun i'r perfformiad a dweud petha neis iawn mae'n debyg, ond i mi y rhan ora oedd pan oedd Dilys Myfanwy yn fy nghusanu. Mae'n wir mai chwarae rhan fy chwaer, Beti, oedd hi yn y cynhyrchiad, a rhyw *peck* bach ar fy moch oedd y gusan mewn gwirionedd. Ond i mi roedd yn foment i'w chymharu â chyrraedd y nefoedd, a thyngais na fyddwn i'n ymolchi fy ngrudd am chwe mis wedyn.

Maes o law, hanner ffordd drwy ein blwyddyn ola yn yr ysgol, a finna wedi hen anobeithio y byddai Dilys Myfanwy byth yn meddwl amdana i efo mwy o deimlad nag at lwmp o faw, fe ofynnodd ei ffrind Magi Carter i mi un diwrnod, 'Wyt ti'n ddall ynta be?' Yn amlwg roeddwn i, oherwydd doeddwn i ddim wedi sylwi bod llygaid carwriaethol Dilys Myfanwy yn cael eu hanelu i'm cyfeiriad i. I ddechra mi aeth fy mhen i'n reit ysgafn wrth feddwl am y peth. Wedi'r cyfan, roeddwn i wedi disgwyl chwe blynedd am hyn, ac wedi diodde llawer yn y cyfamser. Ond cyn i mi lwyr golli arnaf fy hun a pharatoi ar gyfer gofyn y cwestiwn tyngedfennol ('Fuaset ti'n lecio dŵad i'r pictiwrs efo fi ddydd Sadwrn?') mi sylweddolais i nad oedd yna bron 'run bachgen arall o'n blwyddyn ni ar ôl nad oedd wedi bod yn gariad i Dilys Myfanwy. Roedd hi wedi cyrraedd gwaelod y gasgen a fi oedd hwnnw.

Dim ots, roeddwn i wedi gwireddu fy mreuddwydion o'r diwedd, a dyna lle'r oeddwn i ar y p'nawn Sadwrn dilynol yn sefyll y tu allan i'r Plaza ym Mangor yn fy *sports coat*, trowsus *cavalry twill* a sgidia swêd, fy ngwallt o dan dunnell o Brylcreem a'm nerfau'n sboncio. Perthynas hollol ddiniwed oedd hi, wrth gwrs, ac erbyn 9 roeddwn i adra ym Mhenbryn yn gwneud bîns on tôst i mi fy hun ar ôl yr antur fawr. Mi barodd petha am rhyw ddau fis, sef cyfnod trothwy diflastod arferol Dilys Myfanwy efo'i chariadon. Pam ddylwn i fod yn wahanol? Roeddwn i'n gwbod y peryglon rhag blaen, a fyddai tîm rygbi'r All Blacks ddim wedi medru sefyll yn fy ffordd rhag syrthio i'r fagl. Yn anochel mi ymunais inna â rhengoedd y gwrthodedig a chael fy lluchio'n ddiseremoni ar domen sbwriel ei chyn-gariadon. Oeddwn i'n ddigalon? Wrth gwrs 'mod i, ac mi gymrodd wythnosa i mi ddod dros y siom. Cân fawr y cyfnod oedd 'Can't Help Falling in Love' gan Elvis Presley, ac mi fyddai'n fy llethu am byth. On'd ydi hi'n greulon bod darn o fiwsig yn codi dyn i'r entrychion un funud ac yna'n ei gicio yn ei stumog yn fuan wedyn?

Yr un pryd ag roeddwn i'n serennu yn nrama'r ysgol roeddwn i wedi cael fy ngwahodd i gymryd rhan mewn cynhyrchiad yn Theatr Fach Llangefni. Roedd y ddrama, *One More River* gan Beverley Cross, wedi ei lleoli ar fwrdd llong, ac yn bortread cignoeth o fywyd morwyr, eu daliadau a'u rhagfarnau. Roedd un cymeriad yn dod o India'r Gorllewin, bachgen ifanc oedd yn chwarae'r gitâr, a dyna'r cymeriad rown i'n ei bortreadu. Mewn un man roedd gofyn iddo ganu cân ramantus yng ngolau'r lleuad, a chan mai dim ond y geiriau oedd wedi eu cynnwys yn y ddrama fe fu'n rhaid i mi gyfansoddi miwsig addas i'w canu.

Y cynhyrchydd oedd yr actor adnabyddus J O Roberts, ac o'r cychwyn cynta roedd o'n trin y cynhyrchiad mewn ffordd hollol broffesiynol. Roedd yr ymarferion yn wirioneddol drydanol a'r holl gynhyrchiad yn brofiad tu hwnt o werthfawr i mi. Yr unig anfantais oedd gorfod plastro colur du dros fy wyneb a'm breichia er mwyn i mi edrych fel petawn i'n dod o Trinidad yn hytrach na Botfoth. Ond roedd y cyfan yn werth y drafferth petai dim ond i deimlo'r awyrgylch yn y theatr pan oeddwn i'n canu'r gân – nid oherwydd fy llais a'm perfformiad i, dwi'n prysuro deud, ond oherwydd y foment dyngedfennol a dramatig lle'r oedd y gân yn ymddangos yn y ddrama.

Yn naturiol, erbyn hyn, er nad oedd gen i'r llais tenor roeddwn i wedi gobeithio ei gael, roedd fy nghrawcian wedi setlo i fod yn rhyw fath o fariton tila, ac roedd yn ddigon da i bortreadu morwr cyffredin ar fwrdd llong. Felly, os nad oeddwn i'n mynd i allu bod yn ganwr, beth am fod yn actor? Beth am fynd i Fangor i astudio Cymraeg a manteisio ar y ffaith bod John Gwilym Jones yno a'i fod yn rhyw fath o wbod amdana i?

Roeddwn i eisoes wedi cyfarfod un bachgen oedd â'i fryd ar wneud yr union beth adeg Eisteddfod Genedlaethol y Rhos ym 1961. Bryd hynny mi fyddai'r rhai oedd wedi cael y marciau uchaf ym mhob sir yng Nghymru yn y ddau bapur lefel O Cymraeg, yn cael eu gwobrwyo drwy gael treulio wythnos yn yr Eisteddfod Genedlaethol. Fe ddois i'n ffrindia efo'r hogyn o Sir Gaernarfon yn syth – a hynny mae'n debyg oherwydd ein bod ni o leia yn deall ein gilydd yn siarad! – ac fe ges fy ysbrydoli wrth ei glywed yn sôn yn frwdfrydig am ei brofiad actio ac nad oedd dim cwestiwn ynglŷn â'r hyn roedd o'n mynd i wneud, sef astudio wrth draed Gamaliel ei hun, John Gwil. Ei enw, gyda llaw, oedd John Ogwen.

Pan ddaeth hi'n amser llenwi ffurflen mynediad i'r brifysgol fe rois 'Cymraeg' yn y blwch pwnc a Bangor fel coleg. Edrychodd Bos yn syn ar fy ffurflen. *'Music's your subject, boy! Go and change it!'* A dyna'r foment a benderfynodd gwrs fy mywyd i. Doeddech chi ddim yn dadla efo Bos ac os oedd o'n deud mai cerddoriaeth oedd eich pwnc chi dyna ddiwedd ar y mater. Efo calon drom mi es i eistedd yn llyfrgell yr ysgol a meddwl yn galed. Y prif beth fyddai'n fy mhoeni i oedd y ffaith nad oeddwn yn gallu chwarae'r piano. Tra bod Ann fy chwaer ac Arwel fy mrawd wedi cael gwersi ar yr offeryn roeddwn i wedi gwrthod yn bendant. Doedd dim un ffordd y byddwn i'n cerdded at Mrs Roberts Ty'n Rallt trwy bentra Botfoth yn cario *music case* tra bod anifeiliaid fel John Glyn o gwmpas y lle. Roedd hi'n llawer iawn gwell gen i drio dysgu fy hun ar y piano adra ym mharlwr Penbryn, a dyna wnes i. Ond, yn naturiol, doedd gen i ddim techneg nac arddull o fath yn y byd, a dim ond stompian annisgybledig gallwn i ei wneud.

Felly, os oedd rhaid i mi astudio cerddoriaeth fel cwrs prifysgol, mi fyddwn i'n dewis yn ofalus pa brifysgol i fynd iddi. Yn y llyfrgell roedd copïau o *syllabuses* pob prifysgol ym Mhrydain, ac fe es drwy bob un oedd ag adran gerdd gan roi o'r neilltu y rhai oedd yn gofyn am *'Grade 8 proficiency at the Pianoforte'*. Ym mysg y rhai oedd ar ôl, ac yn apelio ata i, roedd Glasgow a Hull. Mantais fawr Glasgow oedd eich bod yn cael MA yn syth fel eich gradd gynta, ond pan edrychais ar y map a sylweddoli'r pellter mi ges draed oer. Roedd Hull yn bell hefyd, yr holl ffordd ar draws gwlad ar yr arfordir dwyreiniol. Doedd gen i ddim syniad sut le oedd o ond roedd y cwrs yn edrach yn ddelfrydol ac i lawr ar y ffurflen yr aeth o. Yn naturiol mi gafodd Bos haint pan welodd enw'r lle, ac fe'm gorfododd i roi Bangor uwch ei ben. Ond doedd dim ots. Yn syth ar ôl gadael yr ysgol mi allwn wneud fy mhenderfyniad fy hun.

Yn y cyfamser roeddwn i wedi cael fy mherswadio i ymuno â Chôr Meibion Bodffordd ac yn mynychu'r ymarferion wythnosol ar nos Sul yn festri Capel Gad. Dwi'n dal i synnu at y ffordd y byddai Yncl Willie yn deud wrth 'Nhad ambell noson, 'Hughie, cana *second tenor* heno,' ac fe fyddai 'Nhad yn symud yn ôl rhyw ddwy res o'i sedd arferol efo'r *first tenors*. Hynny yw, roedd 'Nhad yn gallu canu unrhyw un o'r ddwy ran denor, mewn unrhyw ddarn, ar ei gof, a hynny heb ddim rhybudd. Pa bynnag adran oedd yn fyr o gantorion ac angen help, dyna lle byddai 'Nhad yn canu, mewn cyngerdd, eisteddfod neu rihyrsal. Mewn chwarter canrif efo Côr Orpheus Treforys fu gen i neb allai wneud peth o'r fath.

Mi fyddai'r profiad o ganu efo'r côr meibion yn help mawr i mi maes o law, ond ar y pryd rhaid i mi gyfaddef nad oeddwn i'n cymryd y peth o ddifri a 'mod i'n ystyried y gweithgaredd pentrefol hwn braidd yn amaturaidd a deud y lleia, er mawr gywilydd i mi. Wedi'r cyfan, erbyn hyn roeddwn i'n aelod o Gerddorfa Genedlaethol Ieuenctid Cymru ac yn chwarae dan arweinyddiaeth cerddorion enwog. Roedd antics Yncl Willie braidd yn chwerthinllyd o'u cymharu – yn dal ei freichiau yn syth o'i flaen a'u codi i fyny ac i lawr fel petai'n trio gostegu tonnau'r môr.

Ymhen blynyddoedd, a minna erbyn hynny'n arwain un o gorau meibion enwoca Cymru, mi fyddai'n destun tristwch mawr i mi na chafodd 'Nhad ac Yncl Willie ddim byw'n ddigon hir i'm gweld i efo'r Orpheus. Mi fasa'r ddau wedi bod mor falch, yn wir wedi gwirioni'n lân, wrth feddwl eu bod nhw wedi cael rhan yn y datblygiad arbennig hwnnw.

Un tro, ar ôl cyngerdd yn rhywle fel Philadelphia, mi ddaeth Americanes ata i i ddeud petha reit neis am y sioe.

'*You must be very proud and happy,*' medda hi.

Y noson honno, am ryw reswm, roeddwn i'n teimlo'n reit felancolaidd, ac mi ddwedais wrthi yr hanes ynglŷn â Chôr Meibion Bodffordd, fy nhad ac Yncl Willie, sut roeddwn i'n gresynu nad oeddwn i wedi'u gwerthfawrogi nhw ar y pryd ac fel y buaswn i'n rhoi unrhyw beth am iddyn fod wedi byw i'm gweld i'n arwain heddiw.

'*But,*' medda'r wraig heb oedi eiliad, '*they are the wind beneath your wings!*'

A byth ers hynny mi dwi wedi dod i deimlo ychydig yn well am yr holl beth.

Agitato

HYD YN OED HEDDIW, mae unrhyw driniaeth lawfeddygol sy'n ymwneud â'r ymennydd yn gallu bod yn hynod beryglus, ond ar ddechrau'r saithdegau roedd y sefyllfa yn waeth. Yn ogystal â bod yn wyddonydd mae angen i'r llawfeddyg feddu ar sgiliau bysedd a dwylo anarferol o gain. Oddi mewn i'r penglog, un slip bychan a dyna'r claf yn colli ei allu i siarad neu i weld, neu hyd yn oed i fyw. Mae lleoliad y gwaedlif hefyd yn dyngedfennol, a'r peth cynta sy'n digwydd ydi'r *angiogram*, lle mae cyfres o luniau pelydr X o'r ymennydd yn cael eu tynnu tra bod hylif efo staen ynddo yn cael ei roi yn y gwaed. Mae'r lluniau wedyn yn dangos ble mae'r gwaedlif wedi digwydd, ac yn ôl yr hyn a ddeallais yn ddiweddarach roedd fy un i'n ymddangos mewn lle anodd i'w gyrraedd.

Dim ond yn ddiweddarach hefyd y dois i gyfarfod fy llawfeddyg, sef Cymro o Aberpennar o'r enw John Miles. Petawn i wedi ei weld cyn y llawdriniaeth 'falla y byddwn i wedi poeni hyd yn oed fwy na'r disgwyl, gan mai gŵr ifanc rhyw bymtheg ar hugain oed oedd o! Wrth egluro i Esther yr hyn oedd yn mynd i ddigwydd mae'n debyg iddo fo ddeud '*It's not like having your appendix out.*'

Dydw i ddim am fynd i fanylion am yr hyn ddigwyddodd wedyn, oherwydd yn un peth does gen i fawr o syniad fy hun. Ond pan ddeffrais i doedd gen i ddim blewyn ar fy mhen ac roedd y syched, fel o'r blaen, yn llosgi. Y tro yma, ar ôl gwneud yn siŵr nad oedd nyrs yn y cyffiniau, mi estynnais am y cwpanaid o ddŵr. Ond prin symud wnes i pan dynnwyd fy mhen yn ôl yn sydyn. Roedd piben fach blastig denau yn sownd wrth ochr fy nhalcen ac yn arwain at botel uwchben y gwely. O gyffwrdd y man lle'r oedd y biben yn cysylltu â'm pen doedd yna ddim teimlad o gwbl, ac i raddau mae hynny'n dal yn wir heddiw.

PENNOD 8

AR FY NHAITH GYNTA i Hull fel myfyriwr, ac ar ôl newid trên ym Manceinion, roeddwn i ar y Trans-Pennine Line mewn cerbyd efo myfyrwraig oedd yn dychwelyd i'r brifysgol am ei hail flwyddyn. Ar ôl rhyw sylwadau cyffredinol ynglŷn â pha mor neis oedd y campws ac yn y blaen mi ddigwyddodd grybwyll mai dim ond mewn dau bwnc roedd yna arholiadau ar ddiwedd y flwyddyn gynta yn yr holl brifysgol. A'r rheiny oedd? Seicoleg a – ia, Cerddoriaeth! Fe es i deimlo'n swp sâl, oherwydd bryd hynny y ddau warth mwya y gallech chi ei roi ar eich teulu oedd:

    (i) peri i ferch fod yn feichiog;

    (ii) cael eich cicio allan o goleg ar ddiwedd y flwyddyn gynta.

O'i gymharu, fyddai llofruddio rhywun neu ddwyn pwrs hen wraig ddim hanner mor ddrwg. Efo fy nychymyg byw a'm nerfusrwydd arferol fe ddechreuais feddwl yn syth mai arhosiad byr o flwyddyn a gawn i yn Hull, ac na fyddai'n hir cyn y byddwn yn ailymuno â Hugh ac yn cymysgu sment am weddill fy oes.

Y funud y cyrhaeddais i neuadd breswyl Ferens Hall ym mhentre Cottingham y tu allan i Hull, fy nghartra i am y flwyddyn ro'n i wedi perswadio fy hun y byddwn i yno, mi geisiais fy ngora i fod yn ddewr. Wedi'r cyfan, fi oedd wedi mynnu mynd ymhell o'm cartra, mynnu sefyll ar fy nhraed fy hun go iawn a dechra pennod newydd fyddai'n gyffrous a buddiol i mi yn y pen draw. Ond yn yr wythnos gynta mi brofais i'r hiraeth mwya ofnadwy. Rhaid oedd derbyn bellach fy mod i'n Gymro alltud, yn byw ym mysg pobol oedd yn siarad Saesneg efo acen hynod o od a lle'r oedd y dirwedd mor fflat nes gwneud i Ynys Môn ymddangos fel yr Himalayas. Roeddwn i'n bendant ymhell o'm cynefin ac yn teimlo hyd yn oed yn fwy ansicr nag arfer.

Cyn i mi gadael cartra i fynd ar fy antur fawr roedd perchennog siop felysion SPQR yn Llangefni (gwraig hen iawn a fyddai hefyd yn fodlon gwerthu sigarets fesul un neu ddwy i blant ysgol) wedi dod i wbod fy mod i'n mynd i Hull. Roedd ganddi hi ferch wedi priodi ac yn byw yn y ddinas, a rhywsut neu'i gilydd mi ddois yn berchen ar damaid o bapur efo enw a chyfeiriad ei merch arno fo.

Felly, ar fy nhrydedd noson yn f'ystafell fechan drist yn Ferens Hall, a minna'n teimlo'n wirioneddol isel, dyma feddwl y byddai rhyw awr o iaith y nefoedd yn gwneud daioni i mi, felly fe rois y darn papur yn fy mhoced a dal y bws i'r dre. Yno, yn yr orsaf fysiau, mi ddois o hyd i'r bws priodol i fynd â mi i gyfeiriad Hedon Road ac mi ofynnais i'r dreifar fy ngollwng ar ôl cyrraedd y stryd. Mi ddeallodd hwnnw fy neges ar ôl rhyw bymtheg ymgais.

Wedi gadael y bws, mi sylweddolais yn syth fod problem. Dim ond i lawr un ochr y ffordd roedd y tai, ac roedd rheiny i gyd yn dwyn odrifau – 15, 17, 19 ac yn y blaen. Ar y papur yn fy llaw roedd rhif tebyg i 268, ond dim ond wal uchel oedd ar ochr arall y ffordd, yn ymestyn ymhell i'r pellter. Doedd dim dewis ond cychwyn cerdded ar hyd ochr y wal, gan obeithio'r gora. Ar ôl chwarter awr go dda o gerdded mi welais yn sydyn un tŷ unig ar ei ben ei hun yng nghanol y wal, ac o ddod yn nes fe welais y rhif 268 ar y drws. Roeddwn i bron â gollwng ochenaid o ryddhad pan welais yr arwydd wrth ochr drws y tŷ – 'HM PRISON HULL'.

Roedd merch y wraig o Langefni yn briod â rheolwr y carchar, ac er i mi gael croeso cynnes wnes i ddim teimlo mor anghyfforddus yn nhŷ neb erioed, wrth sylweddoli bod rhai o ddihirod mwya'r deyrnas yn ddigon agos i neidio ar fy mhen! Prin bod angen i mi ddeud na wnes i byth ddychwelyd yno wedyn.

Roedd Adran Gerdd Prifysgol Hull wedi ei lleoli mewn cwt pren go simsan yng nghysgod un o brif adeiladau'r campws. Efo dim ond deg o fyfyrwyr yn cael eu derbyn bob blwyddyn doedd dim angen cymaint a hynny o le p'run bynnag, ond ar fy ymweliad cynta â'r cwt mi rois fy nhrwyn i mewn i'r brif ystafell.

Wrth y piano, yn pigo noda fel pe bai o'n fflicio llwch oddi ar yr allweddell, roedd myfyriwr ail flwyddyn snotlyd yr olwg.

'*Do you like Weber?*' medda fo – neu o leia dyna ddeallais i.

'*I think so,*' medda finna'n betrus.

'*Which piece exactly?*'

'*Um… well, I think we played something in the youth orchestra.*'

'*Really! Splendid! What was it?*'

'*I… um, think it was an overture.*'

Golwg od ryfeddol ar y snotyn rŵan, yn tynnu wyneb anghrediniol.

'*Der Freisch… or something*' meddwn inna'n obeithiol.

'*Der Freischutz! – that's by Weber! I said Webern!*' ('*you idiot*', ychwanegai ei wên sarhaus). '*Anton Webern of the second Viennese School.*'

Oedd, roedd yna wahaniaeth byd rhwng cyfansoddwr rhamantaidd o'r ail ganrif ar bymtheg ac un o gerddorion mwya blaengar yr ugeinfed ganrif, ond doeddwn i ddim yn ymwybodol o fodolaeth yr ail hyd yn oed.

O feddwl fy mod i wedi dewis Prifysgol Hull yn benodol oherwydd nad oedd hi'n ymddangos bod yno orbwyslais ar y grefft o chwarae'r piano, roedd yna sioc yn fy aros. Doeddwn i ddim wedi synnu o gwbl pan welais i fod tiwtorial wythnosol yn yr amserlen oedd yn cael ei alw yn '*Keyboard harmony*', ac roeddwn i'n weddol gyffordus yn y broses honno o harmoneiddio alawon a chreu trawsgyweirnodau ac yn y blaen wrth y piano. Ond geiriau cynta'r tiwtor, Anthony Ford, oedd: '*I want you all to perform a first movement from a Haydn Piano Sonata for me next week.*' Sonata Biano! Symudiad cynta! Roeddwn i wedi cael cymaint o ysgytwad fel i mi brotestio'n syth.

'*But, sir, I've never had a piano lesson in my life!*' meddwn i yn yr acen Gymraeg fwya agored glywodd neb erioed.

Edrych i lawr ei drwyn sylweddol wnaeth y tiwtor.

'*So?*' oedd ei unig ymateb.

Pan es yn ôl i Ferens Hall roedd cyfrol o sonatas piano Joseph Haydn o'r llyfrgell o dan fy mraich ac fe es i'n syth i'r ystafell lle'r oedd yr unig biano yn y neuadd. Dros y chwe diwrnod nesa fe dreuliais oria yno'n pwnio'r nodau'n ddidrugaredd yn fy ymgais i osgoi peri i Haydn druan gylchdroi yn ei fedd pan ddôi Dydd y Farn. Gan nad oedd gen i ddim techneg o gwbl roedd trio cynnwys yr holl noda bron yn amhosib, ac yn amlwg doeddwn i ddim yn mynd i swnio fel Ashkenazy ar ôl yr holl lafur. Ond roeddwn i'n benderfynol o drio peidio ymddangos yn ffŵl o leia.

Pan ddaeth yr wythnos i ben roeddwn i'n crynu yn fy sgidia wrth feddwl am roi fy natganiad cynta erioed ar y piano, a hynny o flaen gŵr oedd ym mysg pianyddion gorau'r byd academaidd. Ar ôl i mi orffen dim ond un sylw wnaeth y tiwtor. '*Remarkable!*' medda fo. '*That's the first time I've ever seen anyone play a Haydn sonata whilst only using three fingers from each hand!*'

Yn fuan iawn fe ddois i weld bod yr adran gerdd yn llawn o snobs ffroenuchel, yn ddirmygus o gerddorion a chyfansoddwyr roedden nhw'n eu hystyried yn isel-ael. Sir Talcum Bargepole oedd eu llysenw i Malcolm Sargent druan, ac roedd crybwyll enw Mendelssohn yn ddigon i godi bonllefau o chwerthin afreolus. Iddyn nhw, cyfansoddwr oedd yn cynrychioli'r confensiynol, yr amlwg a'r di-fflach oedd o. Yn waeth na dim, roedd o wedi bod yn llwyddiannus yn ystod ei oes, ac yn wrthun oherwydd ei fod yn dal yn hynod boblogaidd heddiw efo'r werin bobol.

Un tro, rai misoedd ar ôl i mi gyrraedd yno, mi welais i un o'r myfyrwyr mwya snobyddllyd yn cario LP â'r enw Mendelssohn mewn llythrennau bras arno. Gan fabwysiadu'r hen ddihareb, 'Os na allwch chi eu curo nhw, ymunwch â nhw', mi ddwedais rywbeth i'r perwyl 'mod i'n synnu ei weld o'n cario'r cywerth cerddorol o lond berfa o dail. Fe drodd ata i mewn anghredinedd: '*But this is the Octet, old chap! His greatest work, don't you know! Bloody good stuff, only 16 when he composed it,*' ac i ffwrdd â fo efo'i hunanfalchder yn cyhwfan yn y gwynt. Dyna ddysgu i minna beidio â thrio bod yn glyfar yn fy anwybodaeth.

Mae deud bod stiwdants cerdd yn bobol eitha od ar y cyfan fel deud bod ambell i gawod yn wlyb. Maen nhw hefyd yn gallu bod yn anhygoel o gul. Roedd un myfyriwr yn Hull, Adam Parsons, yn cyfyngu ei holl amser i gerddoriaeth Wagner. Doedd o ddim yn gwrando ar fiwsig neb arall, a chyndyn iawn oedd o i wneud unrhyw rannau o'r cwrs nad oeddent yn cynnwys cyfnod ei arwr mawr. Yn yr ymarferion cyfansoddi coralau yn arddull Johann Sebastian Bach mi fyddai Adam yn creu math ar operâu ar raddfa fechan. Wagner oedd ei dduw, ac roedd yn ei addoli drwy bob croen dwll yn ei gyfansoddiad, gydol y dydd a'r nos. Roedd o hefyd yn cerdded – neu'n strytian i fod yn fwy penodol – o gwmpas y lle mewn osgo a fyddai'n ymgorfforiad o'i eilun.

Un tro fe ddaeth arweinydd proffesiynol o'r enw Maurice Miles i gynnal seminar arwain yn yr adran. Diolch byth, roedd y rhai ohonom oedd yn offerynwyr cerddorfaol yn gorfod ffurfio'r gerddorfa ar gyfer y sesiwn heb berygl o gael ein dewis i fod yn destun arbrawf ar gyfer y meistr. Roedd hi'n amlwg bod Adam ar bigau'r drain i gael esgyn ar y *podium* ac arddangos ei athrylith. Dyna lle'r oedd o'n sefyll yn y cefn mewn macintosh fudr, sgarff wlân anferth yn hanner cuddio'i wyneb sbotlyd a sgôr drwchus o *Das Rheingold* yn amlwg iawn o dan ei gesail. O'r diwedd fe gafodd ei alw i'r *podium*, ac efo cerddediad pwrpasol, gan ddal ei wyneb yn gam, daeth Adam ymlaen at ei orchwyl a gwrthod y baton roedd Maestro Miles yn ei gynnig iddo fo. Efo'i freichiau yn chwyrlïo fel melin wynt a'i sgarff yn taro yn erbyn pennau desg gyntaf y *first Violins*, fe ymdaflodd ei hun gorff ac enaid i'r dasg. Roedd yr olwg benderfynol a lloerig ar ei wyneb wrth iddo fo waredu ei holl rwystredigaethau yn ymgorfforiad o rywun oedd ar erchwyn gwallgofrwydd.

I mi roedd yr holl beth yn ymddangos fel pantomeim gwael, ac fe fyddai wedi bod yn chwerthinllyd oni bai am y ffaith bod yr holl beth mor hynod o drist. Ond – a dyma'r rhyfeddod – pan ddaeth Adam i ddiwedd ei antics gorffwyll a sefyll yno mewn cwrlid o chwys seimlyd, i ailymuno â'r ddynoliaeth ar ôl deffro o'i berlewyg Tiwtonig hir fe ddaeth y Maestro ymlaen ato'n frwdfrydig ac ysgwyd ei law: '*You will be a great conductor one day,*' proffwydodd. Wel, os felly, meddyliwn inna, mae'n rhaid bod y ddau mor wallgo â'i gilydd. Beth ddaeth o Adam druan? Wn i ddim, ond yn sicr dydi o ddim yn un o arweinyddion mawr y byd, fel roedd o wedi cynllunio bod.

Myfyriwr arall llawn hyder, ond llawer mwy normal nag Adam yr Ynfytyn o safbwynt cymeriad, oedd Ian Butler. O Lundain roedd o'n dod – 'Battersea actually' – ac roedd o'n fy synnu i efo'i huodledd a'i ddewrder yn ystod darlithoedd hanes cerddoriaeth, pan fyddai'n cwestiynu ambell osodiad gan ddarlithydd a hynny'n aml yn arwain at ddadl reit boeth rhyngddyn nhw. Ar y dechra roeddwn i'n meddwl mai Ian Butler oedd seren ein blwyddyn ni, oherwydd yn ogystal â'i wybodaeth ddihysbydd roedd o hefyd yn dipyn o unawdydd bariton, heb sôn am y ffaith ei fod yn ystyried ei hun yn rhodd yr Hollalluog i'r byd fel arweinydd. Y fo neidiodd at y cyfle i ffurfio côr siambr o blith myfyrwyr yr adran gerdd o fewn ychydig fisoedd ar ôl iddo gyrraedd. Yn naturiol, doeddwn i ddim yn un a gafodd fod yn rhan o'r *ensemble* dethol hwnnw – a'r gwir ydi y byddai'n well gen i fod wedi cael fy fflangellu'n gyhoeddus hyd at fy esgyrn na bod yn rhan o'r cylch crachaidd hwnnw – ond roedd talentau cerddorol Ian yn ymddangos yn ddi-ben-draw, ar wahân, o bosib, i'w fedr wrth y piano, a oedd bron iawn mor sigledig â f'un i.

Ond druan o Ian. Pan ddaeth y dydd o brysur bwyso ar ddiwedd y flwyddyn gynta, a'r arholiadau tyngedfennol rheiny'n bygwth gwahaniaethu rhwng y rhai oedd â'r gallu i ateb cwestiwn a'r rhai oedd yn gallu malu cachu, roedd Ian yn un o ddau gafodd eu darostwng o'r cwrs anrhydedd i wneud yr annheilwng ac anurddasol 'Pass degree'. A, gyda llaw, nid fi oedd y llall!

Mi fydda i'n teimlo'n eiddigeddus iawn o'r bobol rheiny wnaeth fwynhau eu dyddia coleg a chael amser mor dda. Cyfnod gora 'mywyd i, meddan nhw, er mwyn rhoi halen ar y briw. I mi roedd yr holl beth yn ychwanegiad eitha poenus at fy sefyllfa affwysol o ddiffyg hyder sylfaenol, efo'r broblem ychwanegol o fod ym mysg pobol oedd yn siarad iaith estron. Yn y cyfnod hwnnw does dim amheuaeth gen i nad oeddwn i'n gorfod cyfieithu'n feddyliol wrth siarad Saesneg a bod hynny, yn anorfod, yn gwneud i mi swnio'n araf a phetrus.

Ond mae'n ymddangos bod yna un fantais o gael Saesneg fel ail iaith. Reit ar ddechra'r cwrs roedd pennaeth yr adran gerdd, Robert Marchant, wedi gosod traethawd i ni dan y teitl 'Bach's 48 Preludes and Fugues'. I rhywun nad oedd yn gallu chwarae'r cyfryw ddarnau roedd hon yn dasg enfawr, ac fe fu'n rhaid i mi ddibynnu'n gyfan gwbl ar ddarllen llyfra a gwrando ar recordia o'r perfformiadau.

Roeddwn i'n eitha nerfus pan ddaeth diwrnod dychwelyd y traethodau, yn enwedig pan ddechreuodd y Prof feirniadu iaith flodeuog ac annealladwy peth o'r cynnyrch. Pan gefais fy nhraethawd i yn ôl roedd un frawddeg mewn ysgrifen goch ar y gwaelod: 'B+ *Good. For the most part it is written in clear, concise English – only Welshmen seem to be able to do this nowadays!'* Yn naturiol roeddwn i ar ben fy nigon, ac fe allwn i fod wedi cusanu'r hen Marchant. Fodd bynnag, stori arall oedd hi yn y dosbarth harmoni a gwrthbwynt. Y dasg gynta gawsom ni oedd cynganeddu alaw yn arddull J S Bach, rhywbeth roeddwn i wedi ei wneud gannoedd o weithia ar fy nghwrs safon A yn Llangefni ac, yn ôl Chips, roeddwn i'n eitha giamstar arno.

Ar ôl chwarae fy ymgais i ar y piano fe drodd yr uwchddarlithydd Anthony Hedges (*'I'm a composer you know'*) ata i a deud: '*Your chorale sounds just like Welsh community hymn-singing.'* I ddechra, meddyliais mai canmoliaeth oedd hyn. Wedi'r cyfan, onid oedd Cymru'n enwog am ei chanu cynulleidfaol, a'i sain gyfoethog yn destun cenfigen dros y byd? Oedd yn bendant, ond roedd hanner gwên sarhaus Mr Hedges yn tystio'n wahanol, ac mewn un ennyd fach fe deimlais i holl gondemniad pwerus academia, nid yn unig arna i, ond ar fy nghenedl gyfan.

Wrth gwrs bod fy nghoralau'n swnio fel canu cynulleidfaol – dyna oeddwn i wedi ei glywed ers yn blentyn a dyna'r prif ddylanwad cerddorol fu arna i erioed. Doeddwn i ddim wedi cael fy meirniadu am ddilyn yr arddull honno o'r blaen, felly fe ddaeth hyn fel cyfuniad ofnadwy o sioc a dadrithiad. Mi fyddai'n cymryd rhai misoedd i mi fedru llwyr ddianc oddi wrth ei feirniadaeth. Yn y cyfamser rhaid oedd i mi ddiodde'r cywilydd.

Yr un a ddaeth yn brif ddylanwad arna i yn Hull oedd un o'r

uwchddarlithwyr, Denis Arnold, a ddaeth o fewn ychydig flynyddoedd yn Athro a Phennaeth yr Adran Gerdd ym Mhrifysgol Rhydychen. Yn ei ddosbarthiadau hanes cerddoriaeth mi fyddai'r hen Arnold yn pwysleisio agweddau cymdeithasol a phersonol cyfansoddwyr yn hytrach na dim ond astudio'r miwsig yn haniaethol. Erbyn meddwl, pobol o gig a gwaed oedd cerddorion mawr y byd fel pawb arall, ac er bod athrylith ambell un ohonyn nhw y tu hwnt i eglurhad dynol roedd yna ffactorau hollol syml wedi peri iddyn nhw wneud rhai pethau yn y modd y gwnaethon nhw.

'*Why are there no flutes or clarinets in this Mozart symphony?*' fyddai cwestiwn nodweddiadol yr Athro, a ninnau'n edrach yn syn ar sgôr Symffoni Rhif 36. '*Where was Mozart at this time?*' Distawrwydd llethol. Wedyn mi fyddai'n egluro sut roedd y cyfansoddwr wedi bod yn Salzburg yn cyflwyno ei wraig newydd, Constanza, i'w dad. Ar y ffordd yn ôl i Vienna roedd y pâr hapus wedi aros efo cyfaill mewn lle o'r enw Linz, a'r cyfaill hwnnw yn neb llai na'r uchelwr yr Iarll Johann Anton Thun. Roedd gan yr Iarll ei gerddorfa ei hun ac yn naturiol roedd o'n awyddus i Mozart gyfrannu rhywbeth yn y cyngerdd roedd wedi ei drefnu yr wythnos honno. Gan nad oedd o'n cario unrhyw un o'i ddarna efo fo ar ei daith fe aeth Mozart ati i gyfansoddi symffoni newydd yn y fan a'r lle a'i chwblhau ar gyfer y cyngerdd – bedwar diwrnod yn ddiweddarach! Yn naturiol roedd y miwsig wedi ei greu ar gyfer yr offerynwyr oedd ar gael yn y llys: dau obo, dau fasw^n, dau gorn Ffrengig, dau utgorn, timpani a llinynnau – ond dim un ffliwt na chlarinet, fel a geir yn rhai o'i symffonïau cynharach a gyfansoddwyd ar gyfer cerddorfeydd mwy swmpus Paris a Vienna.

Roedd yr elfen hon wrth astudio hanes cerddoriaeth yn hollol newydd i mi, ac yn llawer mwy diddorol na'r hyn roeddwn i wedi arfer ei wneud, sef dysgu ffeithiau moel fel enwau a dyddiadau. Wedi'r cyfan, hanes pobol ydi hanes cerddoriaeth, ac yn aml iawn mae'r ffactorau dynol ac ymarferol yn amlygu eu hunain yn y cynnyrch. Ymhen rhai blynyddoedd mi fyddai'r meddylfryd yma'n ddefnyddiol iawn i mi wrth i mi baratoi a chyflwyno cyfres radio arbennig.

Ond ymhell yn y dyfodol roedd hynny. Yn y cyfamser, ar y daith trên rhwng Môn a Hull ar ddechrau a diwedd tymor mi fyddwn i'n edrych fel ffoadur wrth i mi straffaglu o dan bwysau fy maich o gês anferth, gramoffon, recordydd tâp a viola. Efo fy sgarff coleg amryliw roedd hi'n weddol amlwg mai stiwdant oeddwn i, ond fe fyddai yna bob amser rhyw wraig ganol oed yn y cerbyd fyddai am ofyn cwestiwn gwirion.

'*Student are you?*'

'*Yes.*'

'*What are you studying?*'

'*Music.*'

'*Oh! That's nice. That must be lovely! I tell you a piece of music I like... oh, what is it now? It goes like this: "La la la la la"... you must know it, it's by... you know, him that wrote that Messiah.*'

'*Handel.*'

'*Yes, that's it, Handel. I love him I do. And I tell you another one I like, that piece by what's-is-name... he's got a funny name. "La la la la"...*'

Ar ôl dwy awr o'r math yma o sgwrsio mi fyddwn i'n barod i dagu fy nghydymaith, ac yn difaru fy enaid 'mod i'n astudio pwnc mor wirion. Yna, ymhen amser, mi ges i'r ateb i'r broblem.

'*Student, are you?*'

'*Yes.*'

'*What are you studying?*'

'*Nuclear Physics.*'

Distawrwydd a heddwch.

Ar un o f'ymweliada adra o Hull mi es i draw i ddawns nos Sadwrn yn Ysgol Uwchradd Llangefni. Ar ôl pwyso a mesur y dalent oedd yno mi ofynnais i flonden ddel iawn am ddawns, ac yna, yn ddiweddarach, mi gynigiais lifft adra iddi yn y Ford Popular roedd Mam yn ei yrru'n ddidrugaredd ar hyd lonydd yr ynys. Pan es i at y car ac agor drws ochr y teithiwr mae'n siŵr bod Esther Williams wedi meddwl ei bod hi'n cyfarfod y gŵr bonheddig cynta yn ei bywyd. Ond yna, fel roedd hi'n diolch i mi am fy nghwrteisi ac yn paratoi eistedd, fe fu'n rhaid i mi ei stopio ac egluro bod yn rhaid i mi fynd i mewn i'r car yn gynta gan fod drws yr ochr arall wedi torri.

Cyn hir mi fyddai Esther yn gadael yr ysgol i fynd i wneud Mathemateg yn Aberystwyth ar ôl ennill yr ysgoloriaeth uchaf yno. Pan adewais hi i gychwyn fy nhaith inna'n ôl ar gyfer fy mlwyddyn ola yn Hull roeddwn i'n hollol grediniol y byddwn i'n ei cholli hi. Roeddwn i'n dychmygu y byddai stiwdants gwrywaidd y coleg ger y lli, oedd â'r lefelau testosteron uchaf yn y deyrnas, yn siŵr o heidio o'i chwmpas fel gwenyn o gwmpas pot mêl a'i hudo oddi wrtha i. Mi ychwanegwyd at fy ofnau pan ysgrifennodd Esther ata i ymhen ychydig ddyddia i ddeud ei bod hi wedi ennill cystadleuaeth y 'Fresher Queen'. Dyna ddiwedd ar hyn'na, meddwn i wrthyf fy hun. Ond mi barodd y berthynas er gwaetha ymdrechion barbaraidd ac anifeilaidd ysgymun Aber, ac ymhen tymor roedd Esther a minna wedi dyweddïo.

Ar gyfer fy mlwyddyn ola yn Hull mi benderfynais symud o Ferens Hall a rhannu fflat efo fy nghyfaill Vaughan Kirby a'i cello. Mae fflat yn air rhy grand i fod yn onest – hofal fyddai'r disgrifiad agosa, ac roedd ein hystafelloedd reit yn nhop tŷ teras anferth mewn stryd o'r enw Dover Street. Nid hon oedd un o ardaloedd hyfrytaf Hull o bell ffordd, ac ym mhen draw'r stryd roedd ffens uchel a thu hwnt iddi rhuthrai trenau'r brif reilffordd rhwng Hull a Grimsby. O ganlyniad fe fyddai holl dai Dover Street yn ysgwyd i'w seiliau bob rhyw ddeng munud gan beri i gwpanau a soseri ddawnsio ar y silffoedd.

Wythnos ar ôl i ni symud i mewn fe welsom ni hanes achos llys go erchyll ym mhapur newydd dyddiol yr *Hull Daily Mail*. Roedd llofruddiaeth wedi digwydd rhyw flwyddyn ynghynt lle'r oedd rhyw wallgofddyn wedi lladd ei gariad ac yna wedi ei chladdu yng ngardd ffrynt ei dŷ. Ble y gwnaed y weithred farbaraidd hon? 45 Dover Street. Roeddem ni newydd symud i mewn i rif 49!

Wedi i ni symud yno, mi fyddai'r ffaith bod rhywun neu'i gilydd yn gyson yn dod i fyny'r grisiau yng nghanol y nos ac yn trio agor ein drws yn ddigon i'n rhewi'n stond yn ein gwelyau, ond ymhen amser daethom i arfer â hynny. Ond roedd un peth yn sicr, pan fyddai un ohonom ni'n mynd i ffwrdd am y penwythnos mi fyddai'r llall yn ffendio rhywle i aros hefyd. Doedd Dover Street ddim yn lle i fod ynddo ar eich pen eich hun!

Un diwrnod fe ddaeth cwpl o ddynion smart yr olwg i guro ar y drws. Ar ôl dangos eu cardiau adnabod a chyflwyno'u hunain fel dau dditectif o orsaf yr heddlu lleol fe ddechreuon nhw ofyn cwestiynau i ni ynglŷn â'r ferch oedd yn byw yn fflat Rhif 1. Hon oedd yr hofal agosa at y drws ffrynt, ac ar wahân i gyfnewid rhyw gyfarchiad boreol achlysurol doeddem ni ddim yn adnabod y ferch o gwbl. Oeddem ni wedi sylwi bod lot o ddynion yn galw draw? Oeddem ni wedi clywed unrhyw synau anarferol? Na, dim o gwbl. Myfyrwyr cerdd oeddem ni wedi'r cyfan, pobl efo'u pennau yn y gwynt a dim diddordeb mewn unrhyw beth arall – ar wahân, wrth gwrs, i drio'n gora i gadw'n fyw mewn ardal oedd ym mysg y mwya peryglus yn Swydd Efrog. O, felly. Doeddech chi ddim wedi sylweddoli eich bod chi'n byw uwchben puteindy?

Flynyddoedd yn ddiweddarach, a minna'n ddarlithydd parchus mewn sefydliad addysgol yn Lerpwl, mi ddaeth aelod newydd ar y staff, ynta wedi bod yn stiwdant ym Mhrifysgol Hull yr un pryd â mi. Dim ond mater o amser oedd hi cyn iddo fo ledaenu'r newyddion wrth y myfyrwyr i gyd: *'Didn't you know that Mr Humphreys used to live in a brothel when he was a student?'*

Mae yna epilog bach ynghylch fy nghyfnod ym Mhrifysgol Hull. Rhyw ugain mlynedd ar ôl i mi adael, a minna erbyn hynny'n arweinydd yr Orpheus, fe ddaeth gwahoddiad i'r côr gynnal cyngerdd yn neuadd y brifysgol, Middleton Hall, neuadd nad oedd yn bod yn ystod fy nyddiau i yno. Cawsai'r cyngerdd ei drefnu ar y cyd rhwng y brifysgol â'r Gymdeithas Gymreig leol, a hynny ar ôl i rywun oedd â chysylltiad â'r ddau sefydliad sylweddoli fy mod i yn un o *alumni* y coleg ac y byddai'n beth eitha neis fy ngwahodd yn ôl i'r ddinas. Yn eironig iawn, fe roddwyd y côr i aros dros nos yn un o neuaddau preswyl y brifysgol, Cleminson Hall, neuadd ar gyfer merched yn unig pan oeddwn i'n fyfyriwr. Fe roddodd hynny gyfle bendigedig i mi yn ystod y cyngerdd ddiolch i'r trefnwyr am fy ngalluogi i wireddu breuddwyd: am dair blynedd pan oeddwn yn Hull fe wnes i fy ngorau glas i dreulio noson yn Cleminson Hall ond heb lwyddiant. Heno mi fyddwn yn cyflawni'r gamp!

Yn dilyn y cyngerdd fe ges i wahoddiad i fod yn ŵr gwadd yng nghinio Gŵyl Dewi'r Gymdeithas Gymreig y flwyddyn ganlynol, ac er fy 'mod i wedi osgoi perfformio gorchwyl o'r fath tan hynny mi benderfynais gytuno y tro hwnnw. Pan gyrhaeddais ar y trên yn Hull roedd ysgrifennydd y gymdeithas a'i wraig yno ar y platfform i'm croesawu. Roedden nhw'n falch iawn 'mod i wedi cyrraedd yn saff ac yn edrach ymlaen at fy araith – ond roedd yna un broblem fach. O? Oedd. Roedd cadeirydd y Gymdeithas Gymreig wedi cael newyddion go ddrwg. Y noson flaenorol roedd ei wraig wedi deud wrtho ei bod hi'n mynd i'w adael am rywun arall. O diar. Ia, ond, er mwyn cadw wyneb, mi fyddai'r ddau'n bresennol yn y cinio, ac wrth gwrs mi fyddwn i'n eistedd rhyngddyn nhw.

Ar ddechra'r cinio, er bod y cadeirydd yn edrach ychydig yn biwis a briwedig, roedd petha'n eitha gwareiddiedig rhyngddo fo â'r Jezebel, a minna yn y canol siŵr o fod yn gorwneud fy rôl ddiplomataidd fel yr ynad heddwch. Ond yna, ar ôl i'r gwin ddechra llifo, mi ddechreuodd y sefyllfa waethygu.

'*Can you ask that bitch to pass the wine?*' meddai'r cadeirydd wrtha i, gan amneidio tuag at ei wraig.

'*Tell the drunken swine to get it himself*,' medda hitha.

Wna i ddim cofnodi gweddill yr ymgom, ond efo'r iaith yn dirywio fesul gwydraid o alcohol a manylion a chefndir perthynas simsan fy nghymdogion cwerylgar yn cael eu dadlennu'n gyhoeddus, buan y trodd yr achlysur o ddathlu ein nawddsant i fod yn rhyfel cartref gwaedlyd. Dyna'r tro cynta a'r tro ola, meddwn i wrth fy hun wrth orwedd yn fy ngwely'r noson honno, y bydda i'n ŵr gwadd mewn cinio Gŵyl Dewi.

Ac felly y bu hi hefyd – bron iawn...

PENNOD 9

U N P'NAWN POETH yn ystod gwyliau'r haf, ar ôl i mi orffen yn Hull, mi ddaeth fy hen ffrind ysgol Peter Elias Jones draw i'm gweld. Roedd o am i mi wneud ffafr ag o – ffafr fawr iawn, sef cymryd swydd oddi arno fo. Ers gadael Prifysgol Manceinion, lle'r oedd o wedi bod yn gwneud cwrs drama ar ôl graddio mewn cerddoriaeth yn Leeds, roedd Pete wedi gwneud ei ora i gael swydd yn y diwydiant teledu. Dyna oedd ei freuddwyd ers peth amser, ac ar ôl rhoi tymor cyfan iddo'i hun i geisio torri trwodd i'r byd hwnnw mewn cyfnod anodd iawn fe fu'n rhaid iddo fo ildio yn y diwedd a chymryd swydd yn dysgu cerdd mewn ysgol yn Wallasey. Ddau dymor yn ddiweddarach roedd HTV wedi cynnig swydd i Pete, ond er mwyn ei derbyn fe fyddai'n rhaid iddo fo dorri ei gytundeb gyda'r Awdurdod Addysg. Dyna fyddai fy rôl i. Pe gallai o fynd i gyfarfod â'r Cyfarwyddwr Addysg a'r Prifathro a mynd â fi efo fo fe allai, o bosib, eu perswadio i'w ryddhau o a'm cymryd inna yn ei le.

'Dim ffiars o beryg!' meddwn i'n bendant. 'Dwi'n mynd i Aberystwyth i wneud MA, a dydw i byth isio mynd i ddysgu mewn ysgol p'run bynnag. Mi fasa'n well gen i starfio.' Gan fod dwy flynedd arall gan Esther yn y coleg ger y lli roeddwn i wedi bod yn gweld yr Athro Ian Parrott ac wedi cael fy nerbyn i wneud gradd uwch yn yr Adran Gerdd. Mi fydda hynny'n gweithio'n berffaith i mi.

Ond, ddau ddiwrnod yn ddiweddarach, roedd Pete yn fy nhywys o gwmpas Ysgol Uwchradd St Bede's, Wallasey – yr ysgol newydd symud i adeilad newydd sbon a hwnnw'n ogleuo o baent ffres ac yn hollol amddifad o arogl a phresenoldeb plant. Roedd cyfleusterau arbennig i gerddoriaeth yno efo ystafelloedd ymarfer pwrpasol a digon o bianos ac offerynnau eraill o bob math. Wrth feddwl am flwyddyn arall o fod yn stiwdant tlawd yn Aberystwyth, yn ymdrybaeddu drwy dunelli o gerddoriaeth gyfoes Gymreig, roedd y syniad o ennill arian wrth ymlacio yn y fangre hyfryd hon yn dechra apelio ata i.

O fewn hanner awr roedd Pete wedi cyflwyno'i achos yn Neuadd y Dref ac yn ymadael ag ystafell y cyngor, gan ddal y drws ar agor i mi fynd i mewn i weld y pwysigion. Pan wnes inna ailymddangos ddeng munud yn ddiweddarach roeddwn i'n swyddogol wedi cael fy apwyntio'n athro cerdd newydd Ysgol Uwchradd i Fechgyn St Bede's.

Y dyddiau hynny, ddiwedd y chwe degau, doedd dim angen gwneud cwrs ôl-radd arbennig i fod yn athro – roedd gradd gyntaf yn cael ei hystyried yn ddigonol. Yn ôl y rhan fwyaf fyddai'n trafferthu cymryd blwyddyn ychwanegol, gwastraff amser llwyr oedd yr holl beth. Eto i gyd, pan gyrhaeddais St Bede's ar fy more cynta o waith ym mis Medi 1966 roeddwn i'n teimlo'n nerfus wrth feddwl sut yn y byd roedd rhywun fel fi'n gymwys i fod yn gyfrifol am addysg yr hogia yma. Dim ond wythnos ynghynt roeddwn i wedi bod yn syrfio petrol mewn garej ym Menllech – swydd dros dro i wneud arian yn ystod gwyliau'r haf, lle'r oeddwn i wedi bod yn anarferol o gwrtais efo'r cwsmeriaid er mwyn eu hannog i roi *tips* i mi.

Wrth groesi iard yr ysgol, felly, a'r disgybl cynta i mi wynebu yn fy nghyfarch efo'i *'Morning, sir'*, fe atebais yn reddfol efo *'Morning, sir'* yn ôl! Bron na allwn i ei glywed o wedyn dan ei wynt yn deud, *'There goes a sucker! We'll soon have him for breakfast!'*

Doedd hi ddim yn hir cyn i mi sylweddoli nad oedd St Bede's yn cynnwys plant gora'r gymdogaeth ac, yn wir, o fewn ychydig fisoedd fe fyddai'r si ar led ei bod hi wedi disodli Ysgol y Grange fel yr ysgol uwchradd waetha o dan reolaeth Awdurdod Addysg Wallasey. Yn ogystal ag ymgynefino â bod yn athro parchus roedd yn rhaid i mi hefyd ddod yn gyfarwydd â'r gweddïau fyddai'n cael eu hadrodd ar ddechrau a diwedd pob gwers gan mai ysgol babyddol oedd hi. Wel o leia fe fyddai'n rhaid i mi wbod pa weddi oedd i'w hadrodd, pa bryd a sut roedd hi'n cychwyn. Cyn hir roedd y Methodist Calfinaidd o Fotfoth yn gallu adrodd yr Hail

Marys gystal â'r Pab, heb sôn am ddysgu gan eraill sut i ddefnyddio crefydd fel arf.

'*Did you do that?*' meddwn i ar ôl clywed sŵn rhech yng nghefn y dosbarth un tro ac un hogyn â'i wyneb yn goch fel bitrwden.

'*No sir!*' meddai'r amlwg euog, gan wrido hyd yn oed yn ddyfnach.

'*Face the cross!*'

Y plentyn rŵan yn troi'n anfoddog tuag at y ddelw gerfiedig o'r Crist ar y pared.

'*Did you do it?*'

'*Yes sir.*'

'*Right! Go outside the door and recite fifty Hail Marys!*'

Wrth gwrs, erbyn hyn dwi'n teimlo'n euog iawn o fod wedi gwneud y fath beth. Mewn gwirionedd, doedd defnyddio crefydd i ddychryn plant ddim mor wahanol â hynny i'r profiadau ges i yn yr ysgol a'r capel, ond roedd o'n ymddangos yn fwy eithafol yn y gyfundrefn babyddol ac mi ddyliwn i fod wedi ymwrthod rhag gwneud. Ond mater o oroesi oedd hi ac roedd rhywun angen pob arf posibl i wneud hynny.

Y dirprwy brifathro oedd Mr Andersen, dyn a oedd wedi colli ei holl ddannedd bron ac nad oedd ond wedi mynd ran fechan o'r ffordd tuag at adfer y sefyllfa. Byddai'n gwisgo yr hyn a edrychai fel darn o blastig pinc a gwyn rhyw ddwy fodfedd o hyd o dan ei wefus uchaf. Fe fyddai hwnnw'n llithro i lawr ar ei dafod bob rhyw ddeng eiliad ac yntau wedyn yn ei chwythu'n ôl i'w le. O'r herwydd doedd Mr Andersen ddim y person hawsa yn y byd i'w ddeall.

'*I llullpect, Millter Humphreyll, that the llinging in the allembliell here won't be up to your ullual lltandardll, but I'm llure you'll llee to that.*'

'*Pardon?*'

'*Llymthing ill llertain to inllpire you to enllure lluccllell.*'

Sut ar y ddaear y byddai plant yn cael unrhyw addysg o werth gan Mr Andersen oedd un o ddirgelion mawr St Bede's, yn enwedig ac yntau i fod yn bennaeth yr Adran Saesneg!

Mr Andersen oedd yr unig Sais i mi ei gyfarfod erioed a allai ynganu Llanllyfni heb drafferth – hynny, wrth gwrs, o roi'r enw o'i flaen wedi ei sillafu fel 'Sansuvni'. Gallai ymgom efo Mr Andersen ymddangos fel pe bai'n para hyd ddiwedd oes (heb sôn am wlychu dyn o'i gorrun i'w fotwm bol), a'r peth doetha oedd ceisio osgoi unrhyw bosibilrwydd i hynny ddigwydd. Ond un diwrnod fe'm cornelwyd.

'Tomorrow ill Llaint David'll Day, Millter Humphreyll.'

'Pardon?'

'Llaint David – your patron llaint.'

'Oh – yes, Mr Andersen.'

'How about ull llinging a Wel-ll hymn-tune in allembly?'

'Yes, of course – which one did you have in mind?'

'Aberylltwyth? Rhollymedre? Llanfair?' – yr ola, wrth gwrs, wedi'i hynganu'n berffaith.

'No problem, Mr Andersen – it will be done.'

A dyna sut y bu, un bore ym 1967, i gornel fechan o benrhyn Cilgwri, sef neuadd ysgol babyddol waetha'r gymdogaeth, neilltuo ychydig funudau i nawddsant Cymru, oherwydd bod yr athro cerdd yn dod o Fotfoth, ac yntau'n Fethodist Calfinaidd o Eglwys Bresbyteraidd Cymru.

Ond nid fi oedd yr unig Gymro ar y staff. Dave o Dreffynnon oedd yn gyfrifol am ymarfer corff, un nodweddiadol o'i frid fel rhai o sadistiaid mwya'r deyrnas. Oddi wrth Dave y dysgais sut i gadw rhyw fath ar ddisgyblaeth drwy fod yn greulon, a hynny drwy ddefnyddio'r sliper. Mewn gwirionedd, *pump-shoe* (fersiwn gyntefig o'r *track-shoe*) oedd y sliper, ond i fod yn effeithiol roedd yn rhaid iddi fod yn *Size 12* o leia, ac roedd gan Dave un sbâr i mi ei benthyg.

Y dyddiau hynny doedd dim cyfyngu o gwbl ar y gosb gorfforol a gâi ei rhoi i blant, a'r syniad efo'r sliper oedd bod y drwgweithredwr yn plygu ei ben i lawr, yn cyffwrdd bodiau ei draed efo'i fysedd ac yn arddangos ei din yn yr awyr fel bod y sliper yn cael glanfa glir i ymosod arni.

Roeddwn i'n eitha nerfus wrth gyflawni'r weithred farbaraidd hon am y tro cynta, ond ar ôl bygwth rhyw horwth o hogyn cegog o'r enw Vincent O'Reilly droeon un p'nawn roedd yn rhaid ymateb neu golli disgyblaeth. Un fantais efo fy nioddefwr cynta, wrth gwrs, oedd bod aceri o le i anelu ato ar ben-ôl llydan ac anferthol Vincent, a bwysai oddeutu dunnell a hanner. Ond – a dyma'r broblem – doeddwn i ddim wedi ystyried y byddai cymaint o wynt sbâr yn ei gorffolaeth.

Pan drawodd y sliper fochau ôl enfawr Vincent fe dorrodd ei amddiffynfeydd naturiol yn gyfan gwbl, gan beri i gorwynt ffrwydro allan o'i din a chreu taran o sŵn a fyddai wedi cystadlu â holl stops organ Eglwys Gadeiriol Lerpwl gerllaw. Mae'n bur debyg bod rhai yn y gymdogaeth wedi tybio iddyn nhw glywed sŵn corn llong ddiarth ar yr afon Merswy, gan holi ble'r oedd y niwl! Ond aeth y dosbarth yn wenfflam o chwerthin, a hynny gythruddodd Vincent yn fwy na'r gosb ei hun. A yntau'n goch fel tomato fe waeddodd *"I'll get my Dad on to you"*, a rhedeg allan o'r ystafell.

Am rai dyddiau wedyn byddwn i'n sleifio'n llechwraidd i mewn ac allan o'r ysgol drwy un o'r drysau cefn bob bore a ph'nawn, gan edrych y tu ôl i mi rhag ofn bod tad Vincent O'Reilly – anifail o Wyddel ddwywaith gymaint â'i fab byddwn i'n dychmygu – yn barod i ymosod arna i a'm claddu o dan y cae pêl-droed. Ond ddaeth o ddim.

Mr Andersen ddysgodd i mi sut i ddelio efo bygythiad o'r fath. Wrth drafod plentyn gwyllt un diwrnod yn y coridor, a hwnnw'n addo dod â saith o'i frodyr hŷn i labyddio'r dirprwy brifathro, mi waeddodd Mr Andersen *'Exllellent! Bring your llillterll and coullinll all well, and then we'll tell them all what a nallty conniving little llwine you are!'* Fe ailfeddyliodd y troseddwr, gan sychu'r poer oddi ar ei wyneb a gostwng ei ben yn wylaidd, tra bod Mr Andersen, efo'i ben yn gam, yn syllu'n orfoleddus tua'r gorwel pell, gan ymdebygu i'r Cadfridog Montgomery ar ôl brwydr El Alamein.

Prifathro'r ysgol oedd Mr McGrath. Roedd o'n amlwg yn babydd rhonc oherwydd roedd o'n ŵr gweddw ar ôl i'w wraig druan roi genedigaeth i naw o ferched mewn llai na naw mlynedd. Mae'n siŵr gen i ei bod hi, un diwrnod, wedi penderfynu ei bod hi'n llythrennol wedi cael llond bol o hyn i gyd ac wedi stopio byw er mwyn iddi gael gorffwys. Llysenw

Mr McGrath gan y plant oedd Quick-Draw McGraw, nid y disgrifiad gora o'i ymarweddiad cyffredinol araf, ond pur addas 'falla o ystyried ei orchestion yn y gwely. Y brif neges – yn wir yr unig neges – y byddai Quick-Draw yn ei chyfleu i mi'n bersonol oedd bod agoriad swyddogol yr ysgol i ddigwydd ymhen tri mis ac y byddai angen sefydlu côr i gymryd rhan flaenllaw yn y gweithgareddau. Fe fyddai hwn yn achlysur hynod bwysig gan y byddai neb llai nag Esgob Amwythig yn dod i gynnal offeren arbennig i gysegru'r ysgol.

Roedd yr holl syniad yma o greu côr yn fy llenwi i ag ofn, a phob tro y byddwn i'n gofyn yn y dosbarthiadau am wirfoddolwyr i fod yn rhan ohono y canlyniad fyddai bonllefau o chwerthin afreolus. Yr unig beth amdani oedd gwneud fy hun i ymddangos yn cŵl – neu, yng ngair y cyfnod hwnnw, yn *smart*.

Gyda llaw, pe na byddai'r plant yn hoffi rhywbeth, yr ymadrodd oedd *'Dat's last, sir!'* Pe bai o hyd yn oed yn waeth, y dywediad oedd *'Dat's crap, sir!'* Ond y ffurf eithafol o gondemniad oedd *'Dat's craplast'"*

Wrth gael y plant yn y dosbarthiadau i ganu caneuon ysgafn fel 'Here, There and Everywhere' gan y Beatles a 'Kisses sweeter than wine' gan y New Christy Minstrels fe ddaeth rhyw gymaint o lewyrch ar y canu. Yn raddol fe fu rhai plant yn ddigon dewr i gytuno bod yn aelodau o'r côr, a dyma ddechrau paratoi o ddifri. Roedd un peth yn bendant: os oeddwn i'n meddwl am eiliad y gallwn i newid y *repertoire* wrth fynd ymlaen a dechrau cyflwyno rhywbeth fel 'Nymphs and Shepherds' neu 'O for the Wings of a Dove' iddyn nhw, mi allwn i ganu ffarwel i'r côr yn syth. Felly doedd dim dewis ond parhau i'w trwytho nhw mewn mwy o ganeuon pop y cyfnod.

Y diwrnod cyn yr agoriad swyddogol roedd Quick-Draw wedi egluro wrthym ni, aelodau'r staff, bod yr Esgob yn mynd i ddod o amgylch y dosbarthiadau yn y bore er mwyn cyfarfod â'r athrawon a'r plant mewn awyrgylch anffurfiol. Wedyn, ar ôl cinio, fe fyddem ni i gyd yn ymgynnull yn y neuadd ar gyfer y gwasanaeth cysegru.

Gan mai fi oedd yr unig athro ar y staff nad oedd yn Babydd roedd cryn dynnu coes yn ystafell yr athrawon y byddai'n rhaid i mi gusanu modrwy'r Esgob, oherwydd dyna oedd yr arferiad a dyna fyddai pawb arall yn ei wneud.

'No chance,' meddwn inna. 'I'm a Calvinistic Methodist of the Presbyterian Church of Wales and I don't kiss anybody's ring!' Ac roeddwn i'n ei feddwl o. Er hynny roeddwn i'n eitha petrus ynglŷn â'r cyfarfyddiad ac wedi ymarfer fy mrawddeg yn ofalus ar ôl dysgu beth oedd y cyfarchiad cywir.

'I'm delighted to meet you, Your Grace,' roeddwn i'n mynd i ddeud.

'I'm delighted to meet you, Your Grace,' meddwn i dan fy ngwynt sawl gwaith trosodd cyn y cyfarfyddiad mawr. Y ffaith amdani ydi nad oeddwn i erioed wedi gweld Esgob. Roedd offeiriad y plwy a fyddai'n galw'n aml yn yr ysgol yn edrach yn union fel unrhyw bregethwr ymneilltuol yn eu siwtiau duon a'u coleri crwn, ac yn fy naïfrwydd a'm diffyg profiad doeddwn i ddim yn disgwyl unrhyw beth gwahanol.

Felly pan agorodd drysau dwbl f'ystafell ddosbarth yn sydyn y bore hwnnw, a phan hedfanodd aderyn mawr porffor i mewn a glanio wrth fy ochr, mi ges i sioc enbyd. A minnau wedi fy hoelio i'r llawr fel delw o garreg mi glywais lais Quick-Draw rhywle y tu ôl i'r aderyn yn dweud:

'Your Grace, let me introduce our Music Master, Mr Humphreys.'

Efo fy ngheg yn llydan agored ers rhai eiliadau yn barod, doedd dim rhaid i mi ei pharatoi i adrodd fy adnod. Ond, roedd yr Esgob ar y blaen i mi. Gan wthio andros o fodrwy i fyny at fy nhrwyn fe ddwedodd:

'Mr Humphreys, I'm delighted to meet you!'

Ac efo'm ceg yn dal fel ceunant mi fethais yn glir â chysylltu'r ymennydd.

'Fflwp ych min trosh llwng rwtsh ratsh…'

Golwg o syndod dychrynllyd o gyfeiriad yr Esgob a'r Prifathro.

'… smwnc chwd pyff bwll meth…'

Ond wrth i'r ymdrech barhau, gwaethygu roedd y lleferydd.

'… yrgl grwsh plish ffladach…'

Felly mi stopiais.

Quick-Draw achubodd y sefyllfa gan gyfiawnhau ei lysenw.

'Right, Your Grace, shall we proceed to the Science Department?'

Ac allan â'r ddau cyn gynted ag y gallai eu traed eu cario.

Mi alla i ddychmygu'r sgwrs a ddilynodd yn y coridor.

Yr Esgob: *'Did you say that Mr Humphreys was Welsh?'*

Prifathro: *'Yes.'*

Yr Esgob: *'Do the children have any difficulty understanding him?'*

Yn ddiweddarach fe gafodd yr Esgob fwy o achos i boeni am ddyfodol cerddoriaeth yn St Bede's. Yng nghanol ei offeren i gysegru'r adeilad fe gafwyd datganiad gan gôr yr ysgol – o 'Three Wheels on My Wagon' a 'Let Me Cry on Your Shoulder'.

Gyda llaw, mae'n bwysig cofio enw Esgob Amwythig. Mi fydd yn ymddangos eto ymhen rhai blynyddoedd.

🎵　　　🎵　　　🎵

Un noson mi welais hysbyseb fel hyn yn y *Liverpool Echo*:

ST HUGH'S RC SECONDARY SCHOOL FOR BOYS
Park Road South, BIRKENHEAD
WANTED
MASTER in charge of MUSIC
Special allowance for suitable candidate

'Special allowance'? Mwy o arian am wneud yn union beth roeddwn i'n ei wneud yn St Bede's? Ac mewn ysgol oedd yn siŵr o fod yn llawer gwell! Yn sicr roedd hi mewn ardal gymharol rispectabl. Wedi'r cyfan, onid oedd cofgolofn Hedd Wyn yn y parc gyferbyn â'r ysgol, ar union leoliad eisteddfod enwog y Gadair Ddu?

Mi es draw i swyddfa Awdurdod Addysg Birkenhead yn syth ar ôl yr ysgol y diwrnod wedyn a churo ar ffenest fechan yn y wal. Pan ymddangosodd y clerc dyma ofyn yn gwrtais am ffurflen ar gyfer swydd Athro Cerdd yn ysgol St Hugh's. Cyn symud i'w dasg, gwnaeth y clerc yr hyn a elwir yn *double take* – rhyw hanner cychwyn i ffwrdd ac yna aros yn ei unfan. Wedyn fe blygodd i lawr a rhoi ei ben a'i ysgwyddau reit drwy'r ffenest er mwyn iddo allu fy ngweld i'n iawn.

'*Have you any musical qualifications?*' gofynnodd.

Eglurais inna fod gen i radd anrhydedd mewn cerddoriaeth a chwpl o ddiplomas. Edrychiad od arall, ac yna fe ddiflannodd y clerc. Pan ddaeth yn ôl efo'r ffurflen fe ddwedodd ddau air cyn cau'r ffenest.

'*Job's yours.*'

Dyna beth od i'w ddweud meddwn i wrth fy hun ar fy ffordd adra – yn enwedig ac yntau'n glerc bach cyffredin mewn swyddfa. Ond roedd pethau rhyfeddach i ddod.

Ar ôl anfon y ffurflen daeth ateb buan yn fy ngwahodd am gyfweliad un prynhawn yn syth ar ôl ysgol yr wythnos ganlynol. Pan gyrhaeddais St Hugh's a cherdded ar hyd y llwybr tuag at yr adeilad brics coch hynafol yng nghanol y coed daeth gŵr canol oed yn frysiog i'm cyfarfod ac ysgwyd fy llaw yn wresog.

'*I'm William Livesey, the headmaster,*' meddai. '*Do come in.*'

Aethom i mewn i'w swyddfa foethus, lle cyflwynwyd fi i ddau ddyn arall – un o swyddogion y swyddfa addysg a gŵr efo coler gron, sef yr offeiriad plwyf lleol. Ar ôl i bawb setlo i lawr yn gyfforddus, gofynnodd Mr Livesey ei gwestiwn cynta: '*When can you start?*'

Edrychais yn syn ar y Sanhedrin ac yna, fel pe bai'n sylweddoli iddo fod yn orfrwdfrydig fe ailfeddiannodd y prifathro ei hun a dechrau gofyn cwestiynau mwy normal, fel manylion fy nghefndir ac yn y blaen. Eto i gyd, roeddwn i'n cael yr argraff bod y tri ohonyn nhw o'm blaen yn fy ystyried yn broffwyd oedd ar fin achub llwythau Israel – neu o leia y fersiwn babyddol o hynny.

Ddau ddiwrnod yn ddiweddarach daeth llythyr i'm hysbysu'n swyddogol bod Awdurdod Addysg Birkenhead am fy nghyflogi fel athro cerdd Ysgol Uwchradd Babyddol St Hugh's ym Mhenbedw, ac y dylwn anfon y ffurflen gytundeb yn ôl rhag blaen. Bron nad oeddwn yn synhwyro y byddai dyn ar gefn moto-beic neu fan Securicor yn dod i nôl y cytundeb cyn i mi newid fy meddwl, ond 'falla mai fi oedd yn rhoi gormod o ffrwyn i'm dychymyg.

Pan ddechreuais ar fy niwrnod cynta yn St Hugh's fe gefais gefndir yr holl hanes. Mae'n debyg bod athro cerdd diwetha'r ysgol wedi gadael ar ôl cael *nervous breakdown* dair blynedd ynghynt ac yn dal mewn ysbyty arbennig, wedi cael ei drawmateiddio am byth. Roedd yr ysgol wedi methu'n glir ag apwyntio rhywun ar ôl hynny ac roedd pob cerddor call o fewn can milltir yn cadw'n glir o'r lle – ar wahân i mi, wrth gwrs.

Ond dwi'n symud ymlaen yn rhy gyflym. Cyn dechra yn St Hugh's roedd rhaid gadael St Bede's. Rhywsut neu'i gilydd, ac efo cymorth ysbeidiol y sliper, roeddwn i wedi medru dal fy mhen uwchben y dŵr dros gyfnod o flwyddyn, a heb gael fy niweidio'n gorfforol. Ar ôl cinio ar fy mh'nawn ola yno, a minna yn fy stafell ddosbarth yn chwysu dros ben y *registers* bondigrybwyll yn trio ffugio'r syms fel eu bod nhw'n rhyw fath o gyfateb, fe agorodd y drysau dwbl yn sydyn ac i mewn daeth pedwar o fechgyn gwaetha yr ysgol. Roedden nhw i gyd yn gwisgo'r lifrai ysgol arferol – *jeans* llydan trwchus efo *turn-ups* llydan gryn chwe modfedd yn fyr o'u traed ac esgidiau trymion Dr Martens i gwblhau'r olwg fygythiol. Cwblhau? Choelia i fawr! Ar eu breichiau a'u gyddfau roedd tatŵs amrwd yn dynodi *swastikas* ac enwau merched ynghyd â'r hyn roedden nhw'n bwriadu neu wedi'i wneud efo nhw.

Dyma fy niwedd, meddwn i wrthyf fy hun. Mae rhain yn mynd i ddial arna i rŵan gan roi andros o gweir i mi ac yna fy ngadael i waedu i farwolaeth. Roeddwn i ar fin ymbilio am drugaredd, pwyntio at lun y groes ar y wal ac adrodd yr *Hail Mary* pan ddwedodd y cynta:

'Hey, sir, we wanna wish you all de best in your new school an' we got some prezzies for yer.'

'Yeah, all de best sir!'

Yna dyma nhw'n dechra tynnu anrhegion allan o'u pocedi – pibell, owns o faco, beiros, hancesi poced – a'u rhoi ar y bwrdd o'm blaen.

'You been OK wid us, sir.'

'Yeah, you're alright, you are, sir!'

Roeddwn i wedi cael cymaint o sioc, ac wedi cael cymaint o ryddhad, fel na allwn i ddeud dim. Roeddwn i hefyd yn ymladd y dagrau ac yn teimlo lwmp anferth yn fy ngwddf.

'Take care, sir, an' we'll see yer around.'

Ac allan â nhw. Er gwaetha fy niffyg profiad a phopeth, roedd hi'n amlwg fy mod i wedi creu rhyw fath o argraff ar y plant yma. Mi ddechreuais deimlo'n reit gynnes oddi mewn wrth ddychwelyd at boendod y *registers*.

Yn ystod amser chwarae y p'nawn hwnnw roedd y prifathro yn cynnal ei gyfarfod arferol efo'r staff i ddymuno'n dda i bawb dros y gwyliau, ac yn arbennig felly i'r rhai fel fi oedd yn gadael. Yna, fe drodd yn ddifrifol.

'I'm afraid the police have been around this afternoon looking into some reports of thieving from Woolworth's during the lunch hour. Apparently the boys concerned were seen to be running back to this school, so I want you all to return to your classes now and search every pupil's bag.'

'What exactly are we looking for, Headmaster,' gofynnodd rhywun.

"A pipe, some tobacco, biros, handkerchiefs,' oedd yr ateb.

Wrth gwrs, erbyn hyn roedd y cyfan yn fy mag i, a finna mewn perygl o fod yn 'gyfranogwr mewn trosedd' – *accessory after the fact!*

Nôl yn y stafell ddosbarth roeddwn i'n ymladd â'm cydwybod, ond ar yr un pryd yn methu â gweld bai ar y bechgyn. Doedd ganddyn nhw ddim arian i brynu anrhegion. Roedden nhw o gartrefi tlawd heb geiniog rhyngddyn nhw, ac eto roedden nhw am ddangos eu gwerthfawrogiad i mi. Beth arall allen nhw ei wneud?

Pan ganodd y gloch ddiwedd y prynhawn mi sleifiais yn llechwraidd o'r ysgol gan osod y bag a'i gynnwys anghyfreithlon o dan flanced yng nghist y car. Wedyn mi ddreifiais yn wyllt tuag Ynys Môn gan ddychmygu y byddai un o geir yr heddlu yn sglefrio allan o ochr y ffordd unrhyw funud a'm dilyn. Wnes i ddim ymlacio nes croesi Pont Menai!

Ond, yn ôl – neu'n hytrach ymlaen – i St Hugh's. Os rhywbeth roedd y bechgyn yno'n fwy drygionus, ac mi sylweddolais yn fuan iawn fy mod wedi cael fy nyrchafu o fod yn athro cerdd ysgol waetha Wallasey i fod yn athro cerdd ysgol waetha Penbedw. Eto i gyd mi roeddwn i'n cael y boddhad o gael fy nhalu'n well, er mai *danger money* oedd hwnnw mewn gwirionedd.

Mantais fawr St Hugh's oedd bod system gosbi swyddogol yno. Y dirprwy brifathro, Mr McDonald, oedd yn gyfrifol amdani, ac yntau'n stwcyn o Sgotyn moel, byr o ran taldra a byrrach ei dymer. Pe bai unrhyw blentyn yn achosi trafferth mi fyddai'n rhaid llenwi'r hyn a elwid yn *punishment slip* gydag enw'r plentyn a'r drosedd arno. Yna rhaid fyddai anfon y tramgwyddwr at Mr McDonald i hwnnw gael hanner ei ladd. Pan ddeuai'r bachgen yn ôl byddai'r darn papur yn cynnwys llofnod y dirprwy brifathro, ond doedd dim rhaid edrych ar y prawf hwnnw i sicrhau bod y plentyn wedi derbyn y gosb. Prin medru gafael yn y papur fyddai'r truan gan fod ei ddwylo'n goch a phiws ar ôl iddo gael ei gystwyo gan Mr McDonald.

Y Sgotyn byr felly oedd yn llywodraethu yn St Hugh's, tra bod Mr Livesey yn gweinyddu o hirbell yng nghyfforddusrwydd ei swyddfa. Un orchwyl ddiflas roedd y prifathro'n mynnu ein bod ni athrawon yn ei gwneud yn wythnosol oedd ysgrifennu crynodeb o bob gwers y byddem yn ei rhoi i bob dosbarth yn ystod yr wythnos mewn llyfr pwrpasol, a hwnnw wedyn yn cael ei adael yn swyddfa'r prifathro ar ddiwedd bob p'nawn Gwener. Erbyn y bore Llun canlynol fe fyddai'r llyfrau'n cael eu dychwelyd i ni efo tic coch a'r llofnod 'WL' ar y gwaelod.

Un diwrnod roedd yr athro ymarfer corff yn cwyno'n arw am y dasg atgas yma – gwastraff amser ydoedd meddai, ac roedd yn hollol grediniol nad oedd Livesey'n treulio'i benwythnosau yn trafferthu darllen y gwaith p'run bynnag.

Ychydig ddyddiau'n ddiweddarach roedd yr athro ar ben ei ddigon. Yn yr ystafell athrawon chwifiodd ei lyfr cofnodion yn yr awyr yn fuddugoliaethus gan ddangos lle'r oedd, yr wythnos flaenorol, wedi ysgrifennu, *fel ei frawddeg ola un*, y geiria: '*This exercise is a total waste of time, and the headmaster is a stupid wanker.*' O dan y cyfan roedd tic coch a'r llythrennau 'WL'.

Er gwaetha'r codiad cyflog, doedd bod yn athro cerdd yn St Hugh's ddim mymryn mwy pleserus na gweithio yn St Bede's, ac ar ôl y newydd-deb cychwynnol o newid ardal a safle mi ddechreuais ailafael yn y diflastod hwnnw sy'n gwawrio arnoch chi pan fo bore Llun yn nesáu. Bob p'nawn Gwener mi fyddwn i'n gyrru'r Triumph Herald piws ar draws gwlad i dreulio'r penwythnos efo Esther yn Aberystwyth (gan aros, gyda llaw, yn un o neuaddau dynion y brifysgol – nid y merched! – yng ngwely rhywun oedd wedi digwydd mynd adre). Fe fyddai'r ffarwelio ar y nos Sul yn hynod o boenus, y siwrnai yn ôl i Benbedw yn feichus a'r syniad o fore Llun arall ar ddechrau wythnos yn St Hugh's yn llethol. Nid dyma gyfnod hapusa fy mywyd, ac mi fyddai'n rhaid trio gwneud rhywbeth i ddianc.

PENNOD 10

UN NOSON mi welais hysbyseb yn y *Liverpool Echo* am ddarlithydd cerdd mewn rhywle o'r enw Coleg Mabel Fletcher yn ardal Wavertree o Lerpwl. Rhyw flwyddyn ynghynt mae'n debyg bod Awdurdod Addysg Lerpwl wedi penderfynu sefydlu coleg cerdd yn y ddinas. Y prif reswm oedd bod talentau offerynnol a lleisiol ifanc Lerpwl, bryd hynny, yn gorfod mynd i un o ddau goleg cerdd ym Manceinion i gael hyfforddiant pellach, a bod hynny'n costio'n ddrud i'r awdurdod. Byddai'n gwneud synnwyr i greu coleg arbenigol yn Lerpwl ei hun, oedd wedi'r cyfan yn ddinas hynod gerddorol.

Ond cyn cerdded rhaid oedd cropian, ac fel man cychwyn penderfynwyd sefydlu adran gerdd o fewn coleg oedd yn bodoli'n barod, ac yna, ar ôl ehangu a thyfu digon, ffurfio coleg cerdd annibynnol. Cartref dros dro, felly, oedd Coleg Mabel Fletcher, ac roedd yno gymysgedd digon od yn barod – adrannau'n ymwneud ag addysg i nyrsys, coginio, gwyddoniaeth, economeg ac astudiaethau cymdeithasol.

I'r lobsgows hwn yr ychwanegwyd adran gerdd, ac wedi bod yno yn braenaru'r tir ers blwyddyn roedd Peter B Cooper, MA, BMus, ARCM. O dde Lloegr roedd o'n hanu, ac roedd yn nodweddiadol o'r brid hwnnw. Am bum mlynedd fe gamynganodd fy enw a'm galw yn Olwyn, er gwaetha sawl cywiriad ac eglurhad mai rhywbeth o dan gar oedd olwyn. Roedd o'r math o berson sy'n gofyn cwestiwn ac, wrth i chi ateb, yn dangos yn amlwg nad ydi o'n gwrando gan ei fod eisoes yn meddwl beth fyddai o'n ei ddweud nesa. Roedd gan Peter B ddigon o hunanhyder i fodloni holl boblogaeth Botfoth a'r cylch a hanner Sir Fôn. Byddai'n doethinebu'n awdurdodol ar bob agwedd ar gerddoriaeth a bywyd.

Wrth i gerddorion ifanc Lerpwl, yn Sgowsars, Gwyddelod a Chymry, heidio i Mabel's fe dyfodd yr adran gerdd yn hynod gyflym nes bod rhyw ddau gant o fyfyrwyr yno o fewn ychydig flynyddoedd. Roedd digon o stiwdants i greu cerddorfa symffoni lawn a chôr sylweddol. Ar y dechrau roedd Peter B, fel un a ystyriai iddo etifeddu mantell Toscanini a'i debyg, yn mynnu arwain pob *ensemble*. Roeddwn i'n berffaith hapus efo hynny gan nad oedd gen i'r awydd lleia yn y cyfeiriad hwnnw. Ond fel roedd mwy o staff yn cael eu hapwyntio i'r adran, ac fel roedd gwaith gweinyddol Peter B yn cynyddu, buan y bu'n rhaid iddo fo ddirprwyo'r cyfrifoldebau. Felly, un diwrnod, meddai o:

'I say, Olwyn, I'd like you to conduct the orchestra and the choir next term and prepare them for a concert. Have you done any conducting?'

Ychydig iawn, mewn gwirionedd, ond dyna fel y llwyddodd Peter B agor llwybr i mi. O'i wylio fo yn arwain ac yn meddwl ei hun gymaint, a gwneud job mor sâl ohoni, yn fy marn i, mi ges ychydig o ffydd o rywle.

'Not much, but I don't suppose I'd do any worse than you.'

Na, nid dyna ddeudais i – ond dyna roeddwn i'n teimlo fel deud. Yn hytrach, mi lyncais fy ngeiria ac ufuddhau'n dawel.

Ar ôl penderfynu mai'r Requiem gan Fauré fyddai'r darn y byddem ni'n ei berfformio mi ddechreuais ar yr ymarferion. Doedd dim problem efo'r gerddorfa, gan fod cryn dalent offerynnol ym mysg y myfyrwyr, ond doedd dim owns o frwdfrydedd yn y canu. Fel Cymro doeddwn i ddim yn deall sut ar y ddaear roedd pobol ifanc oedd yn gallu darllen y nodau bron yn berffaith ar yr olwg gynta, yn cynhyrchu sain mor ofnadwy o wan a di-fflach. Yn yr ymarferion rown i'n teimlo'n aml fel petawn i'n trio atgyfodi llo marw ar y llawr drwy ei gicio'n ddidrugaredd – lot o egni ar fy rhan i ond dim mymryn o ymateb gan y corff. Roeddwn i'n teimlo rhwystredigaeth ofnadwy, ac mewn aduniad o staff a myfyrwyr Coleg Mabel Fletcher yn eitha diweddar, rhyw ddeg mlynedd ar hugain wedi i mi adael y lle, roedd un stiwdant yn cofio'r ymarferion corawl yn dda iawn. Mewn un ymarfer, medda fo, a hitha'n nesáu at ddydd y perfformiad, mi gollais fy limpyn yn gyfan gwbl a gweiddi: *'Look! I know you're not Welsh, but for*

God's sake try to sing as if you were!'

Ond dwi'n prysuro ymlaen yn rhy gyflym. Dowch i ni fynd yn ôl i'r cychwyn. Roedd Coleg Mabel Fletcher yn debycach i ryw fath o *harem* na sefydliad addysgol, ond ei fod mewn adeilad concrit a gwydr cyffredin yn Wavertree yn hytrach na mewn palas egsotig yn y Dwyrain. Y rheswm am hyn oedd bod naw deg pump y cant o'r myfyrwyr yn ferched ifanc rhwng deunaw ac un ar hugain oed.

At hyn, ychwanegwch y ffaith bod cyfran helaeth o'r pump y cant o fechgyn yn y coleg yn hoyw a bod yr aelod staff gwrywaidd ifanca, ar wahân i mi, yn rhyw bump a deugain oed. Y casgliad naturiol y dowch chi iddo ydi fy mod i, gŵr ifanc pedwar ar hugain oed (yn dreifio MGB GT i'w waith bob dydd gyda llaw), yn cael y sylw i gyd gan ryw bum cant o ferched glandeg wrth iddyn nhw heidio i mewn a chrwydro coridorau'r coleg bob dydd. Diolch byth fy mod i wedi priodi Esther rhyw fis cyn cyrraedd y coleg, neu mae'n bosib y byddwn i wedi cael fy rhoi mewn carchar dim ond am ddychmygu be gallwn i fod wedi'i wneud efo'r holl ferched yna!

Nid trio deud fy mod i'n ennyn rhyw fath o eilunaddoliaeth ydw i – oherwydd fe fyddai'r un peth wedi digwydd i unrhyw un arall yn yr un sefyllfa – ond o fewn muriau Mabel Fletcher fe ddois i'n fuan iawn yn darged gan nad oedd yno braidd ddim cystadleuaeth. A hithau'n gyfnod y sgert fini, roedd cerdded i fyny grisiau'r coleg y tu ôl i haid o goesau hirion yn gofyn am hunanddisgyblaeth oruwchnaturiol, ac roedd rhai o'r merched yn bendant yn gwneud ati yn y dosbarth i groesi eu coesau mewn modd hynod awgrymog. Un diwrnod, wrth geisio egluro arddull neo-glasurol Stravinsky fe sylweddolais fod un ferch brydferth iawn, Gillian Howarth, yn eistedd o'm blaen heb unrhyw ran o'i sgert yn cyffwrdd yn y gadair. Colli'r frwydr wnaeth Stravinsky y diwrnod hwnnw!

I wneud pethau'n waeth, roeddwn i'n gorfod rhoi gwersi viola personol i Gillian. Ar yr achlysuron rheiny, efo dim ond y hi a fi yn yr ystafell, fe fydda hi fel pe bai'n gwneud ati i wisgo hyd yn oed llai nag arfer. Yn ogystal â'r sgert nad oedd bron yn bod, dim ond rhyw fymryn o ddefnydd ychwanegol fyddai ganddi rhwng ei cheseiliau a'i botwm bol, gan adael wedyn aceri o gnawd cyn i'w sgert guddio gweddill ei phechodau. Wrth egluro i Gillian ddirgelion symud i fyny i'r *fifth position* a dangos iddi ble yn union i osod ei bysedd ar linynnau'r viola, roedd hi'n ymddangos yn gyndyn iawn i edrych i'r cyfeiriad hwnnw a chanolbwyntio. Yn hytrach, fe fyddai hi'n syllu'n hiraethus arna i efo'i llygaid glas breuddwydiol, gan ddangos yn berffaith glir nad yn y fan honno ar ei thraed ac yn dal viola dan ei gên roedd hi isio bod.

Druan o Gillian, doedd ei chalon, ei chorff hyfryd na'i henaid ddim mewn tiwn efo'r viola, ac ar ôl gadael Mabel's mae'n debyg iddi ganolbwyntio ar arddangos hyd yn oed mwy o'i chnawd, ac ennill cystadleuaeth Miss Chester. Does gen i ddim amheuaeth ei bod hi hefyd wedi torri llu o galonnau ar y ffordd i anfarwoldeb.

Pwy oedd Mabel Fletcher? Wel, does gen i ddim syniad. Am ryw reswm roedd nifer fawr o golegau a sefydliadau addysgol Lerpwl wedi eu henwi i goffáu rhyw berson neu'i gilydd – C F Mott, Ethel Wormald, I M Marsh, Alice Elliot, F L Calder, ac yn y blaen – ac mae'n debyg mai cyn-gynghorwyr wedi marw oedden nhw ac iddynt gael eu hanfarwoli am eu gwaith yn y gymuned. Achosai'r holl enwau broblemau cyson wrth i ymwelwyr â Lerpwl gael eu drysu a mynd i'r campws anghywir. Mae'n debyg i arholwr allanol un tro eistedd yn nerbynfa un coleg drwy'r dydd tra bod staff y swyddfa'n rhedeg o gwmpas fel ieir gwyllt yn trio dod o hyd i rywbeth iddo'i wneud.

Un tro, pan gefais i fy ngyrru i gynrychioli'r coleg mewn rhyw gynhadledd yn rhywle fel St Helens, fe roddwyd bathodyn adnabod i mi yn y dderbynfa efo'r enw 'Mabel Fletcher' arno. Roedd y swyddog y tu ôl i'r bwrdd yn edrych braidd yn siomedig pan roddais fy enw iddo fo.

'Isn't Mabel Fletcher herself coming?' gofynnodd.

'I'm afraid not,' medda finna, *'she's dead.'*

'Oh dear,' meddai'r dyn, *'I'm sorry to hear that. When did she die?'*

'I'm not sure,' meddwn inna, *'but it must be about 20 years ago now.'*

Pe bawn i wedi aros yn Mabel Fletcher mae'n debyg y byddwn yn dal yno heddiw, hynny yw os ydi'r coleg yn dal mewn bodolaeth. Gymaint oedd twf yr adran gerdd fel y cawn fy nyrchafu bob yn ail flwyddyn bron, gan ennill y math o arian nad oedd yn bosib mewn swyddi eraill. Ond yna fe aned Deian – Deian Llŷr – a phan es i'n ôl i'r coleg y diwrnod canlynol ac ateb y cwestiwn beth oedd enw'r newydd-ddyfodiad bychan, mi ges yr ymateb dirmygus: '*Diane Claire! Fancy calling a boy Diane Claire!*'

Yn amlwg fyddai hi ddim yn deg i hogyn efo enw mor Gymreigaidd gael ei fagu ar lannau Merswy – roedd hi'n bryd meddwl am symud yn ôl i Gymru.

Yn ystod fy nghyfnod yn Mabel Fletcher y bu 'Nhad farw, ac yntau yn 65 oed. Yn dilyn strôc, roedd o wedi trio dal ei afael ar hynny o fywyd oedd yn weddill iddo fo am rai misoedd yn Ysbyty Gallt y Sil yng Nghaeathro ger Caernarfon. Does yna ddim tebyg i glaf mewn gwely, hwnnw'n gwanio fesul awr, i sodro rhywun yn ei le. Ac wrth sylweddoli difrifoldeb y sefyllfa roedd yna gymaint roeddwn i isio'i ddeud wrtho fo – y petha rheiny mae rhywun yn osgoi eu dweud nes ei bod hi'n rhy hwyr. Er ei fod o'n amlwg yn clywed pob dim, doedd o ddim yn gallu yngan gair, ac roedd hi mor drist ei weld o yno, ac yntau ddim ond yn gallu codi un fraich fel arwydd o ateb cadarnhaol.

Er gwaetha'r golled a'r cydwybod ofnadwy roeddwn i'n ei deimlo ar y pryd, roedd yna un peth hynod o bositif yng ngwasanaeth angladd Dad. Roedd y canu'n fendigedig, ac yn swnio fel petai Capel Gad yn llawn o gorau gora'r greadigaeth yno yn ei morio hi wrth dalu'r gymwynas ola. 'Rhagluniaeth fawr y nef' ar y dôn 'Builth' oedd ei ffefryn o, ac wrth i'r seinia bendigedig atseinio o gwmpas y capel roeddwn i'n gallu ei ddychmygu o yno'n siglo ymlaen ac yn ôl ar ei draed fel yn y dyddia gynt. Roeddwn i mor falch.

PENNOD 11

Y N RHYFEDD IAWN, mi ddaeth dwy swydd ddysgu yn wag ym Môn ar yr union adeg roeddem yn ystyried gadael Lerpwl – swydd pennaeth yr Adran Gerdd yn fy hen ysgol, Llangefni, a'r un gyfatebol yng Nghaergybi. Doeddwn i ddim yn ffansïo dychwelyd i ysgol Llangefni lle byddai nifer fawr o'm hen athrawon yn dal yno, felly fe anfonais gais am y swydd yng Nghaergybi.

Pan ddaeth diwrnod y cyfweliad fe ges i ryw deimlad o *dejà-vu*. Yn union fel yn St Hugh's, dim ond y fi oedd wedi cael ei alw am gyfweliad. Ai fi felly oedd yr unig un oedd wedi cynnig? Oedd yna rhyw hanes o gam-drin athrawon cerdd yng Nghaergybi hefyd? Yn y gorffennol, yn sicr, roedd enw da i Ysgol Uwchradd Caergybi yn y maes cerddorol, efo athrawon cerdd wedi symud oddi yno i swyddi pwysig iawn, gan gynnwys Iwan Edwards, oedd yn gôr-feistr Corws Symffoni Montreal yng Nghanada. Oedd yna newid mawr wedi digwydd ers hynny, a bod y lle bellach yn jyngl peryglus i gerddor?

Oherwydd traddodiad corawl llewyrchus tre Caergybi yn y gorffennol, efo'r enwog W Bradwen Jones yn un o'r hoelion wyth, roedd un cynghorydd ar y panel apwyntio'n awyddus i wbod a oeddwn i'n mynd i atgyfodi'r oratorio *Judas Maccabeus* mor fuan ag y gallwn pe bawn i'n llwyddiannus. Ond, ar wahân i hynny, mi ges fy nhrin yn garedig iawn gan y pwyllgor. Ar y pryd, yr hyn doeddwn i ddim yn ei wbod oedd i mi gael tystlythyr reit dda. Roeddwn i wedi gofyn i'm hen brifathro yn Llangefni fod yn *referee*. Yn ôl y sôn roedd E D Davies wedi sgwennu llythyr cymeradwyo byr a chryno ei neges:

'To whom it may concern:

You should be honoured that Alwyn Humphreys is even considering applying for this post.

Yours faithfully,

E D Davies'

Chwara teg i Bos!

Ar ôl darlithio mewn coleg am bum mlynedd lle'r oedd yr awyrgylch yn eitha anffurfiol, fe'i ces hi'n anodd addasu i'r gyfundrefn ysgol yng Nghaergybi. Roedd dysgu'r plant cerddorol wedi iddyn nhw ddewis sefyll safon O ac A yn bleser, ond roedd stwffio cerdd i lawr cyrn gyddfau plant yn y dosbarthiadau cyffredinol yn boen.

Fel roeddwn i wedi addo yn fy nghyfweliad, mi es ati i ffurfio cymdeithas gorawl yn yr ysgol yn syth, gan ei gwneud yn agored i ddisgyblion, athrawon a rhieni er mwyn sicrhau *ensemble* pedwar llais. Roedd yr ymateb yn ardderchog, efo cryn gant o gantorion yn dod i'r ymarferion ar nos Fercher, ac roedd rhywun yn gallu synhwyro'n syth bod y deunydd crai yn deillio o draddodiad corawl cyfoethog yng Nghaergybi. Roedd hi'n bleser pur gweithio efo cantorion mor frwdfrydig, ac roedd hi'n gryn hwb ychwanegol i mi i gyfri Mrs Bradwen Jones (gweddw'r cyfansoddwr), Lady Menna Evans-Jones (gweddw Cynan) a Miss Olwen Lewis (Pennaeth Cerdd Ysgol David Hughes, Porthaethwy a'r un oedd yn gyfrifol am y grŵp llwyddiannus Blodau'r Ffair) ym mysg yr aelodau. Roeddwn i hefyd yn lwcus i gael cyfeilyddes ardderchog yn Beth Roberts. Serch hynny, mi benderfynais gropian cyn cerdded a gadael *Judas Maccabeus* am y tro. Yn hytrach fe ddechreuom ni efo gosodiad Schubert o'r offeren – yr un yn G fwyaf – a'i berfformio maes o law yn eglwys hyfryd Sant Seiriol gerllaw'r ysgol, sydd, gwaetha'r modd, wedi cael ei dymchwel ers rhai blynyddoedd.

Y flwyddyn ganlynol mi benderfynais berfformio'r *Meseia*, a dyna pryd y daeth ffawd i ymyrryd â'r trefniadau, heb sôn am fy rhoi ar wastad fy nghefn yn ymladd am fy mywyd yn Ysbyty Walton. Fel petai hynny ddim yn ddigon, dim ond rhyw fis oedd ers i Manon gael ei geni yn Ysbyty'r Gors yng Nghaergybi, a hynny i gyfeiliant rocedi a thân gwyllt ar noson Guto Ffowc. Wnaeth y cynnwrf ddim tawelu iddi wedyn chwaith, oherwydd tra bod y sylw teuluol i gyd yn gorfod anelu am Lerpwl bu'n rhaid gadael Manon druan ym Môn. Anti Enid gafodd y cyfrifoldeb pryderus o edrych ar ei hôl. Ond er bod fy anturiaethau yn Ysbyty Walton wedi atal y perfformiad corawl y flwyddyn honno, mi wnaethom ni ailafael ynddi y flwyddyn ganlynol a chynnal un perfformiad o'r *Meseia* yn neuadd yr ysgol ac un arall yn Eglwys Gadeiriol Bangor, y ddau i gyfeiliant cerddorfa.

Y gwaith nesa ar y gweill fu gosodiad Mozart o'r *Requiem,* ond yn fuan ar ôl dechra mi welais hysbyseb yn y *Daily Post* am gynhyrchydd radio yn Adran Addysg y BBC yng Nghaerdydd. Roeddwn i wedi bod am gyfweliad am swydd debyg rai blynyddoedd ynghynt, ac wedi cawlio petha'n llwyr pan ofynnwyd i mi fod yn onest ynghylch darpariaeth rhaglenni'r BBC yn gyffredinol. Y gwir oedd nad oeddwn i'n gallu gweld na chlywed fawr o raglenni Cymraeg bryd hynny p'run bynnag, a minnau'n byw yn y Wirral, felly roeddwn i wedi seilio fy sylwadau ar rhyw bennod neu ddwy o gyfres gomedi erchyll roeddwn i wedi digwydd ei gweld ar ymweliad â'r hen ynys. Camgymeriad llwyr. Y tro yma roeddwn i'n mynd i fod yn llawer mwy gwybodus am gynnyrch rhaglenni, ac yn fwy diplomatig hefyd.

Intermezzo

GAN EI BOD HI'N agos at y Nadolig roedd Ysbyty Walton yn awyddus i wagio'r wardiau, ac ar ôl rhyw wythnos fe ges i ganiatâd i fynd adra. Yn hytrach nag aros am ambiwlans – mwy mentrus a pheryglus nag unrhyw weithred lawfeddygol o gofio fy siwrnai i Lerpwl – fe benderfynwyd y byddai fy mrawd-yng-nghyfraith a'm tad-yng-nghyfraith yn dod i'm nôl yn y car. Gorwedd ar y sedd gefn a chysgu wnes i gydol y ffordd yn ôl i Sir Fôn, ac felly doeddwn i ddim yn ymwybodol o'r helbul a fu pan ddaeth dau blisman at y car mewn *lay-by* ger Bodelwyddan. Pwy oedd y dyn efo *bandage* rownd ei ben yn y cefn, a oedd yn edrach fel petai o'n cael ei herwgipio, meddan nhw?

Ara iawn fu'r broses o wella ar ôl y driniaeth. Ar y gora, dim ond am rhyw bum munud bob dydd roeddwn i'n gallu diodda codi o'r gwely cyn i fy mhen ddechra brifo. Ond yn raddol fe aeth y pum munud yn ddeg ac yna'n chwarter awr ac yn hanner awr dros yr wythnosa canlynol. Yn raddol hefyd fe ddois i fwynhau bwyta unwaith eto. Bwyd syml iawn – bara a menyn – ar y cychwyn, ac yna fwyd mwy mentrus. Erbyn Dydd Mawrth Crempog roeddwn i'n barod am wledd go iawn, ac mi fwyteais fwy nag a ddylwn i. Ganol nos roeddwn i'n sâl fel ci, ac yn difaru bod mor farus efo'r crempoga. Erbyn y bora wedyn roedd hi'n amlwg bod y rhesymau dros fy salwch yn fwy difrifol na thrachwant. O fewn hanner awr i'r meddyg ddod roedd ambiwlans, am yr eildro mewn tri mis, yn galw heibio'r tŷ i fynd â mi i'r 'C & A'. Y tro yma doedd petha ddim cweit mor ddifrifol – mater o gael tynnu fy *appendix* allan.

Pan ddaeth y meddyg at fy ngwely a sylwi ar fy ngwallt byr, a gweld fy mod i'n byw yn Y Fali, medda fo:

'Work in the RAF do you?'

'*No,*' medda finna. '*I'm a teacher and I've just had a brain haemorrhage.*'
Druan ohono fo. Petai yna dwll digon mawr yn y cyffinia mi fasa wedi
neidio i mewn iddo ar frys. Ond ffrind i mi, a chyd-athro efo mi yn Ysgol
Uwchradd Caergybi, Eric Leinas, wnaeth y sylw gora pan glywodd o 'mod
i'n ôl yn y 'C & A'.

'Druan o Alwyn,' medda fo, 'fydd gynno fo'r un blewyn ar ei gorff o
ar ôl hyn i gyd!'

Ac Eric hefyd fu'n rhannol gyfrifol am fy ymddangosiad cyhoeddus cynta
wedi'r driniaeth. I ddathlu agoriad swyddogol neuadd newydd Ysgol
Uwchradd Caergybi roedd y grŵp lleisiol enwog The King's Singers yn
dod i berfformio, ac roedd Eric a minna, rai misoedd ynghynt, wedi cael
comisiwn gan Gyngor Gwlad Môn i greu rhywbeth arbennig iddyn nhw
ganu. Yn ei ffordd nodweddiadol roedd Eric, mewn ychydig funudau
dros amser cinio ysgol, wedi creu penillion Nadoligaidd dan y teitl 'Te
Laudamus'. Ar ôl i minna greu'r gerddoriaeth fe anfonwyd y cyfan at y
grŵp.

Ar y noson, a minna'n dal heb lwyr wella ar ôl fy nhriniaeth arw,
roedd hi'n dipyn o beth mentro allan o'r tŷ unwaith eto. Roeddwn i'n
gwisgo cap gwëu du i guddio fy nghlwyfau ac mi lwyddais i sleifio i mewn
i'r neuadd gan osgoi cyfarfod â gormod o bobl. Roedd hi'n gryn wefr
clywed cerddorion mor flaenllaw a thalentog yn perfformio'r darn, ond pan
wnaethon nhw ofyn i mi sefyll ar fy nhraed ar ôl y perfformiad roeddwn
i'n teimlo embaras gwirioneddol. Yn amlwg, roedd rhaid tynnu'r cap, ac
efo fy ngwallt ond wedi prin ddechra tyfu'n ôl, mae'n rhaid fy mod i'n
edrych fel *skinhead* mwya peryglus Caergybi.

PENNOD 12

RHYW WYTHNOS ar ôl i mi fod am gyfweliad am swydd cynhyrchydd radio yn Adran Addysg y BBC yng Nghaerdydd ym 1976 mi ges alwad o'r Gorfforaeth yn gofyn am ganiatâd i gysylltu â'r llawfeddyg oedd wedi fy nhrin yn Walton. Roedd y BBC am wneud yn siŵr nad oedden nhw'n cymryd unrhyw risg wrth benodi rhywun oedd wedi cael salwch mor ddifrifol, yn enwedig i swydd lle'r oedd cryn dipyn o densiwn a phwysau.

Felly oeddwn i'n holliach wedi'r cwbl? Oedd Mr Miles wedi bod yn onest pan ddwedodd o y byddwn i'n iawn cyn belled ag y byddwn i'n osgoi trio dringo'r Matterhorn yn ystod yr wythnosa cynta? Oedd cynhyrchu rhaglenni i'r BBC yn fwy o straen na hynny? Fe fu hi'n wythnos eitha pryderus wrth ddisgwyl am y canlyniad ond o'r diwedd fe ddaeth y llythyr i gadarnhau fy mod i wedi cael y swydd a'm bod yn gorfforol abl i ymgodymu â'r gofynion. Fe fu prifathro ysgol Caergybi, Dewi M Lloyd, a'r Awdurdod Addysg yn garedig iawn yn fy rhyddhau, gan y byddwn fel arall yn torri fy nghytundeb a hithau mor hwyr yn y tymor. Felly, ar Fedi'r cyntaf 1976, fe adawsom ni fel teulu Sir Fôn i fyw yn y De.

Cynhyrchu rhaglenni i ysgolion fyddai fy mhrif waith am y blynyddoedd nesa, y math o raglenni'r oeddwn i wedi cymryd rhan ynddyn nhw yn blentyn efo Charles ers talwm. Roedd hyn yn golygu meddwl am syniadau, comisiynu sgriptiau ac yna gyfarwyddo'r rhaglenni yn y stiwdio efo cyflwynwyr ac actorion. Ond, yn ogystal, roedd disgwyl i gynhyrchydd fynd allan yn achlysurol i'r priffyrdd a'r caeau i weld sut roedd ei gynnyrch yn cael ei dderbyn yn yr ystafell ddosbarth. Ac felly dyna lle'r oeddwn i un diwrnod, yn Gog anwybodus a digyfeiriad, yn trio dod o hyd i ysgol gynradd yng Nghwmtwrch. Ar ôl mynd i fyny ac i lawr rhyw allt sawl tro, mewn dryswch mawr – o'r *Lower* i'r *Upper* – fe ddois o'r diwedd i fuarth yr ysgol a chael fy nghroesawu'n gynnes gan y prifathro, y ces drafferth mawr ei ddeall ac a oedd yn mynnu defnyddio rhyw air diarth i mi ar ddechra bron bob brawddeg.

'Gwdo – chi di cyrredd. Gwdo – siwrne go dda? Gwdo. Dewch miwn i gal dishgled.'

Gan fy mod i'n gorfod gofyn iddo ailadrodd bron bob brawddeg, buan y trodd y sgwrs yn fonolog ar ran y prifathro. Ond yna fe ddechreuodd fy ngholli'n llwyr trwy ymddangos fel petai'n mynegi ei hun mewn damhegion.

'Gwdo – wrth gwrs hen ysgol Clive yw hon. A chi'n gweld y ferch fach na fan'co – ma hi'n wyres fach i Clive. Ac ma whâr Clive yn gwitho'n y gegin. O odi, ma Clive yn galw 'ma'n itha amal. Ma fe'n un o lywodraethwyr yr ysgol chi'n gweld.'

Er mwyn cuddio fy anwybodaeth mi geisiais ddal gwên artiffisial drwy hyn i gyd, ond mae'n rhaid bod fy anghredinedd yn dangos drwyddo. Pwy ar y ddaear oedd y Clive yma? Clive of India?

'O ie, bachan da yw Clive. Gwdo.'

Ac felly, ar ddiwedd y darllediad, mi adewais yr ysgol mewn cryn benbleth. Oeddwn i wedi bod ar dir cysegredig? Nôl yng Nghaerdydd roedd fy nghydweithwyr bron yn sâl wrth chwerthin. Dim ond Gog o Sir Fôn allai fod wedi bod yng Nghwmtwrch a heb wbod am fodolaeth a man geni yr arwr mawr Clive Rowlands. Ac oeddwn – dim dadl am y peth – roeddwn i wedi bod ar dir cysegredig!

Roedd cael fy rhyddhau o boendod a hualau dysgu mewn ysgol yn hynod o braf, ac roeddwn i'n mwynhau holl awyrgylch anffurfiol y byd darlledu. Mi deimlais i hefyd ollyngdod mawr o fod wedi gallu dianc rhag crafangau cerddoriaeth, a minnau bellach yn gwneud fy mywoliaeth heb orfod ymdrin â nodau, offerynnau a chyfansoddwyr. Yna, o fewn mater o ychydig fisoedd, mi ddechreuais golli'r peth, ac fe ges fy mherswadio i ymuno â chôr cymysg lleol. Gan fod y côr yn brin o denoriaid, fel pob côr arall o'i fath, fe'm rhoddwyd yn yr adran honno i sgrechian ar dop fy llais bregus. 'Falla y byddwn i wedi setlo mewn amser ond mi wnaeth gofynion didostur y Requiem Almaenig gan Brahms fy ngwthio y tu hwnt i'r hyn oedd yn bosib i ddyn nad oedd â'i geilliau mewn mangl, felly mi adewais.

On'd ydi hysbysebion papurau newydd yn gallu newid cwrs eich bywyd? Doeddwn i byth hyd yn oed yn edrach ar y *Western Mail* ond un diwrnod a minna'n aros y tu allan i swyddfa fy mos yn y BBC mi ddigwyddais weld yr hysbyseb ganlynol:

RISCA MALE VOICE CHOIR
(80 voices)
requires
MUSICAL DIRECTOR

Does gen i ddim syniad pam y gwnes i anfon fy nghynnig i mewn, ond cyn hir roeddwn i'n eistedd mewn ystafell yn nhafarn Y Darren yn Rhisga yn cael fy holi gan bwyllgor anffurfiol iawn yr olwg efo'u peintia cwrw o'u blaena. Côr cymharol newydd oedd o, wedi ei ffurfio rhyw ddeng mlynedd ynghynt, ac mi allech chi deimlo'r brwdfrydedd bywiog hwnnw yn syth. Mi dreuliais flwyddyn hynod o hapus fel arweinydd Côr Meibion Rhisga, yn ailgydio rhywsut yn y gorffennol hwnnw pan fu 'Nhad ac Yncl Willie yn ddylanwad mor gryf arna i ond 'mod inna'n rhy ifanc ac yn rhy wirion i sylweddoli eu gwerth. Does dim byd tebyg i sain côr meibion i dynnu'n ddidrugaredd ar linynnau'r galon a'r cydwybod, ac ambell dro mi fyddai'r atgofion am Gôr Meibion Botfoth yn fy mygu'n lân. Dim ond clywed nodau cynta 'Y Delyn Aur' ac mi fyddwn i'n gorfod cau fy llygaid i drio cuddio'r dagrau.

Mi allwn i fod wedi treulio gweddill fy mywyd yn hapus iawn efo Côr Meibion Rhisga, ond yna mi ymddangosodd hysbyseb arall yn y *Western Mail*. Mewn gwirionedd, gan nad oeddwn i'n ddarllenwr cyson o'r papur, welais i mo'r hysbyseb. Ffrind i mi dynnodd fy sylw ati a'm hannog i drio.

Y tro yma roedd y cyfweliad mor ffurfiol â chyfweliad penodi prif weithredwr un o gwmnïau mwya'r deyrnas. O gwmpas bwrdd hir yn ystafell blaenoriaid capel Nazareth yn Nhreforys roedd dros ugain o ddynion hynod ddifrifol yr olwg yn eistedd. Ar ôl fy holi yn drylwyr am dri chwarter awr mi glywn sŵn mwy o ddynion yn y cefndir, ond wnes i ddim amau dim. Yna fe dynnodd y cadeirydd y cyfarfod i'w derfyn a gwthio dau ddarn o gerddoriaeth i'm dwylo. Eglurodd bod y côr yn disgwyl amdanaf yn y festri a bod gen i hanner awr i'w hymarfer yn y ddau ddarn! Enw'r darn cynta oedd 'The Old Woman', nad oeddwn erioed wedi clywed amdano heb sôn am ei arwain cyn hynny. Yr ail ddarn oedd 'By Babylon's Wave' gan Gounod, darn anodd iawn ond un roedd gen i o leia rhyw grap ar y noda. Erbyn hyn dwi'n cofio fawr ddim am y rihyrsal ei hun, a hynny mae'n debyg oherwydd fy mod i wedi cael cymaint o sioc bod disgwyl i mi arwain y côr y noson honno, heb sôn am wneud hynny gan ddefnyddio darnau nad oeddwn i wedi cael unrhyw gyfle i'w paratoi.

Ar ddiwedd yr hanner awr mi gododd y cadeirydd ar ei draed a diolch i mi'n swta, a hynny'n arwydd fy mod i adael y lle ar unwaith. Gan 'mod i'n ddigon balch i wneud hynny mi anelais tua'r cefn mor fuan â phosib, ond roedd y cadeirydd a'r ysgrifennydd wedi fy nilyn. Wrth iddyn nhw egluro y bydden nhw mewn cysylltiad â mi cyn bo hir a bod eraill i'w hystyried ac yn y blaen fe allwn i deimlo'r ysictod ofnadwy yma'n dod drosta i. Efo'm holl gyfansoddiad yn dechra simsanu fe fu'n rhaid i mi esgusodi fy hun a rhedeg allan. Eiliadau'n ddiweddarach roeddwn i'n sâl fel ci reit ar hyd wal y capel.

Wrth ddreifio adra roeddwn i'n hollol grediniol na fyddwn i'n rhoi blaen troed yng nghyffinia Treforys byth eto. Ond wythnos yn ddiweddarach roeddwn i'n ôl, y tro yma fel enillydd y rownd gynta mae'n debyg ac i gymryd rihyrsal llawn a hynny efo'm dewis i fy hun o gerddoriaeth. Yna, fel pe na bawn i wedi bod trwy ddigon yn barod, ar ddiwedd y rihyrsal roedd cyfle i unrhyw aelod o'r côr fy holi. Yn ystod y cwestiynu mi ges i ryw argoel bod y côr yn rhanedig pan ofynnodd rhywun a fyddwn i'n fodlon dod yn ddirprwy arweinydd petawn i'n cael y cynnig.

Pan wrthodais roedd yna gryn gymeradwyo o blith rhai cantorion. Beth oedd arwyddocâd y cwestiwn yna, meddyliais? Ond ches i ddim gwbod yr ateb am rai misoedd.

Ar ddydd Sul, 21 Ionawr 1979, fe ges wbod fy mod i wedi cael fy apwyntio'n Gyfarwyddwr Cerdd Côr Orpheus Treforys, a phan gyhoeddwyd y newyddion i'r cyhoedd yn ddiweddarach yn yr wythnos fe ges i alwad oddi wrth Lena Pritchard Jones. Hi oedd yn gyfrifol am raglenni boreol Radio Cymru ac roedd hi'n awyddus i mi ddod i mewn am gyfweliad.

'Pam?' meddwn inna'n hollol ddiniwed.

'Wel, mae cael dy apwyntio'n arweinydd Côr Treforys yn gyfystyr â bod yn gyfrifol am y tîm rygbi cenedlaethol,' oedd yr ateb.

A wir i chi, tan hynny doeddwn i ddim wedi sylweddoli arwyddocâd yr holl beth.

Fuocoso

YN ÔL Y DYSTIOLAETH, mae triniaeth lawfeddygol ar yr ymennydd yn gallu arwain at bob math o effeithiau seicolegol ac emosiynol. Mae'r profiad yn gallu bod yn drawmatig ac, mewn rhai achosion, mae'r ymennydd yn gallu cael ei niweidio mewn ffordd sy'n peri newidiadau sylfaenol yng nghymeriad dyn. Y canlyniad mwya cyffredin ydi iselder ysbryd, ond mi all fod yn hollol i'r gwrthwyneb, fel yn fy achos i.

Mae'n anodd i mi ddadansoddi'n union y teimladau yr es i drwyddyn nhw wrth i mi wella, ond yn sicr mi wnes i ddechra meddwl am bob diwrnod ychwanegol roeddwn i'n ei gael fel bonws. Ar y cychwyn, stopio poeni am betha dibwys wnes i, a rhoi heibio yr agwedd eitha difrifol tuag at fywyd roeddwn i wedi ei mabwysiadu cyn hynny. Ond, yn nes ymlaen, wrth i mi sylweddoli ac ystyried mor agos roeddwn i wedi bod at y dibyn mi ddechreuais ymddwyn yn fwy a mwy afreolus. Roeddwn i am gydio ymhob cyfle posib i brofi bywyd yn ei gyfanrwydd a mwynhau popeth i'r eitha. Ac, i bob pwrpas, roedd hynny'n golygu bod yn hynod o hunanol, gan esgeuluso a brifo y rhai agosa ata i.

Yn naturiol, mae hyn i gyd yn mynd i allu swnio fel esgus cyfleus am fy ymddygiad, ac os felly yna cywilydd mawr arna i. Pwy a ŵyr? Yr unig beth y galla i ei ddeud ydi fy mod i, ddeng mlynedd ar hugain ar ôl y driniaeth, wedi ailgyfarfod â'r llawfeddyg a achubodd fy mywyd. Roedd yr Athro John Miles wedi penderfynu dychwelyd i Gymru ar ôl ymddeol, ac mae o bellach yn byw ger Crughywel. Ychydig wythnosau'n ôl mi drefnais ei gyfarfod, ac mi ges i ddiwrnod bendigedig yn ei gwmni. Yn ychwanegol at gael y cyfle i ddiolch yn bersonol iddo fo am achub fy mywyd, mi ofynnais iddo ynglŷn â'r busnes sgil-effeithiau yma. Oedd hi'n debygol 'mod i wedi mynd dros ben llestri ar adega oherwydd y driniaeth lawfeddygol i'r ymennydd? Oedd, roedd hynny'n berffaith bosib, meddai, ac nid yn unig hynny: mae'r profiad o sylweddoli pa mor agos y bu rhywun at ddifancoll – yr hyn a elwir yn *'near death experience'* – yn ddigon i yrru rhai pobl i wneud y petha rhyfedda.

Un peth sy'n sicr: mae yna un canlyniad arall, pellgyrhaeddol o'r driniaeth sy'n dal i effeithio arna i heddiw. Mi wna i sôn am hynny eto maes o law.

PENNOD 13

FE DDAETH CÔR ORPHEUS TREFORYS i fodolaeth oherwydd anghydfod, ac efallai i'r cychwyn cythryblus hwnnw ym 1935 sicrhau y byddai'r elfen o ddisgord yn cael ei hamlygu'n llawer rhy aml dros y blynyddoedd. Roedd Ivor E Sims, athro mathemateg a cherddoriaeth mewn ysgol leol i fechgyn, wedi bod yn arweinydd y Morriston United Choir ers 1927, côr oedd yn bodoli dan yr enw Gwalia Singers cyn hynny ac a gafodd ei greu yn sgil cyfuno nifer o bartïon canu – y glee parties fel y'i gelwid. Fe fabwysiadwyd yr enw Morriston United oherwydd bod cymaint o gorau eraill dan yr enw Gwalia, ond enw newydd eironig o anaddas fu United.

Er mor ifanc oedd y côr, roedd yr United yn barod i gystadlu yn yr Eisteddfod Genedlaethol am y tro cynta y flwyddyn ganlynol, ym 1928 yn Nhreorci, gan ddod yn gydradd ail efo Dowlais allan o naw o gorau. Y darn prawf oedd yr anfarwol 'Song of the Spirits over the Waters' gan Schubert, a'r enillwyr oedd y Swansea & District Royal Male Voice Choir. Er i'r côr hefyd gystadlu yn Lerpwl ym 1929, fe fu'n rhaid iddynt aros hyd 1930, pan oedd y brifwyl yn Llanelli, i gael y fuddugoliaeth gynta, efo Sims yn ennill efo'i gôr bechgyn ar y dydd Mercher a'i gôr meibion ar y dydd Sadwrn. Fe enillodd yr United unwaith eto ym 1932 yn Eisteddfod Port Talbot, ac roedd popeth yn edrych yn llewyrchus. Ond yna fe ddigwyddodd y chwalfa fawr.

Cyndyn iawn fu pobl Treforys ar hyd y blynyddoedd i ddweud wrtha i yr union reswm pam y digwyddodd yr ysgariad rhwng Sims a'r United ym 1934, ac mewn llyfryn a gyhoeddwyd ym 1985 ar achlysur dathlu hanner can mlwyddiant yr Orpheus, ac sy'n cynnwys braslun o hanes y côr, mae'r awdur yn dweud:

'... the choir (Morriston United) became divided on the question of whether *to popularise its repertoire, thereby increasing its revenue, or to concentrate on widening its audiences' horizons in the field of classical music. A referendum of the whole choir took place. Voting seventy to thirty favoured the first alternative and Mr Sims resigned, along with his thirty supporters who, at his request, rejoined the United choir.'*

Beth ar y ddaear allai *repertoire* 'poblogaidd' fod ym 1934 alla i ddim dychmygu, ac mae'r holl stori wedi swnio'n hynod o amheus i mi.

Felly beth oedd y gwir reswm am ymadawiad Sims? Er bod rhai wedi awgrymu bod y ffaith bod yr arweinydd yn hoff o'i beint a bod hynny'n cythruddo'r diaconiaid parchus ar y pwyllgor wedi bod yn ffactor yn ei erbyn, mae'n bur debyg bod yr holl beth yn ymwneud â phersonoliaethau yn hytrach na'r ddiod gadarn neu gerddoriaeth.

Roedd gŵr o'r enw David (Dai) Harris, a fu'n chwarae rygbi'r gynghrair i fyny yng ngogledd Lloegr am gyfnod, wedi dod yn ôl i fyw i'r ardal ac wedi ei apwyntio'n ysgrifennydd y côr. Ac yntau'n gymeriad cryf a dylanwadol ac yn cymryd arno'i hun y cyfrifoldeb o fod yn dipyn o ddisgyblwr, buan y daeth yn ddraenen yn ystlys Sims. Daeth y cyfan i benllanw pan anfonodd Sims lythyr at y pwyllgor yn dweud y byddai'n rhaid i'r côr ddewis rhwng yr arweinydd a'r ysgrifennydd. Yn rhyfeddol fe aeth y bleidlais yn erbyn Sims ac fe adawodd. Mae'n debyg i ryw 30 aelod ddilyn eu harweinydd mewn protest ond fe berswadiodd Sims nhw i ddychwelyd i'r côr.

Er hynny, mae'n amlwg i gefnogwyr Ivor Sims ddal i bwyso arno fo, oherwydd ar 23 Ebrill 1935 fe ffurfiwyd y Morriston Orpheus Choir yn festri capel Wesleaidd y dre yn Glantawe Street, efo rhyw hanner cant o aelodau. Hyd yn oed heddiw, mae pobl yn Nhreforys yn sôn am gyfnod y '*split*' ac yn adrodd hanesion teuluoedd rhanedig lle'r oedd rhai gwŷr yn yr United a'u brodyr neu'u meibion yn yr Orpheus. Rhaid bod yr awyrgylch yn y gymdogaeth yn annioddefol efo amryw o famau a gwragedd yn cael eu tynnu naill ffordd a'r llall gan y drwgdeimlad.

Ac os ydi'r cythraul canu i ffynnu'n iawn yna rhaid dod â'r eisteddfod i mewn i'r ffrâm, ac ar y dechra, yn amlwg, roedd gan gôr yr United fantais aruthrol yn y cystadlaethau oherwydd eu profiad. Yna, ym 1937, daeth yr ymryson tyngedfennol. Maes y gad oedd Machynlleth, lleoliad yr Eisteddfod Genedlaethol, ac roedd wyth côr yn cystadlu: Côr Meibion Pendyrus, Côr Meibion Treorci, Côr Meibion Rhosllannerchrugog, Côr Meibion Orpheus Tredegar, Côr Meibion Pontypridd, Côr Meibion Powell Dyffryn, a'r ddau gôr o Dreforys, y Morriston United a'r Morriston Orpheus.

Yn ôl y sôn roedd hi'n brynhawn heulog braf, ac am chwarter i dri, efo rhwng 10,000 a 12,000 o bobl wedi'u stwffio i mewn i'r pafiliwn, fe ddechreuodd yr ornest. Y darnau prawf oedd 'Prospice' gan D Vaughan Thomas, 'The Winds' gan E T Davies a 'The Fond Lover' gan Granville Bantock – tri darn digyfeiliant! Wrth fwrdd y beirniaid roedd Dr C Armstrong Gibbs, Dr David de Lloyd, Sir Ernest MacMillan (yr holl ffordd o Toronto!) a Dr J Frederic Staton.

Yn ei feirniadaeth fe ganmolodd Dr Staton yr wyth côr a'u harweinyddion am eu gwaith ardderchog yn y gystadleuaeth ac am eu dycnwch yn ymarfer drwy fisoedd hir ac oer y gaeaf. Roedd un côr, meddai, ymhell ar y blaen: wedi llwyddo i greu'r awyrgylch rhyfelgar priodol yn y darn cynta, wedi mynegi'r nodweddion Cymreig dramatig yn yr ail ddarn, a'r unig gôr i allu cyflawni'r effaith ddychanol angenrheidiol yn y darn ola. Yna fe gyhoeddodd y marciau:

Côr Meibion Pendyrus	223
Côr Meibion Powell Dyffryn	224
Côr Meibion Treorci	243
Côr Meibion Orpheus Tredegar	252
Côr Meibion Rhosllannerchrugog	259
Côr Meibion Pontypridd	262
Côr Meibion Morriston United	267
Côr Meibion Morriston Orpheus	274

Mae'n hawdd dychmygu gorfoledd Sims a'i gantorion, nid yn gymaint oherwydd iddynt ennill y gystadleuaeth ond am iddynt drechu'r United. Er bod curo goreuon eraill y byd corau meibion Cymreig wedi bod yn gryn gamp, rhyfel cartref oedd hwn mewn gwirionedd a rhaid bod Sims wedi teimlo boddhad aruthrol. Mae'r llun ohono'n cael ei gario ar ysgwyddau aelodau'r côr yn dweud y cyfan, a'r pennawd yn y *Western Mail & South Wales News* y dydd Llun canlynol yn siŵr o fod wedi rhwbio'r halen i mewn i friwiau agored yr United:

MR. SIMS'S NEW LOVE
BETTER THAN HIS OLD

Hefyd, yn ôl y papur, roedd hi'n dri o'r gloch y bore erbyn i'r Orpheus gyrraedd adre, ac roedd cannoedd wedi ymgynnull yn y 'Cross', sgwâr Treforys, i groesawu'r buddugwyr. Unwaith eto fe gariwyd Sims o amgylch fel brenin, ac er gwaetha'r awr foreol fe wobrwywyd y cefnogwyr gyda pherfformiad o gân neu ddwy. Roedd y cyfan yn ddiweddglo cyffrous i ddiwrnod bendigedig yn hanes yr Orpheus, a fyddai Treforys byth yr un fath wedyn.

Mae'n debyg bod arddull arwain gynnil Ivor Sims yn nodweddiadol o'r dyn – gwylaidd heb dynnu sylw ato'i hun ond, yn dawel, gallai dynnu seiniau disglair, cyfoethog allan o'i gantorion, hyd yn oed yn y darnau prawf mwyaf anodd. O'r cefn ni fyddai'n bosibl gweld dwylo'r arweinydd o gwbl, dim ond ei ddwy benelin yn symud rhyw ychydig i'r ochr. Roedd eisoes yn fawr ei barch yn yr ardal yn sgil ei gôr bechgyn yn Ysgol Pentrepoeth. Fe ddaeth neb llai na Benjamin Britten i'r ysgol un tro pan oedd yn chwilio am gôr i berfformio'i waith Nadoligaidd enwog, 'Ceremony of Carols'. Roedd y cyfansoddwr enwog eisoes wedi bod i sawl eglwys gadeiriol yn chwilio am y côr delfrydol ar gyfer ei gampwaith pan awgrymodd rhywun wrtho i fynd i Dreforys. Ar y diwrnod tyngedfennol roedd Sims wedi caniatáu i aelodau ei gôr fynd adre'n gynnar efo'r gorchymyn: *'Get your*

tea, wash yourselves, make yourselves presentable and come back.'

Ar ôl i'r cerddor mawr gyrraedd fe eisteddodd yn yr ystafell ddosbarth, gyda Sims wrth y piano a'r côr bechgyn yn canu am ryw ugain munud. Yna gofynnodd Sims i'r cyfansoddwr oedd o am glywed mwy.

'*No,'* meddai Britten. *'I've heard enough.'*

Yna, fe gododd ac annerch y plant.

'*Boys, you will have the honour of giving the first performance of my Christmas carols.'*

Ac felly y bu.

Mae'n syndod meddwl am y peth heddiw ond y ffaith ydi, am rai blynyddoedd, bod dau gôr meibion gorau Cymru yn byw yn yr un gymdogaeth. Mewn un cofnod yn llyfrau'r pwyllgor wedi'i ddyddio Ebrill 1938, sonnir am y penderfyniad i osod dau aelod wrth ddrysau'r ystafell ymarfer i rwystro *'possible intruders from other choirs'* rhag dod i glustfeinio ar baratoadau a thactegau'r Orpheus. Ar noson y cystadlu mawr ei hun yn y Genedlaethol fe fyddai cryn ddisgwyl am y canlyniad, a chyn dyddiau'r radio yr unig ffordd o drosglwyddo'r neges adre fyddai drwy i rywun ffonio sinema'r Regal yn Nhreforys ac i'r neges gael ei fflachio ar y sgrin.

Ond allai'r ffenomenon ddim parhau am byth. Roedd llwyddiant yr Orpheus ac aflwyddiant graddol yr United yn tanseilio hygrededd y côr gwreiddiol, heb sôn am y ffaith bod yr United yn ei chael hi'n anodd i ddenu arweinydd parhaol ar ôl i'r cyn-golier Idris Evans orfod rhoi'r gorau iddi oherwydd gwaeledd. Yn ôl yr hanes fe fyddai'r cadeirydd yn gofyn ar ddiwedd rihyrsal a oedd rhywun o'r côr yn fodlon cymryd yr ymarfer nesa, ac felly o un gwirfoddolwr i'r llall yr ymlwybrodd y côr tuag at ei dranc.

Yna, rywdro ar ddechrau 1946, mae'n debyg i Sims ddweud, *'It's time to bury the hatchet'*, ac i ffwrdd â fo i gyfarfod pwyllgor yr United. Cytunwyd i gyfuno'r ddau gôr, o dan yr enw Orpheus yn naturiol, ac er mor glodwiw oedd y syniad roedd problem ymarferol. Rhwng y ddwy garfan roedd oddeutu dau gant o gantorion, felly fe gyhoeddodd Sims y byddai'n cynnal gwrandawiadau i ddewis y lleisiau gorau. Ar hynny, fe gerddodd nifer o ddynion allan o'r ystafell, rhai ohonyn nhw i ymuno â chorau fel yr Imperial Singers yn Abertawe. Roedd un peth yn sicr, doedd dim prinder corau yn yr ardal na phobol i ymuno â nhw.

Yn dilyn hyn i gyd fe wawriodd cyfnod cerddorol cymharol heddychlon unwaith eto yn Nhreforys, er nad anghofiwyd yn gyfan gwbl am gyfnod y '*split*'. Yn wir, un o'r anrhydeddau mwya y gallai gŵr o'r ardal ei honni fyddai'r ffaith iddo fod yn un o hoelion wyth yr Orpheus – '*founder member*' fel y bydden nhw'n dweud – ac mi fyddwn i wrth fy modd pan oeddwn i'n cael y cyfle, prin mae'n wir, i gyfarfod ambell un o'r rhain yn fy mlynyddoedd cynta efo'r Orpheus. Doedd yr un ohonyn nhw'n dal i ganu, ond roeddech chi'n gallu gweld y balchder yn eu hwynebau, cystal â dweud 'Roeddwn i yno, ac fe wnes i gefnogi Ivor a mynd drwy'r cyfan efo fo.'

Ar ôl dewis ei gant ac ugain o leisiau mi aeth Sims ati o ddifri i baratoi ei gôr ar gyfer y brifwyl nesa yn Aberpennar, ac yn y rihyrsal ola cyn yr ornest fe ddwedodd wrth ei gantorion: '*Gentlemen. Whether we win or not on Saturday, I don't know. But I'll tell you one thing now – this is the finest choir I've ever had.*'

A doedd hynny ddim yn syndod, oherwydd dyma oedd hufen lleisiol ardal Treforys. Oedd côr cystal rywle arall yng Nghymru? Wel, roedd hi'n amlwg nad oedd oherwydd fe aeth yr Orpheus ymlaen i ennill, nid yn unig yn yr eisteddfod honno ym 1946 ond hefyd i gyflawni'r gamp aruthrol o ennill bedair blynedd yn olynol, gan ddilyn llwyddiant Aberpennar yn Eisteddfodau Cenedlaethol Bae Colwyn ym 1947, Pen-y-bont ar Ogwr ym 1948, a Dolgellau ym 1949.

Fe fyddai fy nhad wedi bod yn dyst i'r digwyddiadau yn Aberpennar gan i Gôr Mathafarn fynd i lawr yno i gystadlu, yr holl ffordd o Fôn ac yn ôl ar yr un diwrnod mewn bws. Yn oriau mân fore Sul roedd y gyrrwr wedi llwyr ymlâdd erbyn cyrraedd Pont y Borth, a dyna pryd y syrthiodd i gysgu. Wrth i'w olwyn flaen daro yn erbyn y palmant fe ddeffrodd yn sydyn a llwyddo bod yn ddigon cyflym i rwystro'r bws rhag plymio i lawr i'r Fenai. Honno fyddai wedi bod y stori fwya wythnos yr eisteddfod ond, diolch byth, o safbwynt byd

Hugh T Price, fy Nhaid ar ochr fy Mam

William Wmffra,
fy Nhaid ar ochr fy Nhad

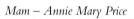

Mam – Annie Mary Price

Fy Nhad – Hugh Bryn Humphreys

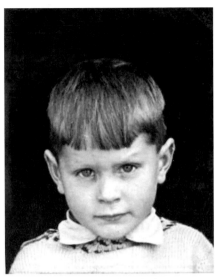

Mam a 'Nhad ar ddiwrnod priodas fy chwaer

'Gobaith fflachiai yn ei lygaid gleision...'

Hogyn bach tenau, eiddil efo'i fam

Trip ar y trên i Blackpool

Yr actor ifanc yn chwarae rhan Joseff ar lwyfan festri capel Gad

Yr actor yn Theatr Fach, Llangefni

Sports coat, trowsus cavalry twill, sgidia swêd – a thunnell o Brylcreem!

Diwedd y daith ym Mhrifysgol Hull, 1966

Côr Meibion Bodffordd yn y 60au, a neb llai na Hilda Price yn gyfeilyddes yn y cyfnod yma. Y tu ôl iddi ar y chwith mae Yncl Willie, yr arweinydd, a thu ôl iddo ynta mae 'Nhad

Y Pab yn bendithio – neu yn dangos i mi sut i arwain!

Arweinydd newydd yr Orpheus, 1979

Cyd-gyflwyno rhaglenni Eisteddfod yr Urdd efo Elinor

Y sylwebydd eisteddfodol efo'i athro a'i gyfaill, Hywel Gwynfryn.

Cynhyrchydd, cyfarwyddwr a chyflwynydd y gyfres Canwn Moliannwn *– HTV 1989*

Cynhyrchu a chyfarwyddo cyfres Bryn Terfel yn HTV.
Yr anhygoel Val Exon Owen sydd ar y dde

Syr Harry yn tynnu coes wrth recordio'r gyfres Highway

Derbyn gwobr 'Record Gorawl Orau'r Flwyddyn' gan Syr Edward Heath yn y Cafe Royal

Yr Orpheus y tu allan i Dŷ Opera Sydney, 1995

Ymryson batons (gyfeillgar!) efo Glynne Pendyrus

Joy a fi efo'r Arglwydd Lloyd-Webber.
Fy angel gwarcheidiol, Evan Roberts,
sydd yn y cefndir

Efo 'little Ern'

Kenny'n cael cam-argraff?

'Down Town' efo Petula

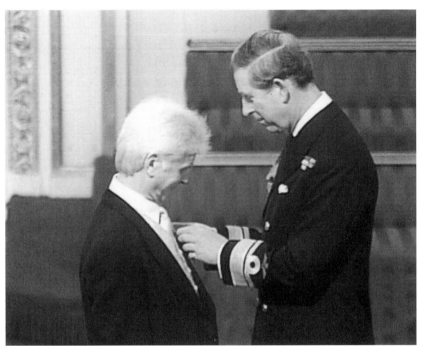

Y Tywysog yn pinio'r MBE

Yr Orpheus ar lwyfan Carnegie Hall, Efrog Newydd – Hydref 21ain, 2001

Cyfweld Syr Georg Solti yn Salzburg

Ffilmio eitem efo Chris de Burgh ar gyfer Heno

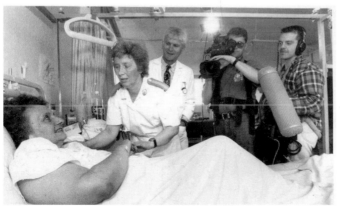

Gwisgo fel meddyg i roi syrpreis i nyrs oedd yn 'Halen y Ddaear' yn Ysbyty Bronglais, Aberystwyth

Yr arweinydd efo Joy – ei gyfeilyddes a'i wraig!

Efo rhai o sêr y byd rygbi – ar achlysur rhaglen deledu yn dathlu gyrfa Barry John

*Efo fy nghyfaill
Dewi Chips*

Ailgyfarfod â'r llawfeddyg achubodd fy mywyd – Yr Athro John Miles

Efo Deian a Manon

Efo Arwel fy mrawd ac Ann fy chwaer
adeg pen-blwydd Mam yn 90

Efo Deian, Llew, Manon a Catrin

Yr wyrion – efo 'Al'

Pedair cenhedlaeth

Cyfle prin i ymlacio
– ar wyliau yng Nghreta

y corau meibion o leia, y newyddion oedd bod Ivor E Sims yn ôl, a chôr yr Orpheus yn cychwyn pennod arall yn eu hanes.

Roedd Eisteddfod Pen-y-bont ar Ogwr 1948 yn hanesyddol oherwydd i'r corau ganu yn Saesneg am y tro ola, heb sôn am y ffaith na ellid bellach cael beirniadaethau yn cael eu traddodi gan feirniaid cerdd gorau Prydain, os nad y byd. Ym Mhen-y-bont, efo pump o gorau'n cystadlu, roedd cadeirydd y panel cerdd, Sir Hugh Roberton, y cyfansoddwr ac arweinydd enwog côr y Glasgow Orpheus, wedi traethu ar y pedwar côr arall yn gyntaf. Yna rhoddodd ei nodiadau i lawr a deud: *'Morriston Orpheus Choir. Ladies and gentlemen, after this performance I can die a happy man.'* A dyna'r feirniadaeth gyflawn, ar wahân i roi 97 o farciau i'r côr!

Ond fe fu bron i drychineb ddigwydd y flwyddyn ganlynol yn Nolgellau. Roedd y gwaith tun lleol yn Nhreforys wedi gorfod cadw rhai o'r gweithwyr rhag cymryd y pythefnos gwyliau arferol ar ddechrau Awst oherwydd archeb fawr. Wrth ffurfio'r côr yng nghefn llwyfan y pafiliwn fe ddaeth yr ysgrifennydd at Sims a deud na allen nhw gymryd rhan yn y gystadleuaeth oherwydd mai dim ond saith deg a chwech o gantorion oedd yno, pedwar yn llai na'r cyfanswm angenrheidiol ar gyfer y gystadleuaeth. Roedd yn rhaid gwneud rhywbeth ar frys i osgoi siwrnai seithug, ac ymatebodd Sims yn chwim. Rhedodd allan at y man lle'r oedd rhai o gefnogwyr y côr wedi ymgynnull a deud wrth y pedwar dyn tala yn y criw, sef ei ddau frawd, Luther a Dai, Basil Jones y Chemist a Billy Williams y Bookie am sefyll yng nghefn y *second tenors* a symud eu cegau'n unig – doedden nhw ddim i ganu nodyn ar unrhyw gyfri. Roedd pob un o gorau eraill y gystadleuaeth yn cynnwys rhyw gant a hanner o leisiau, a bu tipyn o wawdio wrth weld y *'glee party'* o Dreforys. Ond nid y rhif sy'n bwysig, ac roedd saith deg a chwech o leisiau Treforys yn ddigon i ennill y gystadleuaeth.

Yn dilyn y pedair buddugoliaeth mae'n debyg y bu rhywfaint o gynllwynio ar ran yr Eisteddfod Genedlaethol i roi terfyn ar deyrnasiad Sims fel pencampwr y prif gystadlaethau corau meibion. I ddechrau fe gafodd wahoddiad i fod yn aelod o'r orsedd, ac yna i fod yn aelod o'r panel beirniaid. Ond gwrthod y ddau gynnig wnaeth Sims, gan egluro y byddai derbyn yn golygu na allai gystadlu byth wedyn yn yr eisteddfod oherwydd na fyddai'n deg ar arweinyddion eraill pe bai hi'n ymddangos ei fod o yn rhan o'r sefydliad eisteddfodol. Fel mae'n digwydd, fe gadwodd Sims a'i gôr draw o'r byd cystadlu am rai blynyddoedd p'run bynnag, gan ganolbwyntio ar bethau eraill, ond fe ddychwelsant yn Eisteddfod Genedlaethol Pwllheli ym 1955, pan enillodd yr Orpheus am yr wythfed tro yn eu hanes.

Ond, y tro yma, fe gafodd Sims rybudd tra gwahanol i beidio cystadlu byth eto, nid oherwydd unrhyw gythraul canu ond oherwydd ei iechyd. Roedd ei feddyg wedi deud wrtho: *'Don't you dare go on the National stage again, you could drop like that!'* Effeithiau cael ei wenwyno gan nwyon yn y Rhyfel Byd Cynta oedd yn gyfrifol am stad fregus iechyd Sims, ac yntau wedi dweud celwydd am ei oedran er mwyn gwirfoddoli mynd i'r fyddin. Felly roedd yr ysfa anturus, gystadleuol yn rhan o'i gyfansoddiad ac er gwaetha rhybuddion y meddyg daeth Sims yn ôl i'r brifwyl am un tro arall yng Nghaerdydd ym 1960. Hon fyddai ei gystadleuaeth a'i fuddugoliaeth ola. Yn ystod y misoedd diwetha rheiny fe fyddai cadeirydd yr Orpheus yn gorfod cyhoeddi y byddai Sims ychydig yn hwyr i'r rihyrsals. Yna, ar ôl cyrraedd, prin chwarter awr fyddai'r arweinydd yn gallu gweithredu cyn gorfod anfon y cantorion adref.

Y rhaglen radio *Welsh Rarebit* oedd y rheswm arall dros enwogrwydd yr Orpheus yn y cyfnod yma. Roedd hi'n cael ei darlledu'n fyw bob nos Sadwrn rhwng 9 a 10 o Neuadd y Cory, Caerdydd. Yn ogystal â pherfformio dau ddarn corawl eu hunain fe fyddai disgwyl i'r côr ymuno mewn caneuon cyfoes efo rhai o unawdwyr poblogaidd y cyfnod, fel Harry Secombe a David Whitfield, a cherddorfa dan arweiniad Mai Jones. Byddai'r copïau miwsig ar gyfer y darnau oedd i'w canu ar y cyd yn cyrraedd braidd yn hwyr yn yr wythnos felly fe ddyfeisiwyd ffordd go anarferol o ddysgu'r nodau mewn pryd. Byddai Sims yn mynd ar un bws yn Nhreforys ar ddechrau'r daith ac yn dosbarthu copïau o'r miwsig a'i ddysgu i'r cantorion. Hanner ffordd i Gaerdydd fe fyddai'r bysys yn stopio tra bod Sims yn newid bws ac yn dysgu'r nodau i weddill y côr.

Rheswm arall dros boblogrwydd y côr oedd yr amryw recordiau a wnaethpwyd o ddechrau'r pum degau, gan gynnwys rhai gan gwmni Columbia, un o'r cwmnïau Prydeinig mwya. Ar y label hon ym 1951 y gwnaethpwyd y recordiad enwog o 'Myfanwy' yr arferid ei glywed yn aml ar y rhaglen brynhawn Sul *Two-way Family Favourites* ar y Light Programme gan y BBC, lle byddai aelodau o'r lluoedd arfog yn yr Almaen a'u teuluoedd gartre yn anfon ceisiadau a chyfarchion, yn mynegi eu hiraeth ac yn dewis darn o gerddoriaeth. Gallai'r rhai efo clust fain glywed mwy na nodau ar y record. Roedd un aelod o'r Orpheus yn arfer dod â'i gi i bob ymarfer, a hwnnw'n gorwedd yn ufudd a thawel wrth draed ei feistr. Ond, ar ddiwrnod y recordiad, gwrthododd peiriannydd Columbia i'r ci fod oddi mewn i Gapel y Tabernacl yn ystod y recordio felly fe gaewyd yr anifail yn y cyntedd. Yn y distawrwydd rhwng y pennill cynta a'r ail fe gyfarthodd y ci ac fe gafodd ei anfarwoli!

Ym 1956, yr Orpheus oedd y côr Cymreig cynta i berfformio yn neuadd gyngerdd newydd Llundain, y Royal Festival Hall. Ond fe gawson nhw anrhydedd arall llawer mwy pwysig y flwyddyn honno, yn gydnabyddiaeth arbennig iawn i'r côr a'u harweinydd, sef gwahoddiad i gymryd rhan yn y Royal Variety Performance yn y London Palladium – y côr Cymreig cynta i gael yr anrhydedd hwnnw. Roedd y trip yn golygu mynd draw i Lundain ar y dydd Sadwrn ar gyfer ymarferion, efo'r perfformiad ar y nos Lun. Ond am 4 o'r gloch brynhawn y sioe fe alwodd y cynhyrchydd Val Parnell yr holl artistiaid ar y llwyfan a chyhoeddi bod y Frenhines wedi cael ei chynghori i beidio â mynd allan y noson honno. Un rheswm oedd ei bod hi'n noson Guto Ffowc, ond hefyd, y bore hwnnw, roedd milwyr Prydain wedi glanio yn Suez. Er mawr siom i bawb, fe fyddai'r perfformiad yn cael ei ganslo, ond fe addawodd Mr Parnell y byddai pob un o'r artistiaid yn cael gwahoddiad i ddychwelyd y flwyddyn ganlynol.

Ac felly y bu. Aeth yr Orpheus yn ôl ym 1957 i ganu 'Ar Hyd y Nos' a 'We'll Keep a Welcome'. Mae'n rhyfeddol edrych ar restr y perfformwyr eraill y noson honno: Laurence Olivier, Vivien Leigh, John Mills, Liberace, Mario Lanza, Gracie Fields, Judy Garland, Vera Lynn, Tommy Cooper,

Bob Monkhouse, Max Bygraves, Arthur Askey, Terry Thomas, David Whitfield, Count Basie a'i Gerddorfa, Alma Cogan, Sabrina, Tommy Trinder a'r Tiller Girls. Yn cloi'r noson roedd Tommy Steele, er y bu ychydig o broblem efo fo oherwydd bod ei fand yn gwrthod mynd ar y llwyfan am nad oedden nhw wedi cael eu talu ers tri mis!

Bu farw Ivor Sims ym 1961, yn chwe deg pedwar oed, ac fel arwydd o'r parch aruthrol tuag ato yn y byd cerdd, roedd cynrychiolaeth o gorau meibion ar hyd a lled Cymru yn bresennol yn ei angladd yn eglwys Dewi Sant, Treforys. Ac yntau'n ŵr diymhongar nad oedd wedi ceisio enwogrwydd, roedd wedi creu pennod bwysig yn hanes corau meibion Cymru yn sgil ei dalent gynhenid aruthrol. Ar ei wely angau roedd wedi gwneud ei benderfyniad olaf – mai cyfeilydd yr Orpheus, Eurfryn John, fyddai ei olynydd.

Dyma, o bosib, y camgymeriad mwya a wnaeth erioed.

PENNOD 14

DOEDD DIM AMHEUAETH ynglŷn â thalent Eurfryn John fel cyfeilydd, ar y piano a'r organ. Wedi'r cyfan, yn ogystal â'i waith efo'r Orpheus roedd o'n cael ei ystyried yn ddigon da i gyfeilio ar recordiau artistiaid fel Stuart Burrows, ac roedd o wedi recordio datganiad ar yr organ i neb llai na chwmni Columbia Records. Mater arall oedd arwain. Y gwir ydi nad oedd ganddo'r un awydd i etifeddu mantell Ivor Sims. Yn erbyn ei ewyllys, felly, yr apwyntiwyd Eurfryn John yn arweinydd y côr ym 1961. Fe fyddai'n aros am wyth mlynedd, ond ni fyddai'n mwynhau'r profiad o gwbl. Yn ôl y sôn mi fyddai'n tueddu i ymgolli yn y sain, cau ei lygaid ac anghofio am ei gyfrifoldeb o gadw'r cantorion efo'i gilydd. Problem arall ddaeth i amlygu'i hun fwyfwy fel yr heneiddiai oedd ei glyw. Fe fyddai darnau swmpus o wadin bob amser yn ymwthio allan o'i ddwy glust, ac fe fu sôn y byddai'n rhaid iddo gael triniaeth lawfeddygol er mwyn gwella'i gyflwr. Ar ôl un cyngerdd ym Mhen-y-bont fe ddwedodd un o'r cantorion wrth yr arweinydd:

'Côr yn canu'n dda heno Eurfryn!'

A'i ateb ynta oedd, 'I ddweud y gwir wrthoch chi bois, chlywes i ddim byd.'

Does dim yn dristach na cherddor sy'n cael problemau efo'i glyw, ond yn amlwg allai'r sefyllfa yn Nhreforys ddim parhau fel roedd. Cyn hir roedd carfan yn cynllwynio i gael gwared ar yr arweinydd, ac fe wnaethpwyd hynny yn y modd mwya dichellgar a chreulon, efo cadeirydd y côr yn ysgwyd llaw Eurfryn John yn gyhoeddus un noson, ac yna'n rhoi cyllell yn ei gefn yn fuan wedyn.

Yn rhyfeddol, ddaeth gyrfa arwain Eurfryn John ddim i ben wedi iddo adael yr Orpheus. Yn fuan fe'i hapwyntiwyd yn arweinydd Côr

Meibion Aberafan, ac fe arhosodd efo nhw tan ei farwolaeth. Ond mae un digwyddiad ynglŷn â chyfnod Eurfryn John sy'n dal i gynddeiriogi pobol yn Nhreforys. Ym 1964 roedd yr Eisteddfod Genedlaethol yn cael ei chynnal yn Abertawe, ac yn naturiol roedd yr Orpheus yn cystadlu. Un o'r darnau prawf oedd 'Paracelsus', gwaith anodd ac anarferol yn yr ystyr bod y lleisiau mewn chwe rhan yn hytrach na'r pedair rhan arferol, efo'r baritoniaid a'r baswyr wedi'u rhannu'n ddau. Yn ôl y sôn fe lithrodd tonyddiaeth y rhan fwya o'r corau yn ystod y darn, efo baswyr Côr Meibion Treorci mewn cymaint o drafferthion fel iddyn nhw stopio canu. Ond y nhw enillodd! A pham? Wel, mewn enghraifft berffaith o'r cythraul canu, roedd arweinydd y llwyfan, y darlledwr adnabyddus Alun Williams, wedi egluro i'r gynulleidfa bod arweinydd Treorci, John Haydn Davies, wedi dod yno yn ei salwch yn syth o'i wely a bod ambiwlans yn sefyll y tu allan yn barod amdano petai unrhyw broblem yn codi. Nid yn unig hynny, ond roedd John Haydn, mae'n debyg, wedi colli ei waled ar y ffordd i mewn. Wrth gyhoeddi bod y waled yn saff, fe ychwanegodd Alun Williams y gallai ei chael yn ôl 'yr un pryd â'r siec' – hynny yw, bod canlyniad y gystadleuaeth eisoes wedi'i benderfynu!

Fel pe na bai hynny'n ddigon i gythruddo'r Orpheus, fe fydden nhw'n ychwanegu bod eglurhad arall syml iawn i'r dyfarniad. Prif feirniad y gystadleuaeth oedd Mansel Thomas, pennaeth cerdd y BBC a chyfansoddwr llwyddiannus. Rai blynyddoedd ynghynt roedd yr Orpheus wedi cael gwahoddiad i fynd i'r Royal Albert Hall i ganu mewn gŵyl bandiau pres, a hwythau'n darparu adloniant corawl digyfeiliant i greu cyferbyniad yn ystod y noson. Arweinydd gwadd y bandiau oedd Syr Malcolm Sargent, ac yn fuan wedyn fe ddaeth llythyr oddi wrtho yn estyn gwahoddiad i'r Orpheus gymryd rhan mewn cyngerdd y byddai'n ei arwain cyn hir yn Neuadd y Brangwyn efo Cerddorfa Symffoni'r BBC. Mi fyddai'r cyngerdd yn cael ei ddarlledu ar BBC2, a'r prif waith fyddai darn estynedig enwog Schubert, 'Gesang der Geister Über den Wassern' ('Cân yr Ysbrydion dros y Dyfroedd'). Roedd hyn wrth gwrs yng nghyfnod Ivor Sims, ond, yn anffodus fe'i trawyd yn wael ar ganol y paratoadau, felly fe ddaeth Mansel

Thomas draw i Dreforys ddwywaith yr wythnos am y chwe wythnos oedd yn weddill i ymarfer gyda'r côr. Ar ddiwrnod y perfformiad fe ofynnodd Syr Malcolm i Mansel Thomas arwain un rihyrsal er mwyn iddo fo gael syniad o sut roedd pethau wedi datblygu. Yna, yn ystod yr egwyl, a nifer o'r Orpheus wedi ymgynnull o gwmpas Syr Malcolm i gael ei lofnod, fe ofynnodd yr arweinydd gwestiwn. Gan agor ei sgôr yn y dudalen gynta, medda fo:

'Tell me boys, when you did this with Ivor Sims, how did you sing it?'

Hwythau'r cantorion yn ufuddhau a chanu ychydig nodau. Wedyn, yr arweinydd yn troi at adran arall:

'And what about this section?'

Yna, ar ôl bodloni ei hun efo gweddill y gerddoriaeth, fe gaeodd Syr Malcolm y sgôr a deud:

'And that's how you'll sing it tonight!'

Dim ots be ddwedwch chi, allwch chi ddim darbwyllo aelodau'r Orpheus oedd yn bresennol yn ystod yr achlysur hwnnw yn y Brangwyn na fu gan Mansel Thomas ei gyllell yn ystlys y côr byth wedyn, ac mai hynny fu'n rhannol gyfrifol am ganlyniad syfrdanol Eisteddfod Abertawe. Ond, beth bynnag am y cam honedig, fyddai cyfnod Eurfryn John ddim yn cael ei ystyried yn fethiant o bell ffordd. Fe barhawyd i wneud nifer o recordiau hirion efo cwmni EMI, a'r rheiny, gyda llaw, yn cael eu cynhyrchu gan neb llai na Norrie Paramor, a fu'n gyfrifol am ddisgiau Cliff Richard, Frank Ifield ac eraill.

Wedi ymadawiad Eurfryn John fe apwyntiwyd Lyn Harry yn arweinydd. Roedd ef yn dod yn wreiddiol o Lanelli ac wedi bod yn arwain Côr Meibion Cymry Llundain am rai blynyddoedd cyn dychwelyd i Gymru. Cyfnod anodd fyddai hwn ar y dechra, wrth iddo geisio ailadeiladu morâl y côr a chodi'r safon. Ym mysg uchafbwyntiau'r chwe blynedd pan oedd Lyn wrth y llyw roedd parhau'r berthynas efo cwmni recordio EMI, gan ryddhau cyfres o recordiau hir llwyddiannus ac un ohonyn nhw – *Land of Hope and Glory* efo Band y GUS – yn dringo a chael ei chofnodi yn siartiau recordiau hir Prydain.

Ond y stori orau glywais i ynglŷn â chyfnod Lyn Harry efo'r Orpheus ydi honno am y gân hyfryd 'Kula Serenade'. Roedd yr arweinydd wedi ei chyflwyno i'r côr mewn awyrgylch o gyfrinachedd rhyfedd, gan ddysgu'r nodau oddi ar fwrdd du yn hytrach na phapur, y nodau wedyn yn cael eu dileu ar ddiwedd yr ymarfer. Yn amlwg, doedd dim perygl i neb allu dwyn copi o'r miwsig hudolus hwn. A hithau'n gân ddigyfeiliant eitha syml, hiraethus ei naws, efo'r côr yn hymian yn dawel am y rhan helaeth ohoni, roedd un elfen hanfodol i sicrhau ei llwyddiant. A hynny oedd unawdydd tenor efo llais pur allai ganu nodau uchel iawn yn dawel a thyner. Ar y pryd roedd yr union lais yn yr Orpheus, sef gŵr ifanc o'r enw Wyn Ashton.

Ymhen peth amser roedd y darn yn barod i'w berfformio'n gyhoeddus am y tro cynta, ac fe ddewiswyd cyngerdd yn neuadd ardderchog y Colston Hall ym Mryste fel y lle i lansio'r datganiad hanesyddol. Fe eglurodd Lyn wrth y gynulleidfa eu bod nhw'n mynd i glywed y perfformiad cynta gan yr Orpheus o fiwsig arbennig iawn – cân o Ddwyrain Ewrop yn disgrifio noson o haf a'r gweithwyr yn dychwelyd o'r caeau adeg y cynhaeaf, hwythau'n flinedig wrth gerdded tuag adref a'r haul yn machlud yn y cefndir. Roedd y darn yn dechra efo dau gord tawel, dwfn gan y côr fel arweiniad i'r unawdydd gyflwyno'r alaw hiraethus. Ond ar ôl y cordiau hyfryd, a'r arweinydd yn troi i gyfeiriad y tenoriaid er mwyn dod â'i unawdydd i mewn, fe gafodd sioc enbyd – doedd Wyn Ashton ddim yno! Roedd o'n wael yn ei wely yn Nhreforys! Efo'r côr yn dal i hymian y cord, fe amneidiodd yr arweinydd tuag at y tenor agosa yn y rhes flaen a sibrwd: 'Cana di hi.' Gan edrych yn bictiwr o banig, mi ysgydwodd hwnnw'i ben o ochr i ochr gan gyfleu yn glir: 'Dim yffarn o beryg gw'boi!'

Efo'r côr yn dal i ddal y cord, fe amneidiodd yr arweinydd at y tenor nesa yn y rhes flaen, gan ei annog ynta i roi cynnig arni. Yr un oedd yr ymateb, efo hwnnw hefyd yn ysgwyd ei ben yn bendant. Ac felly ymlaen, reit ar hyd y rhes o denoriaid, efo pob un yn gwrthod, nes bod rhes o bennau negyddol yn cydsymud fel pe baent wedi bod dan hyfforddiant coreograffydd. Yn y man, efo'r gynulleidfa siŵr o fod yn credu mai 'Y Cord Diddiwedd' oedd gwir deitl y darn rhyfeddol yma, doedd dim dewis gan

Lyn druan, ac fe berfformiwyd gweddill y miwsig heb yr unawd. Mae'n bur debyg bod pobol ym Mryste hyd heddiw yn sôn fel y bu iddyn nhw glywed un tro ddarn o gerddoriaeth gorawl efo dim byd ynddo fo ond cyfres o gordiau yn cael eu hymian yn dawel. Gyda llaw, mewn llythyr a ysgrifennodd y cyflwynydd newyddion a'r darlledwr enwog Richard Baker ata i un tro, mi ddatgelodd mai recordiad yr Orpheus o'r 'Kula Serenade' oedd wedi denu'r nifer mwya o geisiadau ar ei raglen radio boblogaidd, *Baker's Dozen*.

Yng nghyfnod Lyn Harry y mentrodd y côr deithio i Ogledd America am y tro cynta, a hynny ym 1973. Roedd yr holl beth mor llwyddiannus fel y cawson nhw wahoddiad i fynd yn ôl ddwy flynedd yn ddiweddarach. Yn y rihyrsal ola yn Nhreforys cyn cychwyn ar y daith honno ym 1975 roedd gan yr arweinydd gyhoeddiad pwysig i'w wneud – fydda fo ddim yn dychwelyd i Gymru wedi'r daith! Roedd Lyn Harry wedi derbyn swydd darlithydd cerdd yn Hamilton, Ontario, ac fe fyddai'n symud i fyw i Ganada.

Yn ogystal â cholli arweinydd mor ddisymwth roedd gan y côr bryder ychwanegol. Chwe wythnos ar ôl iddyn nhw ddychwelyd o'r America roedden nhw wedi derbyn gwahoddiad i recordio albwm newydd gydag EMI yn stiwdios Abbey Road, Llundain. Roedd y record yn mynd i fod yn fenter hollol wahanol i'r arfer, efo miwsig ysgafn o sioeau cerdd gan bobol fel Rodgers and Hammerstein wedi cael ei drefnu'n arbennig ar gyfer y côr a band y Royal Marines. Doedd dim un nodyn wedi'i ddysgu cyn y daith, a chan fod yr amser yn echrydus o fyr roedd hi'n ymddangos fel petai'n dasg gwbl amhosib. Yr un a ddaeth i'r adwy oedd cyfeilydd ifanc y côr, Leslie Ryan, a gafodd ei apwyntio ar frys yn arweinydd, a hynny yn hollol yn erbyn ei ewyllys. Fe wnaeth waith anhygoel yn paratoi'r côr ar gyfer y recordiad, ac mae'r albwm *A Grand Night for Singing* nid yn unig yn un o recordiau mwya llwyddiannus y côr erioed ond hefyd yn cael ei hystyried yn chwyldroadol o safbwynt *repertoire* corau meibion.

Ond, er gwaetha hynny, doedd pethau ddim yn mynd i weithio. Am yr eildro yn ei hanes mi fyddai Côr Orpheus Treforys wedi apwyntio cyn-gyfeilydd yn arweinydd ac yntau heb unrhyw awydd i gymryd y cyfrifoldeb. Ar ôl pedair blynedd fe ymddiswyddodd Leslie Ryan ac fe roddwyd hysbyseb yn y *Western Mail* am arweinydd – neu, i fod yn fanwl gywir, oherwydd roedd teitl y job wedi newid erbyn hynny, am Gyfarwyddwr Cerdd.

Y gwir oedd bod gan yr Orpheus ddirprwy arweinydd yn ystod y cyfnod hwn, ac roedd rhai ar bwyllgor y côr yn awyddus i'w ddyrchafu o i'r brif swydd heb chwilio am neb arall. Ond roedd eraill yn anghytuno ac yn credu y dylai'r dirprwy gystadlu fel pawb arall. Mae'n debyg bod cryn ffraeo wedi digwydd ynglŷn â hyn, yn enwedig pan gyhoeddodd y dirprwy na fyddai o ar unrhyw gyfri yn ceisio am swydd roedd o'n tybio y dylai gael ei chynnig yn awtomatig. Yn hollol anymwybodol o'r cefndir tymhestlog hwn, felly, y cafodd rhyw greadur o Fotfoth un diwrnod ei annog gan gyfaill i roi cynnig am swydd Cyfarwyddwr Cerdd yr Orpheus, wedi iddo weld yr hysbyseb yn y *Western Mail* y diwrnod hwnnw. Ac yntau'n berffaith hapus fel arweinydd Côr Meibion Rhisga ar y pryd, roedd o wedi gofyn i'w gyfaill pam y dylai o symud.

Yr ateb oedd: 'Er mwyn i ti gael mynd i'r *First Division.*'

PENNOD 15

MAE TRI MATH o gôr meibion:

(1) lle mae'r arweinydd yn unben absoliwt efo aelodau'r pwyllgor yn ddim ond taeogion ufudd a thawel yn gweithredu ei fwriadau i'r llythyren heb gwestiynu na grwgnach;

(2) lle mae'r pwyllgor a'r swyddogion yn llwyr reoli yn enw democratiaeth ac yn trin yr arweinydd fel gwas cyflog sathredig;

(3) lle mae'r arweinydd yn gyfrifol am holl faterion cerddorol y côr tra bod y pwyllgor a'r swyddogion yn gofalu am yr ochr weinyddol.

Yn amlwg, y drydedd ffordd – y '*third way*' yn ôl Tony Blair – ydi'r ddelfryd. Ond mae problemau dybryd mewn gweithredu fformiwla sydd, ar yr olwg gynta, yn ymddangos mor syml. Un broblem ydi nad ydi ffiniau cyfrifoldeb mor glir â hynny, gan fod rhai materion gweinyddol yn gallu effeithio ar natur y gerddoriaeth a'r perfformio. Yn yr un modd mae penderfyniadau ar sail y canu yn gallu golygu ymyrryd â'r broses lywodraethu. Y broblem arall sylfaenol iawn ynglŷn â'r holl sefyllfa ydi bod y pwyllgor ar y naill law yn 'cyflogi'r' arweinydd tra bod yr arweinydd ar y llaw arall yn fos arnyn nhwythau oherwydd eu bod nhw'n gantorion. Hynny yw, mi all yr arweinydd gael gwared ar unrhyw aelod o'r côr (hyd yn oed y cadeirydd a'r pwyllgor) ar sail gerddorol. Ond, yn yr un modd, fe all y pwyllgor roi'r sac i'r arweinydd, neu o leia wneud ei fywyd mor anodd nes ei orfodi i 'ymddiswyddo'. Felly pwy yn union sydd yn rheoli côr meibion? Mae'n gwestiwn pwrpasol, ac yn fater cymhleth tu hwnt. Ambell dro roeddwn i'n hollol grediniol mai'r gwragedd oedd yn rheoli Côr Orpheus Treforys, ond mwy am hynny eto.

Pan ddechreuais i efo'r côr roedd hi'n naturiol y byddai bwriad gan rai ar y pwyllgor i fanteisio ar y ffaith fy mod i'n newydd ac yn ddibrofiad a'm trin fel pyped. Roedd y rhan fwyaf o'r rhain yn mynd i gymryd yn fy erbyn o'r cychwyn p'run bynnag oherwydd nad oedden nhw wedi cael eu ffordd drwy apwyntio dirprwy arweinydd y côr yn Gyfarwyddwr Cerdd. Ond roedd eraill yn gefnogol i mi, a hynny wedyn yn sicrhau bod cyfarfodydd y pwyllgor bob amser yn ddiddorol a deud y lleia. Roeddwn i'n awyddus i osgoi sefyllfa o wrthdaro ar y dechra gan fy mod i'n credu ei bod hi'n bwysig trio ennyn parch y cantorion cyn ceisio dweud fy nweud. Wedi'r cyfan, fel arweinydd roeddwn i wedi cael fy apwyntio, nid fel gwleidydd, ac fe fyddai'n ofynnol i mi brofi fy mod i'n gallu cyflawni'r gwaith cerddorol a rhoi hynny'n flaenllaw cyn gwneud dim arall.

Eto i gyd, roedd yna un peth ynglŷn â'r pwyllgor a oedd yn fy mlino'n enbyd ac y byddai'n rhaid i mi ei setlo'n syth. Mater yr aelodau newydd oedd hyn. Am ryw reswm, pe byddai rhywun am ymuno â'r côr, y drefn oedd ei fod yn anfon ffurflen gais at yr ysgrifennydd ac yna'n disgwyl i gael ei wahodd i ddod draw am wrandawiad ar noson ymarfer. Roedd y cyfarwyddyd yn bendant – dod erbyn *diwedd* yr ymarfer tua naw o'r gloch a *sefyll y tu allan yn y cyntedd.* Yna, wedi i aelodau'r côr adael, fe fyddai'r swyddogion, y pwyllgor a'r ymddiriedolwyr – tuag ugain o ddynion i gyd – yn aros ar ôl. Byddai'r ysgrifennydd wedyn yn cyrchu'r ymgeisydd a'i roi i sefyll o flaen y Sanhedrin cyn darllen iddynt fanylion ei ffurflen gais. Yna fe fyddai'r truan yn cael ei gyfeirio tuag at y piano, lle byddwn i'n rhoi prawf canu iddo fo. Ar ddiwedd hyn i gyd fe fyddai'r ymgeisydd yn cael ei anfon allan i'r gwyll yn ddiseremoni, tra bod y cadeirydd yn gofyn am fy marn. Beth bynnag oedd honno, mi fyddai'r cadeirydd wedyn yn gwahodd y pwyllgor i bleidleisio dros neu yn erbyn fy mhenderfyniad!

Ar ôl diodde'r ddefod wallgo ac anwaraidd hon rhyw ddwywaith fe ofynnais am gyfarfod gyda'r pwyllgor. Aeth y drafodaeth rhywbeth yn debyg i hyn:

AH: *'I'm amazed that anyone at all volunteers to join this choir.'*

Cadeirydd: *'And why is that Mr Humphreys?'*

AH: *'Because of the ridiculous way in which you conduct the auditioning process. In the first place, prospective choristers must be petrified to see*

*so many people present when they're trying to sing. Secondly, I resent
the fact that my decision has to be ratified by you. After all, what do
you know? You're not musicians. In any event, many of you are talking
whilst I'm doing the voice test and are not listening.'*

Cadeirydd: *'But this is the way it's always been done here and I'm sure that
committee members are quite happy with it.'*

('Hear, hear.')

AH: *'Fine. In that case, since you're so happy with the system, we'll have a
complete re-auditioning of the whole choir. I'll have every individual
member come out to sing before the entire choir, and I'll start with you,
the committee and the officers.'*

Ymhen ychydig ddyddiau mi gefais wbod bod y pwyllgor wedi cyfarfod a'u
bod wedi cytuno na fyddent yn bresennol mewn gwrandawiadau o hynny
ymlaen. Roeddwn i wedi ennill y frwydr gynta, ac un bwysig iawn hefyd,
oherwydd roedd agwedd snobyddlyd y côr tuag at ddarpar aelodau newydd
yn siŵr o fod yn atal nifer fawr o gantorion rhag ymuno, rhai a allai fod
yn aelodau gwerthfawr. Wedi'r cyfan, roedd yna beth wmbredd o gorau
meibion eraill yn yr ardal – saith yn nalgylch Abertawe ei hun! – ac roedd
hi'n hanfodol bod unrhyw lif o waed newydd yn anelu tua Threforys.

Ond beth bynnag am y *politics*, roedd gwaith cerddorol sylfaenol i'w
wneud hefyd. Tra bod gwaelod ardderchog i'r côr yn yr adran *second
bass*, efo cantorion bygythiol yr olwg yn fy herio ym mhob rihyrsal efo'u
hwynebau caled, doedd y tenoriaid ddim cystal. Yn wir, roedd adran y *second
tenors* yn wirioneddol ddiffygiol, ac yn cael trafferthion mawr i gynnal y
traw. Yn fwy na hynny, hwyrach oherwydd rhyw ddiffyg hyder cynhenid,
roedden nhw'n fwy swnllyd na'r un adran arall. Y canlyniad oedd bod yr
holl gôr yn sigo wrth gael ei dynnu i lawr yn ddidrugaredd gan yr union
adran ddylai fod yn dawelach ac yn sicrach na'r un arall. Syndod o beth
oedd darganfod nad oedd y côr yn canu'r un darn yn ddigyfeiliant – gan
gynnwys 'Myfanwy'! – a bod y gyfeilyddes yn cynnal traw y cyfan drwy
waldio'r berdoneg fel petai honno'n euog o ryw drosedd anfaddeuol.

Roedd hi'n gymharol hawdd, felly, cynnal yr ymarferion cychwynnol yn Nhreforys gan fod cymaint o waith gwella i'w wneud. Y broblem oedd bod llu o gyngherddau ar y trothwy, y cyntaf ymhen pythefnos, a'r amser cynefino'n brin. Byddai angen i ni ddod i adnabod ein gilydd yn eitha da reit sydyn!

Wna i byth anghofio fy nghyngerdd cynta efo'r Orpheus. Y lleoliad oedd y Memorial Hall, Llandybie – lle na fûm i erioed ynddo byth wedyn, a lle rwyf yn awyddus i barhau i'w osgoi. Yr unawdydd ar y noson oedd y soprano efo'r enw anfarwol Madam Letitia Evans-Jenkins – gwraig oedrannus mewn ffrog felen lachar a ffyslyd. Y ffordd orau i ddisgrifio ei llais crynedig fyddai dweud bod daeargryn yn dynerach. Ond nid y sŵn oedd yr unig beth i darfu ar heddwch yr ardal. Wrth alw am y nerthoedd angenrheidiol i lofruddio campweithiau Handel a'i debyg roedd wyneppryd Letitia'n gweddnewid o'n blaenau. Efo'i phen yn ysgwyd ar yr un raddfa â'i thremolo, roedd y dirgrynu afreolus yn peri i lwythi o bowdwr ddymchwel oddi ar ei thalcen a'i gruddiau nes creu cymylau pinclyd a chwyrlïai o gwmpas ei llygaid a'i safn. Yn ogystal, roedd y straen o geisio cynnal ei hanadl wrth iddi esgyn i entrychion ei chwmpawd lleisiol cyfyng yn peri i liw ei chroen dywyllu'n arswydus. Ucha yn y byd y nodyn, duaf oedd golwg y Fadam. Wrth iddi newid yn raddol o goch i las roedd y gynulleidfa'n dechra anesmwytho. Pan drodd yn biws roedd rhai'n wirioneddol yn ystyried galw am yr ambiwlans.

O'i gymharu ag un Letitia roedd cyfraniad y côr yn un eitha clodwiw, ond y gwir ydi mai mater o'r arweinydd yn dilyn y cantorion oedd hi'r noson honno, a minnau'n cael fy llusgo gerfydd fy mreichiau gan yr anghenfil pwerus. Nid ar chwarae bach y mae dal rheolaeth ar dros gant o ddynion sydd wedi arfer canu mewn ffordd arbennig am rai blynyddoedd ac yna drio'u mowldio i'm ffordd fi fy hun dros nos. Mi fyddai'n cymryd rhai misoedd iddyn nhw arfer o dan law rhywun arall, ac yn y cyfamser mi fyddai'n rhaid i mi eu dilyn nhw fel ci bach.

Yn y dafarn leol wedi'r cyngerdd yn Llandybie mi sgoriais un neu ddau o bwyntiau efo'r cantorion drwy fod yno o gwbl. 'Doedd yr arweinydd dwetha ddim yn dod am beint 'da ni,' eglurodd un. Yna fe ddaeth dwy wraig surbwch yr olwg ata i a dweud eu bod yn dod i bob cyngerdd (i gefnogi eu gwŷr) ac y bydden nhw'n siŵr o adael i mi wbod pa fath o argraff roeddwn i'n ei gwneud. Diolch yn fawr iawn, meddwn inna. (Rai blynyddoedd yn ddiweddarach mi ddois i wbod bod un o'r gwragedd yma yn fam i ŵr ifanc oedd â'i fryd ar fod yn arweinydd y côr. Pan gafodd y tad ei ethol ar y pwyllgor fe wnaeth hwnnw wedyn bopeth i drio cael gwared arna i er mwyn ceisio agor llwybr i'r mab wireddu breuddwyd y teulu.) Ac yna, i goroni'r noson fythgofiadwy hon, mi sylweddolais fod merch ifanc yn fy llygadu'n awgrymog iawn o ben arall y dafarn. Wel, roedd yn amlwg bod fy arwain i wedi gwneud argraff ar rywun, meddwn i wrthyf fy hun, gan wenu'n ddel yn ôl ar yr hyfrydbeth felynwallt. A dal i lygadu wnaeth hi pan ddychwelodd yr hwn oedd yn amlwg yn gariad iddi o'r toiled – clamp o ddyn o rengoedd y baswyr, fyddai wedi bod wrth ei fodd yn llorio'r arweinydd newydd am hyd yn oed hanner edrach i gyfeiriad ei Flodwen. Ar fy ffordd adra yn y car mi benderfynais rhwng popeth mai job go beryg fyddai arwain y criw Orpheus yma.

Ym Maesteg y cynhaliwyd un arall o'r cyngherddau cynnar rheiny, a lleoliad arall nad oeddwn i ddychwelyd iddo, a hynny am reswm digonol. Y tro hwn mi fyddwn i'n dysgu un o'r gwersi pwysica ynglŷn ag arwain côr, sef gwneud yn siŵr bod pawb yn gwbod cyn y cyngerdd pa ddarn y bydden nhw'n ei berfformio gynta, yn enwedig pe byddai o'n ddarn digyfeiliant. Er 'mod i wedi deud wrth y côr beth oedd manylion y rhaglen yn ystod yr ymarfer nos Fercher cynt, doedd rhai yn amlwg ddim yn cofio, ac efallai nad oedd hynny'n syndod. P'run bynnag, pan ddois i ymlaen ar y llwyfan ar ddechrau'r noson a gofyn i'r gyfeilyddes am y nodyn i gychwyn y darn cynta, mi godais fy mreichia i dderbyn cyfuniad o'r synau mwya annaearol glywyd erioed ym Maesteg. Roedd hanner y côr wedi dechra canu'r 'Gloria' allan o Offeren Rhif 12 gan Mozart tra bod y gweddill wedi dewis 'Milwyr y Groes' gan Daniel Protheroe! Mozart oedd y darn cywir, ond dim ond yn raddol, tros gyfnod o ryw ddeng mesur, y penderfynodd carfan Protheroe ildio.

Er gwaetha'r cychwyn sigledig fe ddechreuodd petha setlo cyn hir, a minna'n dod i arfer efo'r cynnydd sylweddol yn nifer y cyngherddau fydden ni'n eu cynnal, sef o leia ddau bob mis, o'i gymharu efo'r cyngherddau achlysurol pan oeddwn efo Côr Rhisga. Yn ogystal, roedd trip tramor yn yr arfaeth i Ferrara yn yr Eidal, un o efeilldrefi Abertawe, lle byddai'r côr yn llysgenhadon swyddogol i'r ddinas mewn cyfres o gyngherddau. Ac fel petai hynny ddim yn ddigon, roedd hefyd angen paratoi ar gyfer albwm newydd i'w recordio i gwmni EMI yn stiwdios Abbey Road, Llundain, efo Band y Royal Marines. Er na wyddwn i hynny ar y pryd, wrth gwrs, mi fyddwn i dros y 25 mlynedd canlynol efo'r Orpheus yn gwneud cyfanswm o 623 o gyngherddau, 20 o deithiau tramor, a 28 o recordiau hirion. A hyn i gyd yn fy oriau hamdden!

Wrth edrach yn ôl dros y cyfnod hwn, mae'n dasg amhosib trio crynhoi'r holl achlysuron cofiadwy – y pleserus a'r chwerw, yr uchelfannau a'r gwaelodion – yn ystod y chwarter canrif. Bydd yn rhaid dewis. Yr hyn sy'n dilyn felly ydi cyfres o atgofion, heb fod o anghenraid mewn trefn gronolegol, er mwyn ceisio cyfleu peth o natur y bennod dyngedfennol yma yn fy mywyd.

Yr un peth diflas oedd y daith ddwywaith yr wythnos o Gaerdydd i Dreforys ar gyfer yr ymarferion, mater o 45 milltir un ffordd ac awr o siwrne. Ond reit o'r cychwyn cynta mi fûm yn ffodus i gael cwmni un o'r baritoniaid oedd yn byw yn Coychurch am ran helaeth o'r ffordd. Cyngolier oedd Ray Smith, wedi'i eni a'i fagu yn Nhreherbert ond bellach yn gweithio i gwmni Ford ac wedi symud o'r Rhondda i fod yn nes at ei waith. I gwblhau ei 'ddod ymlaen yn y byd' roedd o wedi ymuno â'r Orpheus, gweithred eitha dewr o ystyried bod rhai o'i ffrindia penna'n canu i Gôr Meibion Treorci!

Roedd rhai o straeon Ray yn glasuron, ond roedd gen i un ffefryn. Roedd o wedi mynd i weithio yn y pwll glo yn syth o'r ysgol, ac ym misoedd yr haf fe fyddai criw o'i gyfnitherod ifanc yn dod i lawr o Birmingham ar eu gwyliau. Roedden nhw'n hoffi dod i gyfarfod Ray a sefyll uwchben y pwll pan ddeuai'r cawell i fyny ar ddiwedd ei shifft, hwythau yn eu sgertiau byrion a'u siwmperi tyn cwta yn codi dwylo a gweiddi wrth i'r dynion esgyn o grombil y ddaear. Yn naturiol fe fyddai'r glowyr hefyd yn codi stŵr wrth weld y rhes o gluniau siapus yn ymddangos uwch eu pennau, tra bod wyneb Ray fel bitrwden, er gwaetha llwch y glo.

Un tro fe ofynnodd y fforman i Ray pwy oedd y merched ifanc prydferth oedd wedi dod i'w gyfarfod ar ddiwedd y shifft y diwrnod cynt.

'*Oh, they're my cousins from Birmingham, Mr Barry.*'

'*Oh, your cousins, eh? Tell me Ray, have you fucked 'em?*'

Ray mewn anghrediniaeth:

'*Well no, Mr Barry – they're my cousins, see.*'

'*When I was your age Ray, I'd fucked all my cousins except one – and his name was Arthur!*'

Un arall o hoff straeon Ray oedd honno am berfformiad enwog Cwmni Operatig Amatur Porthcawl un flwyddyn. Y cynhyrchiad oedd *Orpheus in the Underworld*, yr opereta adnabyddus gan Offenbach, sydd wrth gwrs yn cynnwys nifer o ddawnsfeydd lliwgar sy'n nodweddiadol o fywyd Paris yn y 19eg ganrif. Roedd angen i'r merched newid eu gwisgoedd sawl tro yn ystod y perfformiad a hynny ar frys mewn ystafell newid go fach. Wrth i res ohonyn nhw redeg ymlaen ar y llwyfan i ddawnsio'r 'cancan' enwog roedd yna gryn chwibanu a gweiddi. Wedi'r cyfan, merched lleol oedd y rhain yn edrych yn go wahanol i'r arfer, wedi'u coluro a'u dilladu'n hynod awgrymog. Ond roedd mwy o gyffro i ddod. Wrth i'r merched godi eu sgertiau i fyny at eu hwynebau i arddangos eu sanau duon a'u *suspenders*, fe dynnodd yr holl gynulleidfa un anadl ddofn mewn anghrediniaeth. Roedd un o'r merched wedi anghofio gwisgo ei *knickers*! Efo'i choesau yn cicio'n uchel am yn ail â bod yn gyfan gwbl ar led, roedd pob llygad yn y neuadd wedi'i hoelio ar y trysor a ddylai fod ynghudd. Yn y cyfamser roedd perchennog y trysor yn gwbl ddifater ac yn hollol anymwybodol o'r stŵr roedd hi'n ei greu. Wrth i'r merched droi eu cefnau at y dorf a phlygu ymlaen i godi'r sgertiau eto o'r tu ôl efo'u penolau yn yr awyr, fe drodd y neuadd yn wenfflam. Yr unig berson nad oedd yn ymddangos fel pe bai yn mwynhau'r perfformiad oedd gŵr y ferch, yno'n eistedd yn y rhes flaen efo'i ben yn ei ddwylo tra bod yr holl fyd yn syllu ar yr hyn oedd, hyd hynny, wedi bod yn eiddo personol, preifat iddo fo ei hun.

Druan ohoni, pan sylweddolodd y ddawnswraig yn nes ymlaen yr hyn oedd wedi digwydd roedd hi y tu hwnt i bob cysur. Mae'n debyg na ddaeth allan o'i thŷ am dair wythnos, gymaint oedd ei chywilydd. Hyd yn oed heddiw, wrth gerdded y stryd, mae hi'n gwrido wrth gyfarfod â rhywun oedd yno'r noson honno. Wrth drafod y tywydd neu newyddion y dydd, mae hi'n gwbod yn iawn bod meddwl ei chydymaith yn crwydro'n ôl i'r achlysur bythgofiadwy hwnnw pan gafodd miwsig Offenbach, y cantorion, y dawnswyr a'r offerynwyr, i gyd eu pylu gan ymddangosiad ei thalent fach naturiol hi.

O'i gymharu, digon diniwed fu perfformiadau llwyfan Côr yr Orpheus yn fy nghyfnod i, ar wahân i ambell ganwr boliog yn syrthio trwy'i gadair weithia ar ôl i honno brotestio bod y baich yn ormod. Fel arfer, nid y cantorion ond yr arweinydd sydd yn wynebu'r perygl mwya wrth iddo fo orfod sefyll ar focs ar ben cadair ar ben bocs, a'r cyfan yn gwegian wrth i'r miwsig a'r symudiadau fynd yn fwy cynhyrfus. Un tro, mewn cyngerdd yn Neuadd y Dref yn Oakengates yn Swydd Amwythig, roedd y bysys wedi colli'u ffordd ar y daith a ninna'n hwyr yn cyrraedd. Roedd hyn wedi golygu ein bod ni wedi gorfod newid i'n siwtiau pengwin ar y bysys, ac yna gerdded yn syth ar y llwyfan heb unrhyw oedi gan fod y gynulleidfa'n eistedd yno'n ddisgwylgar ers chwarter awr. Gan fod y llwyfan braidd yn fach, prin digon o le oedd yna i mi o flaen y côr ac roedd fy sodlau'n beryglus o agos at y dibyn. Hanner ffordd drwy'r cyngerdd, a minna'n cyflwyno'r darn nesa gan edrach i lawr i wneud yn siŵr bod fy nhraed ar dir cadarn, mi sylwais fod yna wraig olygus yn y rhes flaen oddi tana i yn dal ei breichiau ar led. *'I've been hoping you'd fall into my lap all night,'* medda hi. Triwch chi arwain 'Ar Hyd y Nos' ar ôl gwahoddiad fel'na!

Yn ogystal ag ymarfer y côr, dewis y gerddoriaeth a'u harwain mewn cyngherddau – ac fel petai hynny ddim yn ddigon i mi wneud yn barod – mi ddois hefyd yn raddol i gyflawni dwy orchwyl arall. Mi fuaswn i'n hoffi meddwl mai ystyriaethau ymarferol oedd yn gyfrifol am hyn yn hytrach na bwriadau hunanol ar fy rhan i, ond y ffaith oedd bod yna:

(i) brinder dybryd o fiwsig diddorol ar gyfer corau meibion;

(ii) cyflwynwyr llwyfan echrydus o sâl o le i le.

Felly mi ddechreuais i greu fy nhrefniannau corawl fy hun a chyflwyno'r cyngherddau.

Yn achos y cynta mae yna fantais amlwg. Does neb yn adnabod ei gôr yn well na'r arweinydd ei hun. Felly, wrth wneud trefniant, mi all o greu darn gan ystyried cryfderau a gwendidau ei gantorion. Yn ogystal, gan mai y fo fydd yn dysgu'r gerddoriaeth i'r côr (nodyn wrth nodyn gan amla), mae o'n mynd i wneud yn siŵr nad ydi o'n creu trafferthion ymarferol drwy sgwennu pethau sy'n anodd yn ddiangen. Lawer tro rydw i wedi anobeithio wrth weld cymhlethdodau heb alw amdanynt mewn darnau corawl cyhoeddedig – er enghraifft y rhannau lleisiol yn mynd un dros y llall fel bod y *second tenors* uwchben y *first tenors* ar brydiau neu yn is na'r baritoniaid. Mae hyn yn gallu creu problemau di-ri i gantorion ac, yn y rhan fwya o achosion, mae'n gwbl ddianghenraid. Diwedd y bregeth!

O safbwynt y cyflwyno, mi ddechreuais gael llond bol o gyrraedd neuadd gyngerdd a chael fy nghyfarch gan arweinydd y noson, hwnnw wedyn yn holi fy mherfedd am fanylion y darn hwn a hwn, pwy oedd y cyfansoddwr, am be oedd o'n sôn, ble roedd y côr wedi bod yn perfformio, i ble roeddem ni'n mynd, ac yn y blaen am oesoedd yn ddidrugaredd. Ambell dro mi fyddai hyn oll yn digwydd mewn galwad ffôn yn ystod yr wythnos gynt gan bara weithiau am awr! Roedd yn rhaid i'r peth ddod i ben. Felly, yn raddol eto, mi ddechreuais gymryd yr awenau fy hun, nid am fy mod i'n meddwl fy mod i'n well na phobl eraill ond am fod y cyfan yn llawer haws. Mantais arall hynod o werthfawr oedd y gallwn i newid y darnau yn y rhaglen ar amrantiad ar y noson heb orfod hysbysu unrhyw un arall.

Ambell dro, yn fy nghyflwyniadau, mi fyddwn i'n egluro adeiladwaith côr meibion, gan egluro nodweddion y gwahanol adrannau lleisiol. Y baswyr, meddwn i, ydi sylfaen y côr. Dyma'r graig mae'n rhaid adeiladu'r côr arni, a rhaid i honno fod yn gadarn a chryf i gynnal yr holl *ensemble*.

Heb waelod da fydd y côr yn ddim ond hadau gwylltion yn gwasgaru yn y gwynt. Fel pobol, mae baswyr yn ddibynadwy iawn, cymeriadau solet sydd 'falla'n dueddol o fod ychydig yn ddiddychymyg a stiff o ran eu personoliaeth.

Y *first tenors* wedyn, dynion â'u lleisia uchel gogoneddus yn brin fel aur, hynny'n golygu eu bod yn gwbod eu gwerth a rhai, yn anffodus, yn ymddwyn felly. O'r holl gantorion, dyma'r rhai sy'n treulio mwya o amser o flaen y drych.

Mae yna ddau enw i'r categori nesa o lais, y baritoniaid neu'r *first bass*, ac er mai y nhw ydi'r lleisia mwya cyffredin – hynny yw, pe byddech chi'n dewis deg o ddynion ar y stryd a rhoi prawf llais iddyn nhw y tebygolrwydd ydi y byddai rhyw saith yn faritoniaid – ganddyn nhw y mae'r lleisia mwya soniarus. Rhywbeth yn debyg i hufen, felly mae sain y bariton yn gyfoethog a melys, yn gynnes a mwyn. Y nhw hefyd ydi aelodau mwya rhywiol y côr, ac os ydi merch am ddewis cymar allan o'r rhengoedd dylai anelu'n syth am yr adran yma. Yna, yn naturiol, mi fyddwn i'n ychwanegu: 'Cyn bod yn arweinydd, bariton oeddwn i fy hun.'

Mi fyddwn i bob amser yn cadw'r *second tenors* hyd y diwedd ac yn mynegi'r broblem o geisio egluro beth a phwy yn union ydi'r dynion yma. Mae eu lleisiau nhw'n rhy isel i fod yn denoriaid go iawn ac eto ddim yn ddigon isel i fod yn faritoniaid. Efo cwmpawd cyfyngedig sy'n gorwedd yn yr hollt rhwng y ddau lais o'u cwmpas mae'r *second tenors* fel ffoaduriaid digartref, yn ddamwain o fewn natur ac yn broblem ddyddiol. Oherwydd eu diffyg adnabyddiaeth a'u diffyg hunaniaeth fe fyddwn i'n rhybuddio'r gynulleidfa i beidio byth â gofyn i *second tenor* sut mae o'n teimlo. Efo'i ddiffyg hyder affwysol mi allai'r holwr fod drwy'r nos yn gwrando ar ei gwynfan! Wedyn, er mwyn gwneud yn siŵr na fyddai holl aelodau'r *second tenors* yn cerdded oddi ar y llwyfan mewn protest, mi fyddwn i'n egluro mai y nhw sy'n gorfod canu'r rhan anodda o'r gerddoriaeth, ac felly mai nhw yw'r cerddorion gora yn y côr. Yna mi fyddem ni'n perfformio un o'r ychydig ddarna sy'n cynnwys rhan flaenllaw i'r *second tenors* ac mi fyddai'r gynulleidfa yn un berw o gymeradwyaeth ar y diwedd, a hynny oherwydd bod pawb yn hoff o'r *underdog*.

Ond oes yna dystiolaeth wyddonol i gadarnhau bod nodweddion arbennig ym mysg gwahanol leisiau dynion? Wel, mewn arolwg a wnaed gan grŵp ymchwil yn yr Almaen rai blynyddoedd yn ôl fe ganfyddwyd bod cyfradd lefel *testosterone* (yr hormon gwrywaidd) ym mysg baritoniaid, o'i gymharu â'u lefel *oestradiol* (yr hormon benywaidd), yn uwch nag un y tenoriaid. Y canlyniad felly oedd bod baritoniaid yn cael mwy o gyfathrach rywiol na thenoriaid a'u bod yn gyffredinol yn fwy llwyddiannus. Ac ar ôl astudio canlyniadau cylchlythyr a anfonwyd at 350 o gantorion operatig yn Llundain ym 1983, fe gyhoeddodd cylchgrawn yr *Institute of Psychiatry* fod baritoniaid yn dalach o 4 centimedr na thenoriaid, bod ganddyn nhw fwy o ysfa rywiol a'u bod yn fwy 'gwrywaidd' na thenoriaid. Hyn oll yn ymddangos fel petai'n cadarnhau'r hen ddywediad hwnnw bod tenoriaid yn 'caru gormod ar eu hunain' i drafferthu cael perthynas ag unrhyw un arall.

Wn i ddim am yr ochr rywiol – wel, ar wahân i'r ffaith i ni gael trafferth un tro pan oedd bariton arbennig yn colli ambell rihyrsal er mwyn mynd rownd i gartref ei ffrind penna (bariton arall) a threulio'r noson yn y gwely efo'i wraig. Doedd hynny ynddo ei hun ddim yn beryg o fod yn bechod anfaddeuol yng ngolwg y pwyllgor, ond fe fu'n rhaid cymryd camau disgyblu pan ddaeth yr ail fariton i wbod am ddichell ei ffrind a mynd ar ei ôl efo gwn 12 bôr. Roedd penderfyniad y fainc yn unfrydol: doedd dim lle i derfysgwyr yn yr Orpheus, ac fe gafodd dyn y gwn ei ddiarddel am byth. Cadwodd y bariton arall ei le ac fe gododd ei ffigurau presenoldeb yn syth. Mae'n wir nad oedd ei ganu cystal ag o'r blaen, ond roedd hynny oherwydd bod ei *bullet-proof vest* yn amharu ar ei anadlu naturiol.

Os oedd yna unrhyw wirionedd yn y gred gyffredinol bod baritoniaid yn fwy gwrywaidd, yn sicr roedd yna dystiolaeth gref ynglŷn â natur personoliaeth y gwahanol leisia pan oedd hi'n dod i wleidyddiaeth y côr – 'gweinyddiaeth' oedd y gair roeddwn i wedi bwriadu ei ddefnyddio yn y fan yna, ond, o ailystyried, yr un peth ydi gweinyddiaeth a gwleidyddiaeth yn y cyswllt yma! Yn bendant, roedd canran uchel iawn o'r *second tenors* ar y pwyllgor ac ym mysg swyddogion y côr, fel pe baen nhw'n ysu i ddangos eu presenoldeb a'u medr y tu allan i'w byd cerddorol undonog a chyfyngedig. Fe allai ambell un o'r rhain fod yn gryn dipyn o niwsans, efo rhyw agenda bersonol i wneud cymaint o ddrwg ag oedd yn bosib i'r arweinydd. Yn y bôn, wrth gwrs, person i'w gasáu a'i ddirmygu a'i dynnu i lawr gam neu ddau ar bob cyfle posib ydi'r arweinydd, rhywun sy'n deyrn absoliwt yn y maes cerddorol ond rhywun y gellir, ac yn wir y dylid, ei gadw dan reolaeth ymhob mater arall. Dyletswydd felly ym marn ambell bwyllgorddyn oedd codi twrw a chreu loes i'r arweinydd. Fe allai ambell i *second tenor* fod yn feistr yn y maes yma. Wedi deud hyn i gyd, un o *second tenors* yr Orpheus fu'r cefnogwr mwya ffyddlon ges i tra bûm i efo'r côr. Nid yn unig roedd Evan Roberts yn ysgrifennydd cyngherddau ardderchog ond fe'm gwarchododd droeon yn ystod cyfnodau hynod o anodd, a sefyll o'm plaid. Mi fydda i bob amser yn ddyledus iddo fo.

Nodwedd arall ddigamsyniol ar y côr oedd pŵer y ferch yn y cefndir. Mae unrhyw un sy'n credu mai gweithgaredd ecscliwsif i ddynion ydi côr meibion yn naïf i'r eitha. Onid oes yna ddywediad adnabyddus sy'n honni bod yna wraig gref y tu ôl i bob gŵr llwyddiannus? Wel, yr un mor wir yn fy marn i ydi'r ffaith y gall dyn nad oes ganddo reolaeth yn ei gartref ei hun greu hafoc mewn lleoedd a sefydliadau eraill. Ambell dro mi fyddwn i'n methu â deall pam bod ambell swyddog neu aelod o'r pwyllgor mor negyddol ac anodd. Yna mi fyddwn i'n cyfarfod ei wraig. Yn ddieithriad fe fyddai honno'n ymgorfforiad o wenwyn a chwerwedd, wedi ei suro gan siom a dicter, ac yn cael ei hunig bleser bellach drwy ymestyn ei dylanwad melltigedig o'r cartref i'r côr. Mi allwn ddychmygu'r gŵr yn dod adra i gorwynt o gwestiynau ar ôl cyfarfod y pwyllgor. Yna, i ddilyn, mi fyddai yna doreth o gynghorion: '*What you want to do in that choir is…*'

Cymhelliad arall ym mysg rhai gwragedd oedd dyrchafu eu hunain yng ngolwg y gymdogaeth. Sawl tro fe ges fy synnu wrth weld gŵr tawel, addfwyn yn cynnig ei hun fel ymgeisydd ar y pwyllgor. Ymhen amser wedyn fe fyddai'n esgyn i fod yn un o'r swyddogion, yn ysgrifennydd neu'n gadeirydd, a finna'n amau a fyddai ganddo ddigon o hyder i ddweud dau air yn gyhoeddus. Yna fe fyddai'r holl beth yn dod yn glir – yn siâp ei wraig bersawrus, honno wedi'i gorchuddio â gemau ac aur ac yn actio i'r eitha y rhan o fod yn gymar 'rhywun pwysig yn yr Orpheus'.

Yn naturiol, mi fyddai'n annheg ac anghyfrifol pe bawn i'n cyfleu'r syniad bod pŵer yr handbag y tu cefn i bob aelod o'r pwyllgor. Heb os roedd mwyafrif y dynion yn gweithredu o'u gwirfodd ac yn rhoi oriau meithion ychwanegol i sicrhau bod ochr weinyddol y côr yn drefnus a phroffesiynol. Y cyfan dwi'n ddeud ydi bod y rhai sy'n credu bod corau meibion yn sefydliadau siofinistaidd cyfyngedig yn twyllo'u hunain.

Yr unig le roedd merch yn dylanwadu'n uniongyrchol ar weithgareddau cerddorol yr Orpheus oedd wrth y piano. Yn y misoedd cynta roeddwn i wedi etifeddu Doreen Williams, y gyfeilyddes oedd yno'n barod, ond buan y daeth hi'n amlwg na fyddai'r berthynas yn gweithio. Mae'n anodd egluro pam yn union, ond efallai fod Doreen yn rhy agos at yr hen gyfundrefn i fedru bod yn hollol gefnogol i mi. Oherwydd gwaeledd ei gŵr doedd hi ddim yn bosib iddi gyflawni'r holl gyfrifoldebau p'run bynnag ac roedd yn rhaid chwilio am gynorthwyydd. Yn hollol ddamweiniol fe ddois i ar draws stiwdant yn y Coleg Cerdd yng Nghaerdydd, merch ifanc 21 oed o Gaernarfon, ac fe'i gwahoddais draw i rihyrsal. Hyd heddiw dydi Mair Wyn Jones ddim wedi maddau i mi am osod copi o 'Gytgan y Pererinion' Joseph Parry o'i blaen – darn lle mae'r *semiquavers* yn gwibio heibio fel ceir yn Brands Hatch – i'w ddarllen ar yr olwg gynta y noson honno. Ond y gwir ydi iddi lwyddo'n rhyfeddol a dod yn gyfeilyddes ardderchog i'r côr am 12 mlynedd. Ymadawiad dagreuol iawn oedd hi ym maes awyr Toronto yng Nghanada pan ddaeth tymor Mair i ben ar ddiwedd ein taith dramor yno ym 1991, a hitha ac Aled ei gŵr wedi penderfynu ymfudo i'r wlad. Ar ôl dod o hyd i'r gyfeilyddes ddelfrydol roeddwn i'n anobeithio na fyddwn i byth yn dod o hyd i un arall fyddai'n dilyn pob symudiad roeddwn i'n ei wneud fel petai hi'n sownd ynof i fel gliw.

Yna, un diwrnod, a minna yn fy swyddfa yn HTV yn gweithio'n galed ar sgript gamera gymhleth ar gyfer y Proms Cymreig, a miwsig yn llenwi'r ystafell, fe ddaeth merch ifanc ddeniadol i mewn a deud:

'Braf ar rai'n gwneud dim ond gwrando ar fiwsig trwy'r dydd!'

A finna ar y pryd dan bwysa mawr, fy ymateb cynta oedd meddwl bod hon yn ferch andros o bowld ac y dylwn i roi cic iddi o dan ei thin. Yna mi eglurodd mai athrawes biano oedd hi ond ei bod yn gwneud ychydig o waith swyddfa achlysurol yn HTV. Fel mae'n digwydd, meddwn inna, gan newid fy agwedd yn syth, dwi'n chwilio am gyfeilyddes. Fyddai ganddi hi ddiddordeb? Byddai. A beth oedd yr enw unwaith eto?

'Joy,' meddai hi.

Llawenydd yn wir i rywun, meddyliais inna.

PENNOD 16

Y N GYFFREDINOL roedd y BBC, yn ystod y cyfnod pan ddechreuais i
efo nhw, braidd yn haearnaidd ynglŷn â chyfnewid swyddi. Doedd
y term 'amlsgiliau' ddim yn bodoli bryd hynny a'r unig ffordd y gallai
unrhyw un gael profiad o waith gwahanol mewn adran arall oedd drwy
system a elwid 'attachments' – sef cyfle i unigolion dreulio rhyw dri mis
yn gwneud gwaith arall, mwy diddorol. Roedd yn rhaid cystadlu am yr
ymlyniadau hyn fel unrhyw swydd arall, a phur anaml y byddai unrhyw
un yn gallu dianc o'i hen swydd am byth. Y gred oedd bod rhyw newid
bach yn mynd i fodloni person am ychydig cyn ei gondemnio'n ôl wedyn
i oes o lafur yn ei hen swydd.

Ond mae un peth yn gryfach na pholisïau a thraddodiadau caeth, sef
prinder arian. Adeg dyfodiad Radio Cymru roedd y gwasanaeth radio
Cymraeg yn cael ei redeg ar gyllideb hynod o fechan ac roedd nifer o
gynhyrchwyr yn cyflwyno'u rhaglenni eu hunain yn ogystal â'u cynhyrchu.
Roedd unigolion eraill yn cyfrannu at y gwasanaeth fel rhyw estyniad o'u
gwaith bob dydd. Un o'r rhain oedd Frank Lincoln, un o gyhoeddwyr yr
Adran Gyflwyno a chyn-actor adnabyddus. Oherwydd ei ddiddordeb mawr
mewn cerddoriaeth, ac opera yn arbennig, roedd Frank wedi cychwyn
cyfres fore Sul o'r enw *Cywair*, rhaglen o gerddoriaeth glasurol boblogaidd
efo'r darnau'n cael eu cyflwyno mewn dull sgyrsiol, cyffredinol gan osgoi
bod yn academaidd a chynnwys manylion am gefndir y cyfansoddwr, y
canwr, yr offerynnwr neu'r arweinydd.

Un diwrnod fe ges alwad ffôn oddi wrth Meirion Edwards, golygydd
cynta Radio Cymru. Oherwydd prysurdeb ei waith bob dydd roedd Frank
Lincoln am gael tri mis o seibiant dros fisoedd yr haf ac ni fyddai'n cyflwyno
Cywair. Fyddai gen i ddiddordeb mewn cynhyrchu'r gyfres am y cyfnod byr

hwnnw? Doedd dim rhaid i mi feddwl ddwywaith ac fe gytunais yn syth. Fe fyddai angen ystyried pwy fyddai'n cyflwyno'r gyfres ar ei newydd wedd ac fe addewais feddwl am hynny. Ond, ddeuddydd yn ddiweddarach, roedd Meirion yn ôl ar y ffôn yn awgrymu y dylwn i gyflwyno *Cywair* fy hun yn ogystal â chynhyrchu'r rhaglen. Rŵan, roedd hyn yn fater gwahanol. Un peth ydi bod yn y cefndir yn dewis y gerddoriaeth, llunio sgript a threfnu popeth. Peth arall ydi cyfathrebu'n uniongyrchol â'r gwrandawr. Beth pe byddai pobol yn casáu fy llais i? Beth pe bai cwynion di-ri yn dod oddi wrth genedl gyfan oedd am gael gwared â'r presenoldeb newydd ar y tonfeddi ar fore Sul? Eglurais wrth Meirion y byddai'n rhaid i mi ystyried hyn yn ofalus ac y byddwn yn gadael iddo fo wbod cyn hir.

Efallai ei bod hi'n ymddangos fy mod i'n gwneud môr a mynydd o hyn rŵan ond, coeliwch fi, fe ges i hi'n anodd iawn dod i benderfyniad ynglŷn â'r cyflwyno. Yr unig gysur oedd y ffaith mai dim ond am dri mis y byddwn i'n gyfrifol a dyna pam y gwnes i gytuno cyflwyno. Hyd yn oed pe bawn i'r trychineb darlledu mwya yn hanes yr iaith Gymraeg roedd gen i ddihangfa ymhen tri mis.

Roedd gan *Cywair* slot darlledu delfrydol, am 11 o'r gloch ar fore Sul, un o'r adegau prin hynny mewn wythnos pan na fyddai pobol yn gwylio'r teledu a phryd y bydden nhw wrthi'n coginio cinio dydd Sul, yn darllen y papurau newydd neu'n ymlacio. Roedd bwriad y rhaglen yn cyd-fynd yn hollol â'r hyn roeddwn i wastad wedi'i gredu ynglŷn â cherddoriaeth glasurol, sef ei bod yn bosib i bawb ei mwynhau o ddewis darnau'n ddoeth a'u cyflwyno'n weddol anffurfiol. Pa mor aml roeddwn i wedi cywilyddio wrth wrando ar arddull cyflwynwyr ffug-academaidd snobyddlyd Radio 3 wrth iddyn nhw ymfalchïo yn natur unigryw eu cynnyrch? I mi roedden nhw'n dinistrio'r awydd naturiol i *fwynhau* cerddoriaeth. Ar hyd y blynyddoedd mae pobol yn aml wedi deud wrtha i, 'Dwi'n mwynhau gwrando ar fiwsig yn arw,' cyn ychwanegu, fel rhyw fath o ymddiheuriad am eu twpdra, 'cofiwch chi, dwi ddim yn deall dim arno fo.'

Ond a oes unrhyw beth i'w 'ddeall' mewn cerddoriaeth? Onid ydi'r miwsig gora bob amser yn siarad drosto'i hun ac yn cyrraedd ei nod? Fe all un darn o gerddoriaeth gyfleu pob math o wahanol syniadau ac emosiynau i wahanol bobol, pob un ohonyn nhw'n ddilys. Profiad hynod o bersonol ydi gwrando ar gerddoriaeth, sy'n llawer mwy annelwig ei neges nag unrhyw ffurf gelfyddydol arall. Wedi'r cyfan, pwy all ddweud bod Athro Cerdd mewn prifysgol, sy'n gallu dadansoddi'n academaidd bob nodyn mewn symffoni neu opera, yn *mwynhau* gwrando ar ddarn yn fwy na'r person cyffredin sydd heb yr un wybodaeth?

Yn sicr mae'r hen gred bod rhywun yn darganfod rhywbeth newydd bob tro mae'n gwrando yn berffaith wir, a hynny oherwydd bod elfennau llai amlwg yn y gerddoriaeth yn cael eu hamlygu wrth i rywun ddod yn fwy cyfarwydd â'r darn. Mawredd cerddoriaeth Mozart ydi ei bod hi'n bosib i unrhyw un ei mwynhau, boed nhw'n blant neu'n henoed, yn ddysgedig neu'n anwybodus.

Ar gyfer fy nhri mis o raglenni mi wnes ddewis fy hoff ddarnau i gyd, gan roi'r wyau gora yn yr un fasged. Wedyn mi chwiliais am bethau roeddwn i'n eu hystyried yn ddiddorol i'w dweud amdanyn nhw fel cyflwyniadau, yn straeon difyr neu'n ffeithiau hynod. Un peth sy'n sicr am gerddorion: maen nhw'n griw gwahanol iawn, efo ffyrdd o fyw sy'n aml yn codi gwallt y pen. Ond dod o hyd i'r cynnyrch oedd y broblem. Erbyn heddiw mae peth wmbredd o lyfrau ar gael gyda theitlau fel *'Favourite Anecdotes about Music'*, ond pan ddechreuais i efo *Cywair* doedd dim o'r ffasiwn beth, felly roedd yn rhaid i mi ddarllen degau o lyfrau a chofiannau. Roeddwn i'n cyfri fy hun yn lwcus pe byddai un stori yn werth ei dyfynnu mewn llyfr.

Heb amheuaeth, mi wnes ddysgu andros o lot wrth baratoi sgriptiau *Cywair*, gan ddod i adnabod cyfansoddwyr a cherddorion mewn ffyrdd nad oeddwn i wedi eu dychmygu cynt: y ffaith bod Beethoven wedi bod yn y carchar, bod Schubert yn diodde (ac wedi marw, 'falla) o siffilis, a bod Wagner yn hoffi gwisgo pyjamas sidan pinc. Doedd yr un o'r ffeithia hyn yn dylanwadu ar natur eu cerddoriaeth nhw, wrth gwrs, nac yn helpu fawr ddim wrth wrando ar eu miwsig, ond o leia roedden nhw'n profi mai creaduriaid dynol oedden nhw yn hytrach nag enwau sychion mewn llyfrau.

Byddai'r rhaglen *Cywair* yn cael ei recordio cyn iddi gael ei darlledu, a phan ddaeth yn amser darlledu'r rhaglen gynta ar 22 Mehefin 1979 roeddwn i ar bigau'r drain. Gan fy mod i'n fy nghynhyrchu fi fy hun ar y rhaglen hefyd roedd hi'n ofynnol i mi wrando ar y darllediad er mwyn gallu barnu a chywiro unrhyw arferion drwg yn fy nghyflwyniadau. Proses boenus iawn oedd hon ac fe'm cefais fy hun yn cerdded o gwmpas yr ystafell wrth orfod diodde'r llais ofnadwy yn dod o enau'r radio. O leia, meddwn i wrth gysuro fy hun, mi fydd hyn i gyd drosodd ymhen tri mis. Y gwir amdani ydi i mi stopio gwrando yn gyfan gwbl ar ôl rhyw bythefnos, gymaint roeddwn i'n casáu'r profiad.

Ar ôl rhyw ddeufis, a minnau'n gweld y diwedd yn nesáu, mi welais Frank Lincoln yn y coridor un diwrnod. 'Pa ddyddiad yn union rwyt ti'n ail ddechra?' meddwn i wrtho fo. Roedd Frank yn amlwg wedi mwynhau gormod ar ei ymddeoliad cynnar o'r gyfres, a'r canlyniad oedd i'm tri mis i efo *Cywair* bara am ddwy flynedd ar bymtheg!

Yn ogystal â'm gorfodi i chwilio yn gyson am straeon i'w hadrodd am y cerddorion, roedd *Cywair* hefyd yn fy nghadw'n brysur wrth geisio chwilio am ddarnau newydd, hynny yw darnau newydd i mi ond rhai a allai apelio'n syth at gynulleidfa gyffredinol. Mae'n rhyfeddol gymaint o emau bychain sy'n guddiedig yn nhrysorfa fawr cerddoriaeth, yn disgwyl am gael eu darganfod. Mi allai hon fod yn broses hynod o gyffrous, a doedd dim yn well gen i na dod o hyd i ryw berl bach o fiwsig ac yna rhannu fy mrwdfrydedd efo fy ngwrandawyr. Mewn gwirionedd roedd hon yn fath ar fraint arbennig, ac roeddwn i'n teimlo fy hun yn ffodus iawn o fod mewn sefyllfa o'r fath. Rhaid cofio hefyd bod hyn i gyd ymhell cyn sefydlu Classic FM, pan agorwyd llifddorau'r *repertoire* clasurol poblogaidd, gan ennill cynulleidfa newydd dros nos bron.

Mae ambell un o'r perlau hyn yn dal i aros yn y cof: *Minuet* fach gan Handel oedd ar un o recordiau hirion y pianydd Wilhelm Kempff; hen recordiad yn y flwyddyn 1935 o'r soprano Claudia Muzio yn canu cân fendigedig o'r enw 'Ombra di Nube' gan Refice, cyfansoddwr diarth o'r Eidal; darn cerddorfaol orgasmaidd dan y teitl 'Preliwd' allan o'r gyfres 'From the Middle Ages' gan Glazunov – ac yn y blaen. Yr un peth fyddai'n digwydd bob tro y byddwn i'n dod ar draws un o'r darna hyn: chwarae'r miwsig drosodd a throsodd am ddyddia wedi gwirioni'n llwyr arno, nes yn y diwedd i'r holl beth fod yn rhan ohona i ac y gallwn i wedyn roi seibiant i'r gwrando.

Yr un mor gyffrous oedd dod o hyd i stori dda. Mae byd perfformio yn ei hanfod yn golygu byw ar ffin trychineb, ac roeddwn i wedi bod yn dyst i rai digwyddiadau rhyfedd iawn yn ystod fy nyddiau efo cerddorfeydd ieuenctid. Un tro roedd merch eitha eiddil yn gyfrifol am chwarae'r timpani – y *kettle drums*. Roedd hi'n amlwg yn ddibrofiad. Fe allech chi weld hynny wrth y ffordd roedd hi'n cyffwrdd yn y drymiau'n dyner a phetrus, ac roedd yr arweinydd byth a hefyd yn ei hannog i roi tipyn bach mwy o egni yn ei pherfformiad. I wneud pethau'n waeth roedd un darn, 'War March of the Priests' gan Mendelssohn, yn cychwyn efo unawd gan y timpani ar ffurf *roll* swnllyd, ac yn hyn o beth roedd y ferch druan yn swp o nerfau. Noson y perfformiad roedd hi'n amlwg yn poeni tipyn cyn ei moment fawr, felly pan gyrhaeddodd yr arweinydd y *podium* a gwenu'n ddel arni fel arwydd o'i ffydd a'i gefnogaeth iddi, mi neidiodd hitha ati a dechrau'r *roll*. Doedd yr un ohonom ni'n barod am hyn, gan gynnwys yr arweinydd, a chan mai dim ond pedwar curiad oedd yna cyn bod gweddill y gerddorfa'n dod i mewn fe fu yna'r sgrialu rhyfedda wrth i ni godi'n hofferynnau i drio cynhyrchu rhyw fath o sŵn mewn pryd.

Ond yn y byd proffesiynol mae yna straeon sy'n glasuron. Un o'm ffefrynna ydi honno am yr arweinydd Leopold Stokowski un tro'n perfformio'r agorawd Leonora Rhif 3 gan Beethoven. Yn y darn hwn mae angen i'r chwaraewr utgorn berfformio dwy unawd fer fel pe bai'n swnio o bell, a hynny'n golygu ei fod fel arfer yn cuddio rhywle yng nghefn y llwyfan. Pan ddaeth yr amser am yr unawd gynta fe glywyd ychydig nodau cywir ac yna rhyw gythrwfl aflafar oddi wrth yr utganwr. Tra bod y gynulleidfa'n rhyfeddu roedd Stokowski'n gwgu, ac fe aeth ei wyneb yn goch mewn cynddaredd ychydig funudau'n ddiweddarach pan ddigwyddodd yr un peth adeg yr ail unawd. Ar ddiwedd yr agorawd mi ruthrodd Stokowski i ffwrdd oddi ar y *podium* heb gydnabod y gymeradwyaeth a brasgamu tua'r cefn i roi pryd o dafod i'r chwaraewr utgorn. Pan gyrhaeddodd y cefn dyna lle'r oedd yr unawdydd yn ymladd ar y llawr efo gofalwr y neuadd, a hwnnw'n gweiddi: '*I've told you before, you can't blow that damn thing in here, there's a concert on!*'

Yn naturiol mae yna storfa ddi-ben-draw o hanesion yn ymwneud ag arweinyddion, rhai ohonyn nhw'n enwog fel Syr Thomas Beecham, Toscanini a Klemperer, y cymeriadau lliwgar rheiny oedd yn byw mewn cyfnod pan oedd yr arweinydd yn deyrn absoliwt, yn un i'w ofni a'i gasáu. Yn aml iawn roedd yr hiwmor yn digwydd oherwydd mai estroniaid oedden nhw, efo dim ond gafael elfennol iawn ar yr iaith fain. Y gŵr o'r Swistir, Ernest Ansermet, oedd un o'r gwaetha. Medda fo un tro yn ystod rihyrsal lle'r oedd y chwaraewyr yn bihafio braidd yn blentynnaidd: '*Look, a joke then and now, yes very. But always, by God never!*'

Ond fy ffefryn i ydi'r stori na allwn i byth fod wedi ei chynnwys ar *Cywair*. Roedd rhyw arweinydd anhysbys o un o wledydd dwyrain Ewrop un tro'n cael trafferth efo cerddorfa Brydeinig anystywallt a fyddai'n tueddu i anwybyddu ei gyfarwyddiadau a'i gynghorion. Yn y diwedd fe gollodd ei dymer, lluchio ei faton i'r llawr a gweiddi yn ei Saesneg bratiog: '*Look! – you people think I know fuck nothing about music! I tell you, I know fuck all!*'

Mae perygl i mi oedi'n ormodol ym myd yr anecdotau cerdd hyn, ond cyn symud ymlaen dyma un newydd sbon y dois i ar ei thraws y dydd o'r blaen. Oherwydd ei bod hi'n newydd i mi, ac nad oes gen i ffordd uniongyrchol o'i rhannu â'r cyhoedd bellach, dyma hi:

Roedd yr unawdydd ffidil enwog o'r Almaen, Johann Salomon, ar ôl symud i fyw i Lundain ym 1782, wedi cael cais i roi gwersi ffidil i neb llai na'r Brenin ei hun, Sior III. Er nad oedd fawr o dalent gerddorol yn y gwaed brenhinol, allai Salomon ddim gwrthod gwaith mor urddasol. Ar ôl rhai misoedd o rygnu wrthi fe ofynnodd y Brenin un diwrnod i'w athro beth oedd ei farn am ei gynnydd:

'Wel,' meddai Salomon, 'mae yna dair lefel o fedrusrwydd cyn belled ag y mae'r ffidil yn bod: methu chwarae, chwarae'n wael, a chwarae'n dda. Mae'n dda gen i ddeud bod Eich Mawrhydi bellach wedi cyrraedd yr ail lefel.'

Bron o'r cychwyn cynta roeddwn i'n derbyn llythyrau oddi wrth wrandawyr *Cywair*, rhai'n gofyn am glywed rhyw ddarn arbennig ac eraill am rannu profiad â mi ar ôl i ryw fiwsig ddwyn atgofion yn ôl iddyn nhw. Mi sylweddolais yn fuan 'mod i'n cael fy nghyfri fel rhyw fath o 'fodryb gofidiau' neu seiciatrydd rhad, wrth i bobol unig eu byd fy ngweld fel math o gyfaill personol fyddai'n galw heibio unwaith yr wythnos. Fe fu'r llythyrau hyn yn help mawr i mi greu darlun o'r gynulleidfa anweledig roeddwn i'n ei chyfarch bob bore Sul, a'r rhai oedd yn fy nghroesawu i'w cartrefi. Cyfaddefodd un wraig iddi losgi'r grefi un tro pan oedd darn arbennig wedi'i phlesio, ac fe soniodd un o weinidogion yr efengyl wrtha i ei fod o'n gyndyn o adael ei gar ambell waith pan oedd miwsig gafaelgar ar y rhaglen ac yntau wedi hen gyrraedd y Tŷ Capel am ginio.

Ond mi fyddai ambell lythyr yn cynnwys neges lawer mwy awgrymog. Wn i ddim sut y bu, na phwy ddechreuodd gyfeirio at 'y llais melfedaidd' a'r 'llais rhywiol', ond buan y daeth y labeli yn destun siarad a chyfeiriadau yma ac acw. I mi roedd o'n beth hollol naturiol ar fore Sul, wrth gyflwyno miwsig clasurol, i ddefnyddio llais gweddol dawel mewn arddull glos 'agos-atoch-chi'. Fyddai gweiddi ar dop fy llais a siarad ar garlam yn null Radio 1 ddim yn naturiol nac yn gweddu o gwbl. Felly, er nad oeddwn i'n anelu at fod yn felfedaidd nac yn rhywiol, mae'n rhaid mai dyna'r effaith gafwyd oherwydd roedd ambell i lythyr (oddi wrth ferched yn unig dwi'n prysuro dweud!) yn gyfystyr â gwahoddiad i rannu mwy na diddordeb yn Verdi a Puccini. Mewn un llythyr dienw fe wnaeth un wraig fygwth dod i un o rihyrsals Côr Orpheus Treforys er mwyn dod i gysylltiad agosach â'r llais. Dros y misoedd wedyn mi fyddwn i'n talu mwy nag arfer o sylw i'r rhes o ymwelwyr a eisteddai yng nghefn y neuadd ymarfer, gan ddyfalu pwy tybed oedd yr edmygydd dirgel. Ambell dro, pan fyddai angyles hyfryd efo gwefusau ymwthiol yn lledorwedd yno yn ei melfed du, mi fyddai 'nghalon yn llamu'n ddisgwylgar. Ond, ran amla, pladras lympiog, farfog wedi ei hamgylchynu ag aceri o *crimplene* fyddai'n llenwi'r olygfa ar y gorwel. P'run bynnag, pwy bynnag oedd hi, wnaeth hi erioed ddatgelu ei hun.

Y brif broblem, wrth gwrs, gan nad oeddwn i'n ymddangos ar y teledu bryd hynny, oedd fod merched yn creu darlun dychmygol ohona i i gydfynd efo'r llais – darlun o ddyn rhywiol, soffistigedig siŵr o fod, efo llond pafiliwn o *savoir faire*. Mae'n rhaid eu bod nhw wedi cael siom aruthrol o weld y dyn yn y cnawd.

Cofiwch chi, un tro ar faes rhyw eisteddfod neu'i gilydd, fe ddaeth gwraig ata i a deud nad oeddwn i'n edrych yn debyg o gwbl i'r llais ar y radio. 'Roeddwn i'n dychmygu rhywun canol oed, moel, tew, rhadlon braf a llond ei groen,' medda hi. A finna'n gwenu'n ddel oherwydd 'mod i'n falch nad oeddwn i'n ffitio'r disgrifiad hwnnw ar un cyfri, mi sylwais ar wyneb siomedig y wraig. Ysgwyd ei phen wnaeth hi, troi ar ei sawdl a cherdded i ffwrdd yn drymaidd. Iddi hi fyddai boreau Sul byth yr un fath eto.

Bob hyn a hyn fe fyddai yna gyfeiriad ata i a'r rhaglen yn *Y Cymro, Y Faner* neu, yn ddiweddarach, *Golwg*. Doedden nhw ddim bob amser yn garedig. Dyma ysgrifennodd Sian Gwenllian un tro:

Dydd Sul yw diwrnod 'clasurol' Radio Cymru. Y bore'n cyrraedd ei uchafbwynt efo llais melfedaidd(?) Alwyn Humphreys a'i bytiau gwybodus am y cerddorion. Mae arlliw sidêt i'r cyfan. Ond a fydde hi bellach yn bosib paratoi'r cinio Sul i unrhyw gyfeiliant arall? Yr ateb gonest i hynny yw – bydde! Mae'r cyfan wedi mynd yn ormod a'r rhaglen bron yn barodi ohoni hi'i hun.

Ond, beth bynnag am y ddelwedd sidêt, fe ddrylliwyd y cyfan un bore Sul pan glywyd cyflwynydd *Cywair* yn dweud brawddeg fel hon:

'Pan aeth Chopin ar daith i Majorca ym mil wyth... O SHIT! Pan aeth Chopin ar daith i Majorca ym mil wyth tri wyth...'

Yn ôl f'arfer, doeddwn i ddim yn gwrando ar y rhaglen ar y pryd, felly pan ganodd y ffôn yn ddiweddarach a Wyndham Richards, y cyhoeddwr ar ddyletswydd y bore hwnnw, ar y lein, wnes i ddim meddwl dim.

'Rhaglen dda bore 'ma Humphreys,' medda fo.

'O, diolch Wyndham.'

'Ia, dewis da o ddarna, yn enwedig y Verdi. Piti dy fod ti wedi deud "shit" 'fyd.'

'Paid â malu!'

'Do'n wir, ond paid â phoeni, dim ond dwy gŵyn ry'n ni wedi cael – un oddi wrth rhyw Mrs Roberts a'r llall gan Archesgob Cymru.'

Cellwair oedd o, wrth gwrs, ynglŷn â'r galwada, ond mi gymrodd hi beth amser iddo fo fy narbwyllo fy mod i wedi rhegi ar y radio, a hynny ar fore Sul! Mi redais yn syth i'r BBC a gofyn i'r peiriannydd chwarae'r tâp yn ôl i mi. Oedd, roedd y gair drwg yno, a hynny oherwydd nad oeddwn i wedi sicrhau bod y tâp wedi'i olygu yn iawn. Mi es i'n oer i gyd, ac yna, efo un anadl ddofn, mi ymwrolais a chodi'r ffôn i ymddiheuro i Meirion Edwards. Chwerthin wnaeth o, gan ychwanegu: 'Mi alla fod wedi bod yn waeth. Diolcha na wnes ti ddim deud ff...!'

Gyda llaw, mae Meirion Edwards ym mysg y bobl y mae gen i'r diolch mwya iddyn nhw. Y fo roddodd y cyfle i mi, nid yn unig i fod yn ddarlledwr ond hefyd i deimlo rhywfaint o'r hunanhyder roeddwn i gymaint ei angen ar gyfer gwneud y fath beth. Ac nid *Cywair* oedd yr unig raglen. Yn ddiweddarach fe'm perswadiodd i greu cwis cerdd ar y radio, *Canu Cloch*, ac fe gawsom andros o lot o hwyl yn y sesiynau recordio efo tîm gwadd bob wythnos yn ymryson yn erbyn y tîm cartref, sef Frank Lincoln a Lily Richards.

Ym 1979, ar ôl cael ei ddarlledu'n ddi-dor bob bore Sul am dros ddwy flynedd ar bymtheg, fe ddaeth *Cywair* i ben, yn dilyn cyfnod o newidiadau sylfaenol ym mhatrwm darlledu Radio Cymru. Yn naturiol mi roeddwn i'n siomedig ar y pryd, yn enwedig gan fy mod i erbyn hynny, fel gweithiwr hunangyflogedig y tu allan i'r BBC, yn cael fy nhalu am wneud y rhaglen – a hynny ar ôl i mi ei gwneud yn hollol ddi-dâl am nifer o flynyddoedd er mwyn helpu sefydlu Radio Cymru yn ei ddyddiau cynnar. Ond does gan yr un ohonom ni hawl ar y tonfeddi, ac mae'n bwysig symud ymlaen, a *chael* ein symud ymlaen weithia, cyn belled â bod pobol yn onest wrth sôn am eu hamcanion.

Ond roedd yna gyfraniad radio arall roeddwn i wedi bod yn ei wneud yn ystod y cyfnod yma. Pan adawodd Robin Jones y BBC ym 1982, ar ôl cael ei benodi'n Uwch Gyhoeddwr cyntaf S4C, mae'n debyg iddo, yn garedig iawn, awgrymu cyn mynd y byddwn i yn berson addas i'w olynu fel sylwebydd ar y rhaglenni radio o'r Eisteddfod Genedlaethol. Hywel Gwynfryn, wrth gwrs, oedd yr arch-sylwebydd yn y maes ers rhai blynyddoedd, ac oherwydd bod y brifwyl i'w chynnal yn Llangefni roedd hi'n naturiol cael dau Fonwysyn yn cyflwyno'r rhaglenni.

Yn y blynyddoedd cynnar rheiny fe fyddai Hywel wedi bod ar yr awyr am dros ddwy awr yn barod, ers hanner awr wedi chwech y bore efo *Helo Bobol*, cyn bod y rhaglenni eisteddfodol yn cychwyn am bum munud wedi naw, ac ynta wedi cael cwta bum munud i gael ei wynt ato yn ystod y bwletin newyddion am naw o'r gloch. Mewn wythnos mor galed mae'n rhaid bod blinder weithia yn ei lethu, ond doedd o byth yn ymddangos felly, a doedd dim pall ar ei egni na'i frwdfrydedd drwy gydol yr wythnos. A jyst er mwyn dangos nad oedd hyn oll yn ormod iddo fo fe fyddai Hywel hefyd yn cyflwyno ambell i gyngerdd yn y pafiliwn, a hwnnw'n aml yn cael ei ddangos ar deledu ac felly yn creu straen ychwanegol.

Yn fy safle agored, reit wrth droed y llwyfan, roeddwn i'n naturiol yn eitha nerfus o wneud y stwff 'sylwebu' yma am y tro cynta, a hynny'n fyw wrth gwrs, heb fawr o syniad beth oedd o'm blaen a dim ail gynnig pe bawn yn gwneud smonach ohoni. Ond roedd cydweithio efo Hywel, a sylwi sut roedd o'n trin y cyfrwng a'r drefn eisteddfodol, yn well nag unrhyw hyfforddiant ffurfiol allai unrhyw un ei gael. Roedd o – ac mae'n dal i fod – yn arbenigwr ar ddarlunio'r sefyllfa a gwneud y profiad yn fyw i wrandawyr. Amseru oedd y prif beth – gwbod pryd i siarad a hefyd deud dim ond digon i lenwi'r bwlch rhwng diwedd perfformiad cystadleuydd a chyflwyniad nesaf yr arweinydd llwyfan. Ymhen rhai blynyddoedd fe fyddai'n dod yn gystadleuaeth rhwng Hywel a minna, yn enwedig yn ystod darnau'r bandia pres, i weld pwy allai siarad agosa at nodyn cynta'r darn nesa heb dorri ar ei draws. I wneud hyn roedd angen astudio'n ofalus arddull pob arweinydd band i weld a oedd o'n un o'r rhai fyddai'n neidio iddi heb fawr o rybudd ynteu un o'r rhai hamddenol oedd fel pe bai'n disgwyl am baned o de cyn symud ymlaen.

Yr unig wir hunllef i sylwebydd ydi'r sefyllfa pan nad oes dim i roi sylwebaeth arno – hynny yw, pan nad oes dim yn digwydd a chitha yn dal meicroffon yn eich llaw a rhai miloedd o bobol yn disgwyl eich clywed yn deud rhywbeth, o leia. Yn aml iawn, cyn i'r Eisteddfod Genedlaethol ymrafael â'r broblem, doedd hi ddim yn anghyffredin cael sawl egwyl hir o ryw awr yn y pafiliwn – hyn oherwydd diffyg cystadleuwyr, neu o bosib rhywbeth difrifol fel gormod o law yn dod i mewn i'r pafiliwn gan greu perygl drwy i'r gwifrau trydan gael eu gwlychu. Ar yr adegau hynny fe fyddai Hywel yn cerdded y maes yn y tywydd garw efo'i bac darlledu ar ei gefn yn holi hwn a'r llall. Roedd hyn yn gallu bod yn hynod ddifyr, ac yn rhoi darlun mwy cyflawn i'r gwrandawr radio o hynt a helynt, cyffro a stŵr maes yr eisteddfod. Ond, yn amlwg, roedd yna ben draw i faint o hynny y gellid ei wneud, ac er mwyn i Hywel gael seibiant bach a chael cyfle i symud i ran arall o'r maes fe fyddai'n dychwelyd ata i i gael 'y diweddara o'r pafiliwn'. Ymddiheuro fyddwn i'n amlach na pheidio, ac egluro bod y llwyfan yn dal yn wag ac y byddai'r gystadleuaeth nesa yn cychwyn, 'gobeithio', ymhen rhyw ugain munud neu hanner awr.

Un tro, a Hywel druan wedi bod allan am beth amser yn llenwi'r gofod, mi welais fod posibilrwydd i'r cystadlu ailddechrau wrth i arweinydd y bore, Rhiannon Rees, ymddangos yng nghefn y llwyfan. Wrth iddi gamu tua'r meicroffon mi roddwyd arwydd i Hywel ddod â'i gyfraniad i ben. Ond yna mi stopiodd Rhiannon hanner ffordd ar ei thaith tua'r meic, a hynny oherwydd i Robin Jones, ei chyd-arweinydd, alw arni o lawr y pafiliwn, yr ochr arall i'r llwyfan i le roeddwn i'n eistedd. Hynny yw roeddwn i a Robin ar yr un lefel ond roedd lled y llwyfan rhyngom ni.

'A rŵan' meddai Hywel efo ochenaid o ryddhad, 'mi awn ni'n ôl i'r pafiliwn. Alwyn, be sy'n digwydd?'

Ac mi ddisgrifiais inna'r olygfa fel roeddwn i'n ei gweld hi.

'Wel Hywel, mi alla i weld pen Robin Jones rhwng coesa Rhiannon Rees...'

Oni bai am sgrechian chwerthin y cynhyrchydd yn fy nghlustia fyddwn

i ddim wedi bod yn ymwybodol o gwbl o arwyddocâd fy mrawddeg. Yn
y busnes sylwebu yma, anodd, yn aml, ydi sylweddoli beth sydd wedi
dod allan o'r geg cyn tynnu'r droed allan ohoni'n gynta. Hyd yn oed o'r
cychwyn cynta, pan oeddwn i'n debygol o fod yn gryn risg yn y gwaith,
roedd Hywel yn hynod o hael ynglŷn â rhannu'r cyfrifoldeb. Roedd o bob
amser yn rhoi'r pwyslais ar y 'cyd' yn ein cyd-gyflwyno, ac mi fydda i'n
dragwyddol ddiolchgar iddo fo am ei ffydd yno i ac am ei garedigrwydd.

Er fy mod i'n eitha mwynhau bod o gwmpas y Genedlaethol a'i
phetha, roedd yna un peth yn anad dim yn fy mlino, sef y pwysau cyson
arna i i ddod â'r côr i gystadlu. Bron bob blwyddyn mi fyddai rhywun yn
ffonio cyn yr eisteddfod i ofyn fyddwn i'n dod â'r côr i'w steddfod nhw,
'er mwyn cefnogi'. Mi fyddwn inna'n egluro yn amyneddgar bod Côr
Orpheus Treforys yn cefnogi'r eisteddfod drwy godi arian, oherwydd bob
tro y byddai cais yn dod am gyngerdd elusennol mi fyddai'r un ar gyfer yr
Eisteddfod Genedlaethol yn mynd i dop y rhestr yn syth. Wedi'r cyfan,
drwy'r eisteddfod roedd y côr wedi dod i amlygrwydd, ac roeddem ni'n
falch iawn o gael talu'r ddyled yn ôl bob cyfle posib. Ond na, cefnogi drwy
gystadlu acw roedden nhw'n feddwl. Yna mi fyddwn i'n gofyn i'r person
ar ben arall y ffôn oedd o neu hi wedi cefnogi'r eisteddfod y flwyddyn gynt
drwy fod yn bresennol yn y pafiliwn adeg cystadlaethau'r corau meibion,
oherwydd tenau iawn oedd y gynulleidfa bryd hynny, ac roedd y sefyllfa
yn gwaethygu o flwyddyn i flwyddyn. 'Na' fyddai'r ateb.

Ond, i fod yn hollol realistig, oedd pobol mewn difri yn disgwyl i mi
symud o'm sedd sylwebu gan ddeud rhywbeth fel: 'Wel, gwell i mi fynd
i baratoi rŵan ar gyfer ymddangosiad fy nghôr yn y gystadleuaeth nesa.
Mi fydda i'n ôl efo chi cyn hir.' Yna, ar ôl y feirniadaeth, ailafael yn fy
meicroffon gan guddio un ai fy siomiant neu fy malchder. Mae'r holl syniad
yn ynfyd! Yr unig ddewis arall fyddai peidio â gweithio yn y Genedlaethol a
dod yno i gystadlu. Ond tybed faint o bobol fyddai'n fodlon ildio wythnos
o waith er mwyn cystadlu? Y gwir ydi fy mod i a channoedd o'm tebyg
wedi aberthu llawer iawn yn ariannol er mwyn byd y corau meibion, a
phur anaml y mae pobol yn sylweddoli nac yn cydnabod hynny. Ac nid

dim ond gwneud y gwaith yn wirfoddol ydw i'n ei olygu – ond *colli* cryn dipyn o arian er mwyn gallu cyflawni ein dyletswyddau'n iawn.

Gallwch felly ddychmygu fy siom adeg Eisteddfod Genedlaethol Bro Colwyn ym 1995 pan ymddangosodd erthygl gan y Parch W J Edwards yn y *Western Mail*. Roedd y llith yn brolio pawb a phopeth ynglŷn â'r steddfod, ar wahân i'r paragraff yma tua'r diwedd:

> *Heddiw ar ddiwrnod ola'r cystadlu ym Mro Colwyn bydd y corau meibion yn esgyn i'r llwyfan ond ni fydd Côr Meibion Treforys yn eu plith. Ni fu'r côr ar gyfyl yr ŵyl ers blynyddoedd ac o glywed ei arweinydd Alwyn Humphries (sic) yn siarad mor sarhaus am y steddfod a'r gynulleidfa yn y pafiliwn ar Stondin Sulwyn yn ddiweddar teimlais yn drist. Ac eto y mae Alwyn yn y steddfod ac yn ennill cyflog am sylwebu ar y radio ar y cystadlaethau cerddorol.*

Yn amlwg, i rai, mi ddylwn i weithio am ddim a chystadlu yr un pryd! Gyda llaw, doeddwn i ddim wedi bod yn sarhaus am y steddfod na'r gynulleidfa ar *Stondin Sulwyn*. Cwyno wnes i nad oedd fawr neb bellach yn y pafiliwn yn gwrando ar gystadlaethau – boed nhw'n rhai corau meibion neu beth bynnag arall. Beth oedd y pwynt, meddwn i, o ymfalchïo bod 30,000 o bobol ar faes y steddfod pan oedd rheiny'n cerdded rownd y pafiliwn drwy'r dydd efo dim ond dyrnaid o bobol oddi mewn? Dydi cystadlu ddim yn bleser mewn pafiliwn gwag.

Pan oedd yr Eisteddfod Genedlaethol yn yr Wyddgrug ym 1991 roeddem ni'n aros mewn gwesty reit ar y sgwâr yn Rhuthun. Er fod popeth yn y gwesty'n ddigon derbyniol roedd yna ambell i beth digon od am y lle, fel presenoldeb *grand piano* mawr reit wrth y fynedfa i'r stafell frecwast. Mwy od oedd y perchennog, Sais yn byw ar blaned arall, ac fe gafodd ei ailfedyddio gennym ni'n Basil Fawlty yn syth.

Ar ôl y cychwyn arferol i'r eisteddfod ar y dydd Sadwrn cynta, roedd y dydd Sul yn rhydd, a chan nad oedd gen i ddim arall i'w wneud mi benderfynais droi i mewn i gapel y Tabernacl yn Rhuthun gan fy mod yn nabod y gweinidog, y Parch John Owen, yn dda, ac yntau'n dod o'r un ardal â mi ac, yn wir, yn perthyn i mi o bell. Ond, pan ddaeth y blaenoriaid i mewn a'r cennad efo nhw, roedd hi'n amlwg bod John yn rhywle arall y Sul hwnnw a phregethwr hollol ddiarth i mi oedd yn pregethu.

Ar ôl y gwasanaeth dechreuol fe gyhoeddodd y pregethwr ei destun, ac yna yn ei frawddeg nesa fe ddwedodd: 'Y dydd o'r blaen roeddwn i'n gwrando ar Alwyn Humphreys ar y radio yn dweud nad oedd hi'n bosibl egluro talent gerddorol Mozart mewn termau dynol.'

Wn i ddim beth ddwedodd o wedyn oherwydd mi ddechreuais deimlo'n wirioneddol od, fel petawn ar fin llewygu, yn oer ac yn boeth am yn ail. Un peth ydi cael cyfeiriad ata i ar bregeth – ond hynny a finna'n digwydd bod yno ar fy mhen fy hun ar y pryd, mewn capel na fûm i ynddo erioed cynt, a chan ŵr na welais mohono erioed o'r blaen?

Roedd hyn yn wirioneddol *spooky*, ac fe allwn weld un neu ddau yn y gynulleidfa'n edrych i'm cyfeiriad fel petaent yn tybio i mi ddod yno'n unswydd er mwyn clywed fy hun yn cael fy enwi. Ar ddiwedd y gwasanaeth mi sleifiais allan a'i hanelu hi am y gwesty gan ddal i deimlo'n ddigon rhyfedd a braidd yn benysgafn.

Y noson honno roedd criw ohonom yn awyddus i gael tipyn o ganu yn y bar, ac fe fedron ni berswadio Mr Fawlty i adael i ni gario'r piano i fyny – nid y *grand*, ond rhyw racsyn o'r seler. Cyn hir roedd y morio canu'n ddigon swnllyd i ddenu pobl i mewn oddi ar y stryd ac fe drodd pethau'n barti byrfyfyr, gan gynnwys yn ddiweddarach griw theatr a ddaeth draw, siŵr o fod, ar ôl eu perfformiad. Yng nghanol y berw a'r miri fe ddaeth un o'r criw – merch ifanc ddeniadol – ata i a sibrwd yn fy nghlust: 'A phwy sy'n cael cysgu efo'r llais melfedaidd heno?'

Ddim yn aml y bydd rhywun yn cael cynnig fel'na – ond dwi'n barod i fetio mai fi ydi'r unig un erioed i gael gwahoddiad o'r fath ar yr un diwrnod â bod mewn capel lle cafodd ei ddyfynnu mewn pregeth!

PENNOD 17

YN OGYSTAL â'r gwaith cyflwyno ychwanegol ar y radio – *Cywair*, *Canu Cloch* a rhaglenni'r Eisteddfod Genedlaethol – roeddwn i cyn hir yn dechrau ymddangos ar deledu hefyd. Fel bron popeth arall sydd wedi digwydd i mi erioed, ffactorau allanol fu'n gyfrifol am hyn yn hytrach nag unrhyw fwriad ar fy rhan i. Roedd Cerddorfa Symffoni Gymreig y BBC wedi recordio cyfres o bum rhaglen yn cynnwys perfformiadau o gonsiertos piano Beethoven yn Neuadd Dewi Sant, Caerdydd, efo John Lill yn unawdydd, ac roedd y rhaglenni i fod i gynnwys cyflwyniadau agoriadol gan Hywel Teifi Edwards a fyddai'n cael eu recordio'n ddiweddarach. Ond fe aeth yr Athro'n sâl ychydig cyn y dyddiad recordio ac felly fe anfonwyd amdana i. Yn dilyn hyn cefais wahoddiadau i gyflwyno ambell gyngerdd arall gan y gerddorfa – yng nghyfres yr Henry Wood Proms yn yr Albert Hall, y Proms Cymreig yn Neuadd Dewi Sant a chyngherddau'r Eisteddfod Genedlaethol yma ac acw. Cyngherddau byw oedd y rhain i gyd ac roedd angen nerfau go gryf i ddygymod â'r holl gyffro a stŵr oedd yn gysylltiedig ag achlysuron o'r fath. Un tro fe ddigwyddodd rhyw broblem dechnegol ychydig eiliadau cyn i ni fynd ar yr awyr ac fe fu'n rhaid i mi wneud y linc agoriadol – ar fy nghof gyda llaw – efo peiriannydd yn gorwedd reit o dan fy nhraed, ac yntau efo rhyw wifrau yn ei ddwylo yn trio atgyweirio rhywbeth.

Yn rhyfeddol, efallai, doedd y gwaith cyflwyno yma ddim yn rhan o'm gwaith bob dydd. Roeddwn i'n dal yn aelod o Adran Addysg y BBC, ond bellach wedi symud i wneud gwaith teledu, yn gynta fel cyfarwyddwr ac yna fel cynhyrchydd. Yn sicr, doedd gen i ddim unrhyw fwriad nac uchelgais i fod yn gyflwynydd, er bod nifer o'm ffrindia wedi trio fy mherswadio i fynd yn hunangyflogedig. Roedd hwn, wedi'r cyfan, yn gyfnod pan flodeuodd y cwmnïau teledu annibynnol ar ôl sefydlu S4C, ac roedd cyfleoedd newydd yn codi o hyd. Ond, roeddwn i'n gyndyn iawn i adael y gorfforaeth, yn enwedig â minna wedi cael fy nghyflyru erioed i ystyried, o gael job dda, ei bod yn werth dal ati.

Felly, yn nodweddiadol eto, ffawd wnaeth y penderfyniad drosta i. Fel rhan o bolisïau newydd y llywodraeth Dorïaidd o rannu peth o gynnyrch y BBC ymysg cwmnïau teledu annibynnol, fe benderfynwyd y byddai rhaglenni teledu'r Adran Addysg yn cael eu preifateiddio, ac felly fe fyddai fy swydd yn dod i ben. Teimladau cymysg oedd gen i ar y pryd, fy niffyg menter yn peri i mi ofidio am y dyfodol ond eto yn gweld posibilrwydd o newid byd.

Yna fe ddaeth cyfle annisgwyl i mi wneud ffilm am daith Cerddorfa Symffoni Gymreig y BBC i Ddwyrain yr Almaen. Roedd y cynhyrchydd gwreiddiol wedi gorfod gadael y prosiect i wneud gwaith arall felly fe ofynnodd Pennaeth Rhaglenni'r BBC ar y pryd, John Stuart Roberts, i mi ymgymryd â'r gwaith. Roedd hyn, wrth gwrs, yn ystod cyfnod y llen haearn, ac ar ôl i mi a'r criw gyrraedd Berlin mi gawsom ni ferch ifanc ddel iawn i edrach ar ein hôl. Er gwaetha'i natur ddymunol doedd dim amheuaeth nad un o swyddogion y KGB oedd hi, ac roedd hi'n cadw llygad barcud ar yr hyn roeddem ni'n anelu'r camera ato. Roedd hi'n arbennig o bigog pan oeddem ni yn ardal Porth Brandenburg, ac fe fu'n rhaid i ni ddyfeisio pob math o ffyrdd cyfrwys i dynnu ei sylw er mwyn cael y lluniau roeddem ni eu hangen. Fe fuom ni'n dilyn y gerddorfa wrth iddi berfformio yn Dresden, Leipzig, Karl-Marx Stadt a Zwickau, yn ogystal â Dwyrain Berlin, ac ar ôl dod yn ôl a chwblhau'r ffilm fe soniwyd am y posibilrwydd y byddwn i 'falla, wedi'r cyfan, yn aros yn y BBC i wneud mwy o raglenni cerdd yn y dyfodol. Ond ddaeth dim o'r peth. Tua'r un pryd fe fu hefyd sôn y byddwn yn cyflwyno bwletinau newyddion yn lle Rod Richards, hwnnw'n gorfod rhoi'r gorau iddi gan ei fod â'i fryd ar fynd i'r senedd.

Yna, i setlo'r mater, fe ddaeth fy hen ffrind Peter Elias Jones i'r adwy, i dalu'r gymwynas wreiddiol roeddwn i wedi ei gwneud iddo fo ar ei chanfed. Ac yntau'n bennaeth Adran Adloniant HTV erbyn hynny, roedd

Pete angen rhywun i fod yn gyfrifol am gyfres gerddorol o'r enw *Canwn Moliannwn*, oedd yn bodoli eisoes ac wedi cael un tymor llwyddiannus iawn. Cyfres nos Sul oedd hi lle roedd cerddoriaeth grefyddol a chlasurol ei naws yn cael ei pherfformio gan gorau ac unawdwyr i gyfeiliant cerddorfa. Bwriad Pete oedd fy mod yn cynhyrchu, cyfarwyddo a chyflwyno'r gyfres, rhywbeth nad oedd erioed wedi cael ei wneud o'r blaen yn y byd teledu Cymraeg, a fawr neb wedi gwneud hynny y tu allan i Gymru chwaith. Ar un adeg mi fyddai creu rhaglen stiwdio o'r fath wedi bod yn amhosib, ond erbyn hyn roedd yr undebau a ddisgrifiwyd gan Margaret Thatcher fel *'the last bastion of restrictive practices'*, wedi dechra gwegian, ac fe fyddai'n gam pwysig ymlaen pe byddai cynhyrchydd rhaglen yn gallu gadael yr oriel gyfarwyddo er mwyn cyflwyno'i raglen ei hun. Fodd bynnag, er mwyn bod yn siŵr na fyddai problem, roedd Pete wedi sicrhau bod cyfarwyddwr arall ar gael yn y cefndir i neidio i'r adwy petai unrhyw wrthwynebiad oddi wrth y staff technegol.

Dyna lle'r oeddwn i, felly, yn gorfod gwisgo fy siwt ffurfiol, gan gynnwys y dici-bô du, drwy gydol yr ymarferion a'r recordio yn yr oriel, ac yna brwsio fy ngwallt yn sydyn cyn mynd ar lawr y stiwdio i recordio'r cyflwyniadau. Fe fûm i'n hynod o ffodus yn y cyfnod yma o gael Val Exon Owen fel cynorthwy-ydd cynhyrchu, nid yn unig oherwydd ei bod hi'n gwbl ardderchog yn ei gwaith ac yn gallu darllen cerddoriaeth ond hefyd am ei bod hi'n gallu mwynhau a chwerthin drwy'r cyfan. Fe fu hi'n graig safadwy y bûm i'n ddibynnol iawn arni.

Fe gawsom ni lu o artistiaid a chorau safonol ar *Canwn Moliannwn*, yn berfformwyr proffesiynol ac amatur i adlewyrchu amrywiaeth y byd cerdd Cymreig. Yn eu mysg roedd Bryn Terfel, Rebecca Evans, Tom Bryniog ac Eirian James, corau meibion fel Dowlais, Rhos a Threorci a rhai cymysg fel Côr Polyffonig Caerdydd. Roedd y gerddorfa'n cael ei harwain gan Julian Smith, Pennaeth Cerdd y Cwmni Opera Cenedlaethol, ac roedd yn bleser ymwneud â'r gyfres gyfan. Dyma fi o'r diwedd yn gwneud rhywbeth roeddwn i'n wirioneddol yn ei fwynhau. Gan fy mod i'n cael fy nhalu fesul rhaglen roedd mantais mewn recordio'r rhaglenni cyn gynted â phosib, ac roeddwn i bron â chyrraedd y diwedd pan ofynnodd Pete i mi un diwrnod:

'Pam na wnei di ddod â Chôr yr Orpheus i mewn i'r rhaglen ola?'

'Be?' meddwn i, 'cynhyrchu, cyfarwyddo, cyflwyno *ac* arwain fy nghôr?'

'Pam lai?' meddai Pete, mi fasa'n gwneud stori dda.'

Ac felly y bu. Ar ddiwrnod y recordio mi wnaeth fy nirprwy arweinydd, Huw Rees, arwain y côr yn ystod yr ymarferion tra 'mod i'n cyfarwyddo'r camerâu. Unwaith roedd pawb yn hapus, roeddwn i wedyn yn gadael yr oriel ac yn cymryd fy lle o flaen y côr yn y stiwdio. Ar ôl rhoi'r arwydd i redeg y tâp i recordio dyma ddechrau perfformio'r darn cynta. Wedi ei berfformio roeddwn i'n bendant yn disgwyl na fyddai'r peth wedi gweithio ac y byddai hyn yn cymryd drwy'r dydd. Ond, o ofyn i Val, roedd popeth wedi mynd fel wats, ac felly hefyd yr aeth hi efo gweddill y darnau. Wn i ddim a oedd yr achlysur yma yn stiwdio HTV yng Nghroes Cwrlwys ym mis Gorffennaf 1989 yn rhywbeth hollol unigryw a hanesyddol yn y byd teledu, ond mae'n anhygoel meddwl fel y byddai gwneud peth o'r fath ychydig wythnosau ynghynt wedi bod yn gwbl amhosib. A phrin bod angen ei ddweud o, ond, fel popeth arall bron, os ydi'r tîm yn un da ac yn cydweithio mi ellir gwneud unrhyw beth.

Roeddwn i'n hapus iawn yn HTV, ac yn tybio ar y dechra fy mod i wedi cyrraedd y lle oedd yn cyfateb i'r nefoedd ar y ddaear. Roedd yr adeilad ei hun yn fodern, cyfforddus a lliwgar, a'r bobol a weithiai yno'n edrach yn smart ac yn hapus eu byd. Doedd dim o'r grwgnach parhaol a nodweddai agwedd gyffredinol fy nghydweithwyr yn y BBC, ac roedd yno hefyd frwdfrydedd naturiol yn y stiwdios a'r gweithle. Felly, ar ôl cwblhau'r gyfres o *Canwn Moliannwn* roeddwn i wrth fy modd pan gynigiodd Pete gytundeb i mi barhau yno a bod yn gyfrifol am gynnyrch cerdd clasurol o fewn ei adran. Dros y tair blynedd nesa fe ges i fodd i fyw yn gwneud pob math o raglenni cerddorol: cyfres arall o *Canwn Moliannwn*, rhaglenni o'r Proms Cymreig, y Proms Ysgolion a chyfres am gorau amrywiol Richard Williams o Donyrefail.

Ond yr uchafbwynt, heb os, oedd cyfres Bryn Terfel. Roedd Pendefig Pantglas eisoes wedi gwneud cyfres deledu yn Saesneg i'r BBC, ond rŵan roedd Pete wedi gallu ei berswadio i wneud ei gyfres deledu Gymraeg gynta ar S4C yn HTV. Fe grëwyd set wirioneddol ysblennydd yn y stiwdio gan y cynllunydd Phil Williams ac fe wnaethom ni hefyd sicrhau ein bod yn gwario cyfran dda o'r arian ar gerddorfa lawn dan arweiniad Anthony Hose, sef dewis Bryn ei hun. Ar ôl penderfynu ar yr artistiaid gwadd a thrafod manylion y cynnwys cerddorol, a hynny i gyd mewn sesiynau hapus a hwyliog efo Bryn yn ei gartre ym Mhenarth, roeddem ni'n barod i gychwyn ar y gwaith.

Y patrwm ymarfer oedd ein bod ni'n cael rhyw awr go dda ar lawr y stiwdio heb y camerâu yn y p'nawn er mwyn i'r cantorion a'r gerddorfa gael rihyrsio'r gerddoriaeth. A dyma'r adeg pryd y dois i, yn hollol ddamweiniol, i gael un o'r profiadau cerddorol mwya cyffrous yn fy mywyd erioed. Wrth i Bryn ymarfer mi fyddwn i'n rhyw grwydro o gwmpas y stiwdio gan ddilyn y gerddoriaeth yn fy sgript camera. Pan oeddwn i'n weddol agos at y dyn ei hun roeddwn i'n ymwybodol o ryw gryndod yn dod o'r llawr. O fynd yn nes eto roeddwn i'n teimlo fel petawn i'n cael fy amgylchynu gan y llais anhygoel yma, a hynny'n peri rhyw brofiad rhyfeddol o gynhyrfus – dirgryniad mae'n debyg ydi'r gair gora i'w ddisgrifio fo. Wedi i mi gael y profiad unwaith, wrth gwrs roeddwn i'n gwneud ati wedyn, bob cyfle posib, i ail-fyw'r profiad unwaith eto. Mae'n bur debyg bod Bryn wedi meddwl bod rhywbeth mawr yn bod ar ei gynhyrchydd, gan fod hwnnw'n ei ddilyn fel ci o gwmpas y lle.

Un tro mewn sesiwn recordio heb y gerddorfa, roedd Annette Bryn Parri yn cyfeilio i gân dyner a chrefyddol. Roedd y bas-fariton yn edrach yn angylaidd wrth iddo ddehongli nodweddion addfwyn y darn gan swnio'n fendigedig pan, yn sydyn, mi neidiodd o'r neilltu, rhoi ei ddwy law ar ei gorun a rhegi'n groch! Y rheswm oedd bod gwêr berwedig un o'r canhwyllau anferth uwchben y set wedi disgyn ar ben ein harwr ac wedi difetha ei berfformiad. Y drasiedi ydi, wrth gwrs, na wnes i ddim gwneud copi o'r tâp yna er mwyn ei gadw i'r dyfodol. Heddiw mi fyddai'n un o uchafbwyntiau rhaglen Denis Norden, *It'll Be Alright on the Night.*

Yn ddiweddarach fe wnaethom ni raglenni Nadolig arbennig eraill efo Bryn dan y teitl – be arall? – *Nadolig Bryn Terfel,* ond fe wnaethom ni'n siŵr bryd hynny ein bod yn cadw'r canhwyllau draw oddi wrth y pen gwerthfawr.

Ond, gwaetha'r modd, wnaeth y dyddiau da ddim para'n hir. Tra bod HTV wedi cael gwarant o gryn nifer o oriau darlledu ar ddechrau bodolaeth S4C roedd newid i'r drefn ar y gorwel, ac fe fyddai'n rhaid i'r cwmni gystadlu wedyn, fel pob cwmni annibynnol arall. Fel bron pawb arall yn HTV, fe ddaeth fy nghytundeb i ben ac fe fyddai'n rhaid meddwl beth i'w wneud nesa. Un o'r rhesymau pam roeddwn wedi bod yn anfoddog erioed i weithio'n hunangyflogedig oedd fy mod i'n casáu'r syniad o fynd o gwmpas yn curo ar ddrysau cwmnïau teledu yn gofyn am waith. Rŵan roedd hi'n edrych fel pe byddai'n rhaid i mi wneud hynny. Doeddwn i ddim yn segur o bell ffordd, efo galwada yn dod i wneud gwaith cyfarwyddo achlysurol i raglenni fel *Y Byd ar Bedwar* er enghraifft. Hefyd roeddwn i wedi dechra gwneud gwaith cyhoeddi yn Adran Gyflwyno S4C wedi i Robin Jones awgrymu fy enw.

Yna, un diwrnod, mi eisteddodd fy nghyfaill Rhisiart Arwel (ffoadur arall o HTV) a minna mewn rhyw gornel yn rhywle a phenderfynu ffurfio cwmni teledu. Mewn gwirionedd mae'n anodd dychmygu dau mwy annhebygol. Doedd gan yr un ohonom ni unrhyw ddiddordeb na synnwyr busnes o gwbl, ac roedd materion ariannol yn ddirgelwch mawr i ni'n dau. Ond roedd gennym ni syniadau am raglenni a chyfresi teledu cerddorol rif y gwlith, ac ar don o frwdfrydedd ac i gyfeiliant histerics o chwerthin fe lwyddom ni i roi syniadau ar bapur – neu 'falla mai bocs matsys oedd o. Roedd gennym ni enw da i'r cwmni hefyd – Tempo – gair rhyngwladol fyddai'n cyfleu natur anturus, fyrlymus yr ychwanegiad cyffrous hwn i'r byd cyfryngol.

Mae'n syndod meddwl rŵan, ond y ffaith amdani ydi i gwmni Tempo gynhyrchu dwy raglen mewn amser cymharol fyr, y ddwy'n adlewyrchu agweddau ar ddatblygiad gyrfa canwr mwya disglair ei gyfnod, Bryn Terfel.

Fe fuom ni yn ei ffilmio yn Chicago a Salzburg, yn cynnal cyfweliadau efo pobol fel Syr Georg Solti a Giuseppe Sinopoli ac yn ei ddangos yn derbyn prif wobrau'r byd recordio clasurol mewn seremonïau yn Llundain. Mewn gair, roedd y rhaglenni yn ddogfennau pwysig yn hanes un o gantorion enwoca Cymru wrth i'w yrfa esgyn i'r entrychion.

Yna mi ddaeth fy hen ffrind Peter Elias Jones yn ôl i'm bywyd eto. Ar ôl gadael HTV roedd o erbyn hyn yn gyfrifol am adran adloniant cwmni Agenda yn Abertawe, y cwmni oedd yn cynhyrchu'r rhaglen gylchgrawn *Heno*. Tra bod y gyfres honno'n cael seibiant dros fisoedd yr haf roedd nifer o raglenni newydd yn cael eu paratoi er mwyn llenwi'r gofod, ac roedd Pete yn awyddus i greu rhywbeth ar ffurf cyfuniad o sioe siarad a chwis cerddorol. Enw'r gyfres oedd *Tipyn Bach o Jam*. Fyddai gen i ddiddordeb mewn cyd-gyflwyno'r rhaglenni efo Fiona Bennett?

Byddai, ond beth fyddwn i'n gorfod ei wneud? Sgwrsio efo gwesteion, wrth gwrs, gofyn cwestiynau yn y cwis a – chwarae'r piano. Chwarae'r piano? Ia, oherwydd mi fyddai pob rhaglen yn dechra efo Fiona a minnau'n chwarae deuawd ar ddau grand piano mawr yng nghanol y stiwdio. Beth fyddai'r miwsig? O, un o 'rags' Scott Joplin – un wahanol ym mhob rhaglen!

Byddai'n well gen i beidio felly, meddwn inna, oherwydd mi fyddai fy niffygion ar y piano'n rhy amlwg. Wedi'r cyfan, roedd Fiona wedi bod yn astudio yn y Guildhall ac mi fyddai'n dipyn o sarhad iddi orfod perfformio efo'r hyn fyddai'n cyfateb i ddyn cloff yn ei ddwylo. Fodd bynnag, yn y pen draw fe'm perswadiwyd, a hynny yn wirioneddol yn erbyn fy ewyllys. Fe olygodd hyn fy mod i, am yr eildro yn fy mywyd, yn gorfod treulio oriau meithion ac unig yn trio ffurfio digon o dechneg ar y piano i berfformio miwsig nad oedd fy mysedd erioed wedi eu bwriadu ar ei gyfer. Yr unig wahaniaeth y tro yma oedd y byddai rhai miloedd o bobol yn dyst i'm datganiad diffygiol. Help!

Mae'n rhyfedd bod ambell benderfyniad a gaiff ei wneud – neu, yn f'achos i bron bob amser, pan fo penderfyniad yn cael ei wneud drosta i – yn arwain at rywbeth tyngedfennol a phellgyrhaeddol. Ar ail ddiwrnod recordio *Tipyn Bach o Jam* yn stiwdio Agenda fe anfonwyd amdana i. Roedd Ron Jones, rheolwr-gyfarwyddwr y cwmni ac un o'i gyd-gyfarwyddwyr, Rhodri Williams, am fy ngweld. Roedden nhw wedi bod yn gwylio'r monitors ac yn meddwl 'falla y byddwn i'n addas i fod yn un o gyflwynwyr rheolaidd *Heno*. Mi eglurwyd wrtha i bolisi iaith y rhaglen, sef bod yr elfen o Saesneg ynddi'n fwriadol er mwyn estyn llaw tuag at y di-Gymraeg a'r rhai dihyder yn eu Cymraeg er mwyn eu denu i wylio. Mi ddwedwyd hefyd y gallwn i gael amser i feddwl am y cynnig cyn eu bod nhw'n trafod y posibilrwydd ymhellach efo S4C, a fyddai'n gwneud y penderfyniad terfynol.

Wrth bwyso a mesur y noson honno doedd y mater o bolisi iaith ddim yn broblem i mi. Roeddwn i'n adnabod yn dda yr union fath o berson roedd y rhaglen yn ei dargedu, y person nad oedd yn ystyried bod ei Gymraeg yn ddigon safonol i fod yn hyderus ynddi – roedd fy nghôr yn Nhreforys yn llawn ohonyn nhw. Na, roedd yna reswm arall, llawer mwy difrifol, dros fy oedi.

Byth ers y driniaeth lawfeddygol ar fy ymennydd yn ysbyty Walton roeddwn i'n ymwybodol o betruster achlysurol yn fy lleferydd. Nid math o atal dweud o gwbl bedd hwn ond bloc meddyliol (neu ymenyddol) lle'r oeddwn i'n methu'n glir â dod o hyd i air. Er nad oedd o'n digwydd mor aml â hynny, pan oedd o'n digwydd mi allai fod yn embaras llwyr. Mewn rhaglenni wedi'u recordio doedd hi ddim yn broblem gan fod ail a thrydydd cynnig ar gael pe bai angen. Ond rhaglen fyw nosweithiol oedd *Heno* ac mi fyddai'r pwysau a'r straen yn fwy nag unrhyw beth roeddwn i wedi ymgymryd â fo cyn hynny. I bob pwrpas mi fyddwn i hefyd yn newid byd. Er y byddai gofyn i mi gyfarwyddo *Heno* yn achlysurol, mi fyddwn rŵan yn dod yn gyflwynydd llawn amser am y tro cynta. Oeddwn i wirioneddol isio hynny, a finna wastad wedi bod yn hapusach wrth weithio yn y cefndir?

Yn y diwedd doedd dim dewis, oherwydd mae gwaith yn sicrwydd. Ar ôl i mi wneud y penderfyniad i ymuno â'r rhaglen, a'r newyddion am hynny'n ymddangos yn y wasg, roedd yr ymateb yn gymysg: rhai yn fy meirniadu a dweud fy mod i'n bradychu fy ngenedigaeth-fraint, eraill yn falch bod Gog go iawn yn ymuno â'r gyfres. Ond ymateb fy nghyfaill Dewi Chips oedd yr un mwya praff: 'Fedri di ddim mynd yno,' medda fo, 'dydi dy Saesneg di ddim digon da!'

Roedd gweddill y tîm cyflwyno'n un profiadol iawn: Angharad Mair, Sian Thomas a Rhodri Ogwen, ac roedd yn bleser cydweithio efo nhw, gan eu bod yn hollol broffesiynol ac yn gyfeillgar hefyd. Yn ddiweddarach mi fyddai Elinor Jones yn dod i mewn yn lle Angharad, ac aelod arall maes o law fyddai Roy Noble, y ddau ohonyn nhwytha hefyd yn gydweithwyr ardderchog.

Mae'n anorfod bod rhaglen fyw ddyddiol, lle mae'r amser ymarfer yn rhy fyr ac yn gorfod bod hyd at y funud ola cyn mynd ar yr awyr weithia, yn hwylio'n agos iawn at y creigia ar adega. Ar un noson Guto Ffowc fe gafwyd yr eitem arferol ar dân gwyllt, efo swyddog o'r gwasanaeth tân yn egluro pa mor bwysig oedd hi i fod yn ofalus wrth drin ffrwydradau. Yn naturiol, câi'r eitem yma ei chynnal ar y patio y tu allan i'r stiwdio, efo pob math o offer diffodd tân a bwcedi o ddŵr o gwmpas y lle. Ychydig funudau cyn mynd ar yr awyr gofynnodd y swyddog a allai fynd i'r toiled gan ei fod bron â byrstio. Yn anfoddog fe gytunodd y rheolwr llawr gan ychwanegu: 'Ond brysiwch!'

Cododd y swyddog fel milgi a brasgamu tuag at fynedfa'r stiwdio heb sylweddoli mai drysau gwydr trwchus oedd i'r porth, un ohonyn nhw ar gau. Os clywsoch chi erioed sŵn talcen yn cyfarfod drws gwydr ar gyflymdra o 20 milltir yr awr, fe wyddoch nad yw'n cymharu ag unrhyw sŵn arall. O fewn eiliadau roedd crys y swyddog yn goch gan waed ac anferth o lwmpyn yn tyfu o'i dalcen. Pan ddaeth ein swyddog diogelwch a chymorth cynta i lawr – neb llai nag Amanda Protheroe-Thomas, gyda llaw, oedd yn gyfrifol am golur *Heno* cyn iddi fod yn enwog – fe ddwedodd y dylai'r truan gwaedlyd gael pwythau yn ei dalcen yn syth.

'Dim peryg,' meddai'r cynhyrchydd, ''da ni ar yr awyr mewn llai na munud!'

Felly fe roddwyd plaster pinc enfawr ar y lwmp a'i orchuddio efo lot o golur. Yna fe gafodd y swyddog syn, oedd yn siŵr o fod yn diodde o sioc yn ogystal â phoen anferthol yn ei ben, ei hebrwng i'w safle yn yr awyr agored fel esiampl o berson cyfrifol, dibynadwy – ond gwaedlyd.

Dro arall fe ddaeth côr meibion a oedd newydd ddychwelyd ar ôl trip i'r Unol Daleithiau draw i ddweud eu hanes ac i ganu cân. Yn ôl y wybodaeth gawsom ni, dim ond rhyw 40 o aelodau fyddai'n dod ar y rhaglen, ond pan ddaethon nhw ar lawr y stiwdio roedd hi'n amlwg bod llawer mwy wedi cyrraedd a bod pob aelod wedi gwneud ymdrech i fod yno er mwyn cael ei weld ar y teledu.

Yng nghanol yr anhrefn o drio cael 60 o ddynion i sefyll ar stepiau lle nad oedd ond lle i 40, fe sylwodd rhywun fod un gŵr oedrannus yn gorwedd ar ei hyd ar y llawr. Doedd dim arwydd o banig ar y dechra ym mysg y côr, oherwydd mae'n debyg bod 'Bob' wedi cael sawl trawiad ar y galon cyn hynny, un ohonyn nhw ar y trip diweddar i'r America. Ond yn fuan iawn fe sylweddolwyd bod Bob druan yn hofran rhwng byw a marw ac fe anfonwyd am yr ambiwlans.

Roedd y ddau *paramedic* yn dal i weithio ar yr hen Bob pan fu'n rhaid gofyn iddyn nhw ei symud o'r neilltu er mwyn i *Heno* gael ymddangos ar yr awyr. Fe'i cariwyd allan wrth i'r arwyddgan daro'r sgrin. Eiliadau'n ddiweddarach ac fe fyddai *Heno* wedi cychwyn efo eitem ar sut i geisio adfer hen ŵr a oedd, yn anffodus, wedi canu efo'i gôr am y tro ola un.

Un o'r petha wnaeth fy synnu i ar ôl dechra cyflwyno *Heno* oedd nifer y bobol fyddai'n fy nabod ar y stryd pan fyddwn i'n mynd allan i'r dre yn Abertawe yn ystod y p'nawn. Roedd y rhan fwya o'r rhain yn ddi-Gymraeg, a hynny o leia'n profi bod ethos y rhaglen yn llwyddo. Un diwrnod a minna'n prynu dillad isa yn siop Next, mi ddois yn ymwybodol o bresenoldeb rhyw ddynes fawr wrth f'ochr, hitha efo'i phen cam ar ei ochr yn edrach yn union fel iâr, a'i llygaid yn pefrio mewn anghredinedd.

'*You… you're on* Heno *aren't you?*' *medda hi mewn llais bas crynedig.*

'*Yes,*' *meddwn inna, gan drio cuddio'r trôns yn fy llaw.*

'*Oh, I loves you I do! I really loves you! Wait till I tell my husband tonight.*

He'll be so jealous I've seen you!'

Chwara teg iddi. Doedd hi ddim yn Fenws o ferch a fyddai dim angen i'w gŵr bryderu am eiliad fy mod i'n mynd i'w dwyn hi oddi arno fo. Ond mae unrhyw sylw yn well na chael fy anwybyddu, ac roeddwn i'n edrach ymlaen at weld oedran yr edmygwyr hynafol hyn yn gostwng cyn hir, a rhesi o ferched ifanc, glandeg yn ymgynnull y tu allan i ddrws y stiwdio bob nos yn cynnig pob math o gysuron i mi. Fel mae'n digwydd, roeddwn i erbyn hynny'n ddyn rhydd gan fod Esther a minna wedi gwahanu ers rhai misoedd. Yn ffodus, fe lwyddon ni wneud hynny yn y modd mwya cyfeillgar gan rannu'r cyfan rhyngon ni heb orfod cael gwasanaeth cyfreithiwr hyd yn oed, a pharhau'n ffrindia. Dwi ddim am drio cyfleu'r argraff o gwbl bod yr holl broses wedi bod yn ddi-boen, oherwydd yn sicr wna i byth anghofio'r tristwch a'r dagra yn llygaid Deian a Manon, ond o leia fu yna ddim brwydro nac ymgecru.

Yn naturiol, Esther fyddai'n aros yn y cartra tra 'mod inna'n symud i fflat yr ochr arall i'r afon Taf. Ac yno'r oeddwn i yn fy ngwely un bore pan deimlais i'r boen fwya annioddefol yn fy nhroed. Efo cryn dipyn o ymdrech mi fedrais straffaglio i'r car a dreifio i uned frys Ysbyty'r Waun lle ces fy archwilio'n weddol drwyadl. Ond, hyd yn oed ar ôl craffu'n hir ar y lluniau pelydr X, doedd gan y doctor fawr o eglurhad. Mi wnaeth o rwdlan rhywbeth am sylffwr ar yr esgyrn ond y gwir plaen oedd nad ganddo fo ddim syniad be oedd yn bod arna i. Ei unig gyfraniad tuag at fy nghyflwr oedd ffon fagl! A plîs wnewch chi ei dychwelyd hi pan fyddwch chi wedi gorffen efo hi medda fo!

Am y misoedd nesa mi fûm i'n hercian o gwmpas y lle fel hen ddyn. Ac er bod y boen yn mynd a dod, roedd y cloffni'n ymddangos yn barhaol, ac yn gryn embaras pan fyddwn i'n cerdded yn ôl ac ymlaen ar lwyfannau cyngerdd. Oherwydd bod grisiau serth ar y ffordd i lawr i stiwdio *Heno* roedd y ffon yn hollol hanfodol, er fy mod i'n gwneud fy ngora i wneud hebddi yn ystod y rhaglen.

Wedi misoedd o ddiodda, un diwrnod yn y cyfarfod cynhyrchu boreol fe soniwyd mai un o westeion y rhaglen oedd gŵr o Lanelli roedd erthygl wedi ymddangos amdano yn y papur lleol. Yn ôl y stori roedd Mr J A Jones yn iachäwr drwy ffydd ac roedd wedi atgyfodi rhywun o farw'n fyw. Mae'n debyg bod meddyg, ar ymweliad â chartref rhyw glaf, wedi ei gofrestru'n farw, a bod Mr Jones wedi cael ei alw yno yn ddiweddarach ac wedi atgyfodi'r corff. Yn ôl yr arfer efo eitemau *Heno*, doedd fawr o gyfle i holi Mr Jones cyn y rhaglen, ond dros baned o de yn y gegin ychydig cyn iddo ymddangos fe soniais wrtho yn fras be fyddai'n digwydd ac mai adrodd y stori fyddai canolbwynt yr eitem. Yna mi ddigwyddais sôn am y broblem efo'm troed, oedd yn weddol amlwg p'run bynnag gan fy mod i mor gloff, ac y byddwn i efallai, pe bai o'n hapus a phe bai amser yn caniatáu, yn gofyn oedd hi'n bosib iddo fo fy iacháu i ar y rhaglen.

'Pan fyddwch chi'n gadael y stiwdio heno,' meddai Mr Jones, 'mi fydd eich poen wedi diflannu.'

Fel y digwyddodd petha, dim ond cyfle i sôn am ei hanes yn atgyfodi'r marw fu yna yn yr eitem ar y rhaglen, ac ar ôl dweud ei stori fe adawodd Mr J A Jones y stiwdio. Wn i ddim beth oedd yr ymateb cyffredinol i'r stori am yr atgyfodiad gwyrthiol yn Llanelli ym mysg gwylwyr *Heno*, ond y cwbl wn i ydi fy mod i, ar ddiwedd y rhaglen, wedi cerdded i fyny'r grisia'n ddi-boen am y tro cynta ers misoedd a heb gymorth y ffon. A ches i ddim trafferth efo fy nhroed byth wedyn.

Un o'r eitemau mwya gwerthfawr ar *Heno* efallai oedd y slot *Halen y Ddaear* lle'r oedd pobol weithgar mewn ardal a chymuned yn cael eu gwerthfawrogi drwy gael eu henwebu ar gyfer y teitl *Halen y Ddaear* ac yn cael blodau a phlât i ddynodi hynny. Prif nodwedd yr eitemau hyn oedd yr elfen o syrpreis, lle byddai'r cyflwynydd yn rhuthro i mewn i rywle, cyhoeddus fel arfer, efo criw camera yn dilyn, a rhoi andros o sioc i'r gwrthrych drwy gyhoeddi ei fod o, neu hi, yn *Halen y Ddaear*. Fe allai hyn ddigwydd mewn gyrfa chwist, tŷ bwyta, cantîn ysgol neu hyd yn oed eglwys. Yna, ar ôl yr 'hit' fel y'i gelwir, fe fyddai nifer o bobol a oedd wedi elwa ar garedigrwydd y person dan sylw, yn ogystal â gweinidogion yr efengyl, cynghorwyr ac yn y blaen, yn tystio ar ffilm i haelioni a chymeriad y derbynnydd. Ar ôl golygu'r cyfan yn gelfydd ac ychwanegu cerddoriaeth dyner fe fyddai'r eitem yn deyrnged deilwng i berson gwirioneddol haeddiannol. Roedd yr eitem yn boblogaidd, ac yn sicr yn rhoi sylw dyladwy i'r bobol rheiny a wnaeth gyfraniad aruthrol i'w cymuned a hynny gan amla'n dawel a disylw.

Er cymaint y risg, byddai popeth fel arfer yn mynd yn reit esmwyth wrth ffilmio'r eitemau hyn, a hynny oherwydd paratoadau trylwyr yr ymchwilydd cyn y ffilmio. Y peth pwysica oedd sicrhau disgrifiad manwl o'r person dan sylw a syniad da o ble roedden nhw yn y lleoliad, fel y gallwn i eu darganfod yn syth ar ôl rhuthro i mewn. Un tro, yn Neuadd Gymuned Carno ym Mhowys, roedd yr ymchwilydd yn sâl a bu'n rhaid i mi a'r criw camera fynd draw heb y cymorth arferol. Ar ôl cyfarfod â'r enwebydd mewn man dirgel ar gwr y pentre, fe aethom ni draw at y neuadd lle'r oedd paratoadau yn cael eu cynnal ar gyfer *Bring & Buy Sale*, a hynny er mwyn sicrhau bod yr *Halen* wrth ei gwaith elusennol arferol.

'Mae hi'n gwisgo ffrog *navy* ac mae ganddi wallt gwyn,' meddai'r enwebydd wrtha i cyn i mi ysgubo i mewn i'r neuadd efo'r bois camera yn fy nilyn.

O'm blaen mi welwn rhyw ugain o wragedd canol oed, i gyd yn gwisgo ffrogiau *navy* a'r cyfan ohonyn nhw efo mop o wallt gwyn. Yn fy stad o sioc, mi stopiais yn stond, adfeddianu fy hun ac yna gofyn i'r wraig agosa:

'Ble mae Gwenda Jones?'

'O,' oedd yr ateb, 'mae hi wedi marw ers blwyddyn!'

Gwen Roberts oedd yr enw cywir, a finna yn fy mhenbleth wedi cymysgu yr enwau yn gyfan gwbl.

Ond y pleser mwya o weithio ar *Heno* oedd bod yn y gegin efo Ena. Roedd Ena Thomas yn un o'r gemau prin rheiny oedd wedi cymryd at deledu fel gwenyn at bot mêl – cwbl naturiol, hollol broffesiynol ac yn andros o hwyl i fod efo hi. Rhywsut neu'i gilydd fe ddechreuon ni wneud stŵr ynglŷn â'r botel frandi y byddai hi'n dod efo hi ac yn tywallt dogn reit helaeth ohoni i mewn i'w danteithion.

Un tro fe awgrymais fod y botel frandi ym mag llaw Ena a'i bod yn ei chario gyda hi bob amser, yn barod ar gyfer unrhyw achlysur. O'r funud honno fyddai Ena byth yn cael llonydd gan bobol a fyddai'n gofyn iddi ar y stryd: 'Ydi'r botel frandi yn y bag Ena?'

Fe fu gan Ena a minna freuddwyd, sef mynd ar daith i gartref y brandi, tre Cognac yn Ffrainc, i wneud eitem neu raglen gyfan 'falla ar y diwydiant brandi: gweld y broses yng nghanolfan Martell neu Rémy Martin a choginio pryd neu ddau yn y fan a'r lle. Roeddwn i'n gallu rhag-weld y posibiliadau: mynd mewn hen gar Citroen 2CV lliwgar, Ena yn dreifio a minna yn *navigator*. Fe fyddai lot o hwyl ar y ffordd, siarad di-baid a sbort di-ben-draw. Ond, yn anffodus, ddaeth dim o'r peth. Biti hefyd, mi fyddwn i wedi mwynhau hynny.

Mi barhaodd fy nhymor ar *Heno* am dair blynedd a hanner, ac roedd yn brofiad hynod o werthfawr. Mae'n siŵr i mi heneiddio cryn dipyn wrth ymhél â rhaglen fyw lle gallai unrhyw beth ddigwydd – a lle'r oedd yn aml yn digwydd! – ond mi ges i brofiadau anhygoel. Ym mysg y bobol wnes i holi roedd Justin Hayward a John Lodge o'r grŵp enwog The Moody Blues, a ddaeth ar y rhaglen un noson i ganu 'Nights in White Satin', a hynny'n fyw i gyfeiliant un gitâr! Hefyd yr actor Americanaidd James Coburn, oedd yng Nghaerdydd i gymryd rhan mewn ffilm. Roedd o'n arwr mawr i mi byth ers i mi weld fy hoff ffilm *The Magnificent Seven* am y tro cynta.

A llawer mwy. Dydi rhestr yr enwogion ddim yn bwysig. Yn amlach na dim pobol gyffredin oedd yn ymddangos ar *Heno* ac yn helpu i greu darlun dyddiol o'r byd a'r oes oedd ohoni. Un tro mi ofynnodd un ohonyn nhw i mi: 'Sut ar y ddaear ydach chi'n gallu gwneud hyn bob nos? Mi faswn i'n *nervous wreck*!" Ac, yn wir, mi fyddai hyd yn oed Angharad Mair – hithau bob amser yn ymddangos fel nad oedd unrhyw sefyllfa yn straen iddi nac yn tarfu ar ei pherfformiad – weithiau ar ddiwedd y sioe yn cydio yn ei braich ac yn mesur cyflymder ei chalon. Yn aml iawn mi fyddai'r ffigwr yn eitha uchel.

Felly hwb mawr i mi oedd derbyn llythyr un tro oddi wrth Jayne

Davies, y gyfeilyddes ddawnus a'r arweinydd côr merched adnabyddus o'r Drenewydd. Roedd hi, fel finna, wedi diodde o waedlif ar yr ymennydd, ond wedi cael cyfnod anodd iawn yn dilyn hynny ac wedi gorfod ymwrthod â phob gweithgaredd cerddorol am gyfnod hir. *'When I look at you on TV,'* medda hi, *'doing all those challenging things, it inspires me to try and get better and gives me hope for the future.'*

Egwyl efo'r Pab

PAN BENDERFYNODD y Pab Ioan Pawl II ddod draw i ddiolch i'r cantorion oedd wedi ymgynnull i'w groesawu ym Maes Awyr Caerdydd fore Mercher, 2 Mehefin 1982, doedd o ddim i wbod mai criw cymysg iawn o wirfoddolwyr o wahanol gorau meibion ar draws de Cymru oedd yno. Fel cerddor ei hun, mi fyddai'r Pab yn gwbod yn iawn nad dyna'r canu gorau a glywodd o erioed – wedi'r cyfan dydi'r acwstics yn yr awyr agored fawr o help i gantorion. Ond y gwir plaen ydi na wyddai yr un ohonom ddeuddydd ynghynt y byddem yno.

Y bwriad gwreiddiol yng Nghaerdydd oedd hebrwng y Pontiff yn ddiseremoni o'i awyren i'r hofrennydd, fyddai'n mynd â fo'n syth i gaeau Pontcanna lle byddai'n cynnal offeren awyr agored i'r miloedd. Ond, ddeuddydd ynghynt, roedd y Pab wedi synnu'r awdurdodau Prydeinig drwy gydnabod yr Alban fel gwlad ar wahân wrth gusanu'r ddaear ar ôl glanio ym maes awyr yr awyrlu ger Caeredin. Yn amlwg roedd o'n mynd i wneud yr un peth yng Nghymru, a fyddai neb yno'n dyst i'r weithred symbolaidd!

Pennaeth yr Heddlu, o bawb, a'm ffoniodd i mewn tipyn o banig:

'If we can get some male choirs together on Wednesday morning, will you conduct them?'

Haws dweud na gwneud, yn naturiol, ar ddiwrnod gwaith, ond dyna lle'r oeddwn i am 7 o'r gloch y bore hwnnw yn bugeilio rhyw drigain o ddynion o bob math o gorau mewn *blazers* amryliw i gongl llai swnllyd na'r lleill yn yr adeilad er mwyn cael rhyw drefn ar betha cyn martsio allan ar y tarmac.

'How many of you know "Speed your journey?"'

Y rhan fwya yn codi eu dwylo.

'"Deus Salutis"?'

Ymateb positif eto.

'"Laudamus" ("Bryn Calfaria")?'

I lawr i'r hanner rŵan.

'"Gwahoddiad"?' Ond cyn cael ateb: 'B*etter not,'* meddwn i, '*it changes key in the middle.'*

Ac ymlaen trwy holl *repertoire* crefyddol y corau meibion – neu o leia y darnau y gellid eu mentro'n ddigyfeiliant mewn cae yn llawn awyrennau – nes bod y darn papur yn fy llaw yn cynnwys rhyw ddwsin o deitlau.

Mae rhywun weithia yn gallu synhwyro trychineb cyn iddo ddigwydd, ac yn teimlo yn ei gerddediad nad yw'r sefyllfa'n hollol fel y dylai fod. Yn sicr fe gafwyd bonllef o gymeradwyaeth gan y dorf o rai cannoedd a gludwyd i mewn yn blygeiniol ar fysys. Ac roedd yr olygfa yn un lliwgar, gyffrous wrth i'r plant chwifio'u baneri Cymreig yn yr awel. Ond be wydden nhw am beryglon côr byrfyfroedd ar fin gwneud ei *début*? Aeth y dynion i'w lle fel ŵyn i'r lladdfa, ac ymgynnull o flaen bwrdd oedd yn amlwg wedi ei osod yno fel podiwm i'r arweinydd gwadd – bwrdd wedi ei lusgo o ryw gantîn yn y maes awyr siŵr o fod, ac yn llawer rhy uchel i feidrolyn esgyn arno gan ddal i edrych yn urddasol.

Ond pam poeni am urddas pan fo camerâu teledu a phapurau newyddion y byd o gwmpas y lle? Gan wbod bod ein *repertoire* ychydig yn brin mi benderfynais y byddem ni'n cymryd ein hamser dros ein datganiad, gan aros nes bod Ei Dduwioldeb ar y tarmac cyn ymdaflu i'r canu. Ac felly y bu. Pe bai'r cyfan wedi bod yn fater o greu miwsig cefndirol ac yna mynd adra, yna mae'n siŵr na fyddai'r holl beth wedi creu cymaint o straen. Ond yna, yn sydyn, er bod fy nghefn tuag at y gweithgaredd, mi allwn i synhwyro bod petha'n poethi. Yr eiliad nesa roedd Pennaeth yr Heddlu yn fy nhynnu'n gorfforol oddi ar y bwrdd a dyna lle'r oedd y siâp gwyn yma'n cerdded tuag ata i. Heb wbod be ar y ddaear roeddwn i'n mynd i'w wneud efo fy maton, mi syllais yn syn ar arweinydd crefyddol mwya'r byd yn dod i'm cyfarfod efo'i ddwylo ar led. Yna mi afaelodd o yn fy nwy law, ac efo'r wyneb carismataidd anhygoel hwnnw yn gwenu fel yr heulwen disgleiria welsoch chi erioed mi glywais ei lais yn deud: *'Thank you for your wonderful choir.'*

Cyn i mi agor fy ngheg i ymateb iddo fo, mi ddaeth fflach o atgof piws o Wallasey i'r cof, ac mi wnes betruso eiliad cyn mentro siarad. Yna, er mawr ryddhad, mi glywais fy hun yn deud rhywbeth byr oedd yn gorffen efo *'Holy Father'*.

Roedd yr holl beth yn ysgytwol, ac roeddwn i'n dal mewn rhyw fath o lewyg pan redodd criw o ohebwyr papurau newydd ata i i ofyn sut roeddwn i'n teimlo a beth oedd y Pab wedi'i ddeud. Fore trannoeth mi synnais weld i mi gael fy nyfynnu yn y *Times* a'r *Sun* – dau begwn a deud y lleia.

Yn ddiweddarach y noson honno roeddem ni i gyd yn ôl ar y tarmac i ganu'n iach i'r Pab cyn iddo fo hedfan yn ôl i'r Fatican. Roedd tyrfa anferth yno erbyn hyn, gan gynnwys rhai degau o esgobion pabyddol, a'r rheiny'n sefyll mewn grŵp taclus yn rhesi nid nepell o'r côr. Wrth aros am ymddangosiad y Pab fe grwydrodd dau o'r esgobion Cymreig draw atom ni i siarad. Gofynnodd un ohonyn nhw i mi sut deimlad oedd o i fod wedi cael cyfarfod â'r Pab y bore hwnnw. Wel, meddwn inna, rhaid egluro'r peth yng nghyd-destun fy mhrofiad erchyll flynyddoedd ynghynt mewn ysgol yn Wallasey pan wnes i gyfarfod Esgob Amwythig, ac fe adroddais yr hanes.

'That's funny,' meddai un o'r esgobion, *'Now I remember it vividly. I knew I'd seen you somewhere. I used to be the Bishop of Shrewsbury!'*

PENNOD 18

PE BAI RHYWUN sy'n cychwyn ar yrfa fel arweinydd côr meibion yn gofyn i mi am gynghorion mi fyddwn i'n hollol bendant ynglŷn â'r un fyddai ar dop y rhestr: peidiwch â dechra cystadlu nes eich bod wedi cael eich traed oddi tanoch a'ch bod yn berffaith hapus efo safon eich côr. Os oes yna un ffordd y gall pwyllgor greu problemau i arweinydd, yna ar sail methiant eisteddfodol y mae hynny. Wedi'r cyfan, mae beirniadaeth cystadleuaeth yn un llifeiriant o sylwadau ar wendidau neu ragoriaethau'r arweinydd, nid y côr. Os ydi'r darlleniad yn wallus, nid y cantorion sydd ar fai ond yr un a'u dysgodd nhw. Os ydi'r tempo'n rhy araf, yr arweinydd ydi'r un a'i dewisodd o. Ac yn y blaen. Cyflawni hunanladdiad cerddorol wnaiff arweinydd corawl drwy fentro i'r maes eisteddfodol yn rhy gynnar.

Gan fod yr Eisteddfod Genedlaethol yn cael ei chynnal ar y trothwy yn Nyffryn Lliw ym 1980 fe basiodd pwyllgor yr Orpheus i argymell i'r côr gystadlu. A minna ond wedi bod wrth y llyw am gyfnod o ychydig fisoedd mi wrthodais yn bendant gan ddeud nad oedd safon y côr yn ddigon da i'r brifwyl ac y byddai'n cymryd rhai blynyddoedd cyn y byddwn i'n hapus i roi y côr mewn cystadleuaeth. Yn ychwanegol, meddwn i, pe byddem yn ystyried cystadlu, ryw dro, fe fyddai'n rhaid lleihau baich y cyngherddau'n sylweddol yn ystod y cyfnod cyn yr Eisteddfod, heb sôn am ohirio unrhyw recordio neu deithiau tramor.

A dyna fu diwedd y syniad hwnnw. Wnaeth y baich fyth ysgafnhau – os rhywbeth fe gynyddodd dros y blynyddoedd, gan olygu ein bod ni, ambell flwyddyn, yn mynd ar ddwy daith dramor neu'n recordio dau albwm. I ateb y gofynion hynny roedd angen darganfod a dysgu o leia ugain o ddarna newydd bob blwyddyn, a chan fod nifer y cantorion oedd yn gallu darllen cerddoriaeth yn prysur ddiflannu roedd yr amser i gyflawni'r cyfan yn hynod brin.

Er nad oedd hi'n ymddangos felly, ar brydia roedd mwy i'm blynyddoedd cynnar efo'r Orpheus na brwydro efo rhai o'r swyddogion a'r pwyllgor. Roedd sain y côr yn gallu bod yn wefreiddiol ar adegau, yn ddigon i godi gwallt y pen, ac roeddwn i'n sylweddoli mor bwysig oedd diogelu'r elfen honno wrth geisio gwella'r gwendidau elfennol, fel y donyddiaeth. Un peth ydi trio anelu tuag at berffeithrwydd technegol ond, o golli calon y canu, fe fydd y cyfan yn ofer. Mi ddwedodd rhywun wrtha i un tro y dylwn i fod yn anelu at y math o sain gorawl lân a disglair oedd yn nodweddu corau meibion Sgandinafia. Y ffaith amdani ydi, pe byddai hynny'n digwydd, mi fyddai cynulleidfaoedd yn cadw draw yn eu cannoedd, oherwydd y prif reswm maen nhw'n dod i glywed côr meibion Cymreig ydi bod y sain yn gyfoethog, yn gyffrous ac yn unigryw. Ar wahân i Rwsia, efallai, yr unig sain côr meibion y gellir ei hadnabod ym mysg holl wledydd y byd ydi sain côr meibion o Gymru, ac y mae'n hanfodol ein bod ni'n gwarchod y trysor cenedlaethol yma. Diwedd pregeth arall!

Y gwir amdani ydi ein bod ni yma yng Nghymru yn cymryd yr holl ffenomenon corau meibion yn ganiataol. Wrth wneud cannoedd o gyngherddau yn Lloegr ac ar deithiau tros y byd dwi wedi gweld drosof fy hun yr effaith anhygoel mae'r sain yn ei chael ar bobol o bob math. Mae gen i lond bocsys o lythyrau oddi wrth wrandawyr, rhai y mae eu bywydau wedi cael eu trawsnewid hyd yn oed wrth fod yn bresennol mewn cyngerdd ac sy'n cael modd i fyw wedi hynny drwy wrando'n ddyddiol ar recordia. Gobeithio nad ydw i'n swnio fel petawn i'n chwythu fy utgorn fy hun – dwi'n sicr bod llawer o gorau meibion eraill o Gymru wedi cael, ac yn dal i gael, yr un ymateb.

Ym mysg y rhai gafodd eu dylanwadu gan yr Orpheus mae un person arbennig. Ym 1991 fe aethom ni draw i Milton Keynes i gynnal cyngerdd er mwyn codi arian tuag at godi eglwys gadeiriol yno. Roedd un o'r bobl a fu'n gyfrifol am drefnu'r cyngerdd wedi perswadio rhai o'i staff swyddfa i fod yno ar y noson fel stiwardiaid. Yn eu mysg roedd gwraig o'r enw

Grace, ac er ei bod hi'n barod iawn i helpu'r achos nid gwrando ar gôr meibion diflas oedd ei syniad hi o sut i dreulio nos Sadwrn. Fe gynllwyniodd felly i sleifio allan o'r neuadd y munud y byddai'r gynulleidfa i gyd wedi eistedd yn eu seddi. Ond wrth i'r côr ymddangos ar y llwyfan fe gaewyd y drws y tu ôl iddi a doedd gan Grace druan ddim dewis ond eistedd yn y cefn i ddiodde'r penyd. O leia, meddai hi wrthi ei hun, mi ga i ddianc pan ddaw'r egwyl.

Bymtheng mlynedd yn ddiweddarach, ychydig iawn o gyngherddau'r Orpheus y mae Grace wedi methu â bod yn bresennol ynddyn nhw. Mae hi wedi teithio miloedd o filltiroedd wrth ddilyn y côr ar hyd a lled y wlad ar nosweithiau Sadwrn, ac y mae hi hyd yn oed wedi bod ar deithiau tramor i'r America, Canada, Dubai, Abu Dhabi ac Oman. A gyda llaw, rhag ofn i chi feddwl, mae Grace yn berson hollol normal – yn ferch gytbwys, hawddgar a dysgedig. Yr unig beth anarferol amdani ydi bod cwrs ei bywyd wedi ei newid oherwydd un digwyddiad bach hollol annisgwyl ym 1991. Ac nid yn unig iddi hi. Pan aeth Grace i'w hail gyngerdd yn Bury St Edmunds fis ar ôl y cyngerdd ym Milton Keynes fe berswadiodd ei ffrind Marilyn i fynd efo hi. Erbyn hyn mae Marilyn yn briod ag un o'r baritoniaid ac felly hyd yn oed yn fwy diolchgar i'r côr am ei hachub a dod â hi i fyw yng Nghymru!

Ymhen amser mi fyddem ni'n dychwelyd i Milton Keynes i ganu yn yr eglwys gadeiriol orffenedig roeddem ni, mewn ffordd fechan, wedi helpu i'w chodi. Adeilad crwn eitha rhyfedd ydi Church of Christ the Cornerstone, yn wahanol i'r rhelyw o eglwysi cadeiriol y buom ni'n ddigon ffodus i berfformio ynddyn nhw yn ystod y blynyddoedd. Mae'r rhestr yn un hir: Caergaint, Caerloyw, Henffordd, Caerlŷr, Caerwysg/Exeter, Caersallog/Salisbury, Lincoln, Chichester, Aberhonddu a Chartres (Ffrainc), ynghyd ag eglwysi nodedig eraill fel Abaty Caerfaddon. Dim ond yn ystod fy nwy flynedd ola efo'r côr y gallem ni ychwanegu Bangor, Tyddewi a Llandaf – a'r ddwy olaf yw'r rhai agosaf atom ni yn ddaearyddol!

Doedd y côr ddim wedi perfformio yn Sir Fôn chwaith nes i mi ddod yn arweinydd. Fe unionwyd y cam yn eitha buan ar ôl fy apwyntiad, a hynny drwy wahoddiad gan Ŵyl Gelfyddydol Caergybi yn Hydref 1979. Ar ôl cyrraedd neuadd yr ysgol uwchradd yn hwyr y p'nawn fe gawsom ni rihyrsal byr ac yna fe aeth y bysys â'r bois i westy'r Trearddur Bay, lle'r oedden nhw'n aros y noson, tra 'mod inna'n picio i Fotfoth i gael te efo Mam. Am hanner awr wedi saith a'r neuadd yn orlawn doedd dim golwg o'r côr. Chwarter awr yn ddiweddarach roedd y trefnwyr ar bigau'r drain yn cerdded o gwmpas mewn panig. 'Rhaid i ni gychwyn,' medda rhywun wrtha i. Ond sut? Heb gôr, heb gyngerdd! Yna, fel roedden nhw'n dwys ystyried anfon yr unawdydd Mary Lloyd Davies ymlaen i gychwyn y sioe fe gyrhaeddodd y bysys. Be oedd wedi digwydd? Wrth ddod allan o'r gwesty roedd y gyrwyr wedi troi i'r dde yn lle'r chwith ac wedi'i chwipio hi i lawr yr A5. Dim ond pan welodd rhywun yr arwydd Llanfair PG y cwestiynwyd y gyrwyr.

Dros y blynyddoedd fe fu yna lu o anturiaethau yn ymwneud â theithio o fan i fan. Wedi'r cwbl, mae'n gryn sialens cludo criw o dros gant o ddynion o gwmpas y lle. Ar fy nhrip tramor cynta efo'r côr i Ferrara yn yr Eidal, pan aethom ni i'r maes awyr yn Bologna ar gyfer y daith yn ôl adra fe wnaethom ni ddarganfod bod y cwmni awyrennau wedi mynd yn fethdalwyr ac na fydden nhw'n dod i'n cyrchu! Bu'n rhaid i ni fynd yn ôl i'r ddinas a byw ar gardod yn llythrennol am dri diwrnod nes i gwmni arall ddod i'n hachub.

O safbwynt y teithia eraill, mae yna nifer o atgofion arbennig yn dod yn ôl i'r cof: eglwys fechan syml gerllaw Bydgoszcz yng Ngwlad Pwyl lle bu'n rhaid i fwyafrif y gynulleidfa sefyll ar eu traed, a hwytha wedyn yn llythrennol yn ymwthio ymlaen tuag atom ni ar ôl i ni ganu 'Cytgan y Caethweision' gan Verdi efo dagrau yn eu llygaid (atgofion o Auschwitz mae'n debyg); arwain y côr i gyfeiliant bandiau'r fyddin (850 o offerynwyr) yn neuadd anferthol Deutschlandhalle yn Berlin (10,000 o gynulleidfa) yng nghytgan Verdi, y 'Grand March' allan o *Aida*, efo sain y band yn fy nghyrraedd rhyw ddau guriad ar ôl i ni gychwyn; canu o flaen tyrfa anferth stadiwm y Cleveland Indians yn Ohio pan oedd tîm y Toronto Blue Jays yn ymweld, a ninna'n canu dwy anthem genedlaethol y timau (America a

Chanada) ond yn medru sleifio 'Hen Wlad fy Nhadau' i mewn i'r seremoni hefyd; ein hymddangosiad cynta yn y Tŷ Opera yn Sydney, ninna wedi poeni a fyddem ni'n gallu llenwi'r 2,569 o seddau ond y lle dan ei sang ar y noson, y gynulleidfa ar ei thraed bum gwaith yn ystod y cyngerdd a rhesi o bobol y tu allan wedi methu cael mynediad; perfformio yn Neuadd Fawr Tŷ Llywodraeth Awstralia yn Canberra, y tro cynta erioed i'r iaith Gymraeg gael ei defnyddio yn swyddogol yno; perfformio yn neuadd enfawr yr Amphitorium ym Mhrifysgol Bob Jones yn Greenville, North Carolina, lle'r oedd y cyngerdd yn orfodol i'r 7,000 o fyfyrwyr a lle nad oedd hawl ganddyn nhw gymeradwyo ond rhai eitemau – ac yn y blaen.

Ond petawn i'n gorfod dewis un achlysur allan o'r holl brofiada anhygoel ges i efo'r Orpheus dros chwarter canrif fyddwn i ddim yn petruso am eiliad. Mae un noson y byddwn i'n rhoi bron unrhyw beth yn y byd am gael ei hail-fyw, bob eiliad ohoni. Y flwyddyn oedd 2001 ac roedd gŵyl arbennig wedi cael ei threfnu yn Efrog Newydd i arddangos agweddau ar gynnyrch o Brydain. '*UK in New York*' oedd yr arwyddair ac roedd pob math o gategorïau yn rhan o'r prosiect – y celfyddydau, gwyddoniaeth, dyfeisiadau, coginio ac yn y blaen. Ym mysg y perfformwyr cerddorol a gafodd eu gwahodd roedd Cerddorfa Symffoni Llundain a Chôr Orpheus Treforys. Bwriad y trefnwyr oedd bod perfformiadau'r côr yn digwydd mewn mannau hawdd mynd atyn nhw i'r rhelyw o'r dinasyddion, llefydd fel y Grand Central Station, lle mae yna, wrth gwrs, neuadd anferth efo acwstics bendigedig, sef y Vanderbilt Hall. Ond gan ein bod ni'n mynd yr holl ffordd i Efrog Newydd mi berswadiais bwyllgor y côr i wneud cynnig o leia ar hurio Carnegie Hall yn ystod y cyfnod roeddem ni yno a threfnu ein cyngerdd ein hunain. Haws dweud na gwneud, wrth gwrs, gan fod pob *ensemble* yn y byd isio perfformio yn y neuadd sy'n cael ei chyfri yn un o'r neuaddau cyngerdd enwoca dan haul. I roi rhyw syniad o'r broblem, dyma rai o'r perfformwyr a oedd wedi'u sicrhau yn ystod y cyfnod hwnnw o fis Hydref y byddem ni yno: Cerddorfa Philharmonig Berlin, Cerddorfa Symffoni Chicago, Cerddorfa Symffoni Boston, Cerddorfa'r Gewandhaus Leipzig, Cerddorfa Symffoni Montreal, José Carreras, Renée

Fleming, Daniel Barenboim ac yn y blaen. Roedd hi'n ymddangos yn dasg amhosib ond trwy ddyfeisgarwch a dyfalbarhad ein trefnydd tripiau tramor yn y côr, Terry Jones, a help asiantaeth yn Efrog Newydd fe sicrhawyd y freuddwyd.

Roeddem ni ar ben ein digon ac roedd yna hen edrach ymlaen at y trip. Ym mis Medi mi aeth Terry Jones a chadeirydd y côr, Bill Kenny, draw i Efrog Newydd i wneud trefniada terfynol y daith, ac roedden nhw yno, yn llythrennol ym Manhattan, ar 9/11, y bore ofnadwy hwnnw pan aeth dwy awyren i mewn i'r World Trade Centre. Fe welson nhw'r cyfan o ffenest ystafell eu gwesty. Wrth wylio adra ar y teledu roeddwn inna, fel pawb arall, wedi fy mharlysu gan erchyllter yr holl beth, ond yng nghefn fy meddwl hefyd roeddwn i'n gweld y freuddwyd o berfformio yn Carnegie Hall yn diflannu am byth.

Rhyw bum wythnos oedd cyn i ni deithio, ac o ddydd i ddydd roeddem ni'n graddol sylweddoli nad oedd dewis mewn gwirionedd. Roeddem wedi talu am docynnau'r awyren, y gwesty a phopeth arall, ac fe fyddem ni'n colli'r cyfan petaem ni'n tynnu'n ôl. Yn ychwanegol, y neges o Efrog Newydd oedd am i ni beidio â'u siomi. Mater fyddai hi rŵan i berswadio bois y côr i gadw'u gair, ac, ar wahân i un neu ddau, fe gytunon nhw i gyd i fynd, er gwaetha'u hofnau.

I gymlethu petha, mi fyddai fy nhrip i fy hun i Efrog Newydd yn golygu galw yn Seland Newydd am ychydig ddyddia ar y ffordd oherwydd fy mod i wedi cytuno bod yn arweinydd gwadd Gŵyl Cymdeithas Corau Meibion y wlad yn Christchurch. Roeddwn i felly wedi bod rownd y byd cyn glanio yn JFK ar gyfer cyngerdd pwysica fy mywyd, ac yn andros o flinedig. Ond o leia roedd diwrnod o orffwys i mi cyn y byddai'r côr yn dod draw, felly pan gyrhaeddais fy ngwesty roeddwn i'n barod i gysgu dros Gymru. Dyna pryd y ces i neges yn dweud bod ein hunawdydd tenor, Robin Lyn Evans, wedi tynnu'n ôl ar y funud ola oherwydd ei ofnau ynglŷn â'r daith. Noson ddi-gwsg fu hi felly wrth boeni am y cyfan a thrio ffonio hwn a'r llall i wneud trefniadau. Ond erbyn y bore roedd ein hunawdydd soprano, Iona Jones, a'i gŵr Rhys wedi datrys y broblem drwy berswadio eu ffrind, y tenor ardderchog Huw Rhys Evans, i ddod draw a llenwi'r bwlch. Roeddwn i ar ben fy nigon – mi fyddai gennym ni sioe gyflawn wedi'r cwbl.

Ar noson y cyngerdd roedd côr o 101 ar lwyfan Carnegie Hall, ac y mae hi'n amhosib i mi ddisgrifio'r awyrgylch. O dan gysgod digwyddiadau 9/11 roedd y gynulleidfa fel petai'n ymestyn tuag atom ni am gysur. Doeddwn i ddim isio gwneud gormod o'r peth ond eto roedd hi'n anochel ein bod ni'n mynd i ganu rhywbeth er cof am y rhai a gollwyd. Wrth i ni berfformio'r gân ysbrydol deimladwy 'There is a balm in Gilead' fe allech chi bron gyffwrdd yn yr emosiwn. Dydw i'n sicr ddim wedi profi unrhyw beth tebyg erioed yn fy mywyd, ac roedd yr holl amgylchiad yn teimlo fel pe bai fy holl freuddwydion yn dod yn wir efo'i gilydd.

Roeddwn i mor falch o'r bois, nid yn unig am berfformio fel angylion ond hefyd am fod mor barod i deithio ac wynebu'r peryglon ar adeg pan oedd mwyafrif y byd yn aros adra. Roeddwn i hefyd mor lwcus o gael tîm o gerddorion mor ardderchog – yr unawdwyr Iona Jones a Huw Rhys Evans, ein telynores Lois Davies, ein horganydd Rob Nicholls ac, wrth gwrs, Joy wrth y piano. Roedd hi'n noson fythgofiadwy.

Ac nid yn unig i ni. Ym mysg y llythyrau y gwnaethom ni eu derbyn ar ôl y cyngerdd yn Carnegie Hall roedd un gan Ms Lillian Christman o West 80th St, Efrog Newydd. Meddai hi:

'To Mr Humphreys, Choristers, Soloists and Musicians of the Morriston Orpheus Choir:

Thank you for your consummate artistry, your infectious joy in singing, and, most of all, your generosity of spirit. Now I know what heaven sounds like.

Thanks and God bless you all.'

Ar ôl i ni gyrraedd adra roedd adroddiad yn yr *Independent on Sunday*. Yn ôl yr awdur roeddem ni wedi cael pum *standing ovation* yn Carnegie Hall. Rhaid i mi gyfadda, doeddwn i ddim wedi bod yn eu cyfri nhw y noson honno.

PENNOD 19

YN FY MARN I does yna'r un sain gerddorol yn fwy pwerus yn emosiynol na sain côr meibion. Er bod y cwmpawd lleisiol yn eitha cyfyng o'i gymharu â chôr cymysg, neu fand pres neu gerddorfa, mae'r lliwiau'n gyfoethocach a'r wefr yn llawer mwy trydanol. Fel y byddai'r hen hysbyseb honno ar y teledu yn honni ers talwm, mae sain côr meibion yn gallu cyrraedd y mannau rheiny o'r ymgnawdoliad dynol na all yr un sain arall eu cyffwrdd. Prin felly bod angen deud ei bod hi'n fraint bod ar unrhyw lwyfan perfformio efo cant o ddynion. Y peth gora un ynglŷn â'r peth ydi cael y cyfle hwnnw i gyfathrebu efo cynulleidfa, a dod â nhw i mewn i'n byd ni fel côr. Wedi'r cyfan, maen nhw yno yn gorfforol efo ni – mor gaeth a phe baen nhw mewn carchar – ac mae'r cyfle gennym ni i ddylanwadu arnyn nhw mewn unrhyw ffordd y mynnwn ni. Eu codi nhw, falla, i ryw stad emosiynol, yr hwyl Cymreig efo emyn-dôn fawreddog, yna dod â nhw yn ôl i lawr efo miwsig eglwysig hynafol, nefolaidd yn cyfleu heddwch arallfydol. Codi'r ysbryd wedyn efo cytgan operatig grymus a nerthol mewn ymgais i beri i'r blew byr yna ar gefn y gwddf sythu a thinglo, ac yna ffugio cloi'r cyfan drwy feddalu calonnau efo cân serch deimladwy, gan ddal ambell air a nodyn yn hwy na'r disgwyl ac mor ddistaw ag ochenaid.

O ydi, mae arweinydd yn cael y cyfle i dynnu ar linynnau'r galon a chwarae efo myrdd o emosiynau cymysg, gan gyfleu'r syniad ei fod o'n tynnu'r seiniau pwerus allan o rhyw storfa anferth, fel dewin. Mewn cyngherddau tramor lle mae yna nifer helaeth o Gymry alltud yn bresennol, mae'r arweinydd yn gallu mynd gam ymhellach a chwarae ar yr hiraeth sydd yno'n barod i'w droi'n ddagrau. A does dim rhaid cyfyngu'r profiad i'r Cymry'n unig. Llawer mwy effeithiol ydi cael llond neuadd o bobol yn chwilio am eu hancesi. Ac mae'n bosib! Trwy greu cyflwyniad yn cyfeirio at y ffaith bod bron pawb ymhell o ryw gartre neu'i gilydd, yn hiraethu am rywun ac yn dyheu am ryw atgof, mae'r gwahoddiad yn cael ei estyn i bawb ymgolli yn y gân ac uniaethu efo'r emosiwn. Wedyn, mater bychan ydi adrodd geiria cytgan 'Unwaith eto 'Nghymru Annwyl', rhoi cyfieithiad byr syml (*'Of all the mothers on earth, this is the best mother of them all'*) cyn rhoi cychwyn i lifeiriant y nodau a fydd yn arwain at fôr o ddagrau. Canlyniad? Therapi gwerthfawr i bawb!

Ynghanol y miloedd o Gymry alltud dwi wedi eu cyfarfod ar deithia tramor, mae yna ddau berson arbennig yn sefyll yn fyw yn y cof. Yn Sydney roedd un ohonyn nhw, yn 1999, ar achlysur ein hail ymddangosiad yn y Tŷ Opera. Roedd rhyw hogyn ifanc, yn wreiddiol o Abertawe a bellach yn byw ac yn gweithio yn Bondi Beach, wedi dod i wbod rywsut pa westy roeddem ni'n aros ynddo ac yn dod draw bob nos i ymuno efo'r bois yn y bar. Hogyn tal, cyhyrog, hollol foel oedd o – yr union fath o berson y byddai'n braf ei gael yn gwmni wrth fynd drwy ardal go beryglus yng Nghaerdydd neu Abertawe. Doedd o ddim y person mwya siaradus yn y byd, mi roedd o'n amlwg yn mwynhau bod yng nghwmni'r hogia, ac fe ddaethom i'w adnabod yn ddigon da i wbod ei enw, sef Paul.

Noson y perfformiad, a'r Tŷ Opera dan ei sang unwaith eto, roedden ni'n tynnu tua'r terfyn efo'r dilyniant arferol o ddarnau fyddai'n gwasgu'r emosiynau, pan welais i o. Wrth gymryd bow ar ddiwedd 'Unwaith eto 'Nghymru Annwyl', mi ddigwyddais ddal wyneb cyfarwydd ar flaen y balconi. Dyna lle'r oedd Paul, yr hogyn caled o Abertawe, yn dal ei ben yn ei ddwy law ac yn crio fel babi. Oes, mae'n rhaid i ni ailddiffinio'r Cymro alltud weithia. Dydi o ddim bob amser yn hen a'i ben yn wyn. Mae crafangau'r hen wlad yn gallu dal eu gafael ym mhob un ohonom ni.

Fe gyfarfyddais â'r ail berson ar achlysur cyngerdd yn Palmerston North yn Seland Newydd. Yn ôl f'arfer roeddwn i wedi gofyn ar ryw bwynt yn ystod y noson faint o Gymry oedd yn y gynulleidfa. Ym mysg y rhai a gododd eu dwylo roedd un wraig oedrannus reit

oddi tana i yn yr ail res, ac felly dyma ofyn beth oedd ei henw ac o
ble roedd hi'n dod. Berry, medda hi, o Abertawe. Ers faint roedd
hi wedi bod yn Seland Newydd? Rhyw drigain mlynedd. Sawl tro
roedd hi wedi bod yn ôl yng Nghymru? Dim un waith. Wel, meddwn
inna, mi fyddai'n rhaid i ni ffendio ffordd o gael sêt iddi ar ein hawyren
ni'n ôl fel y byddai hi'n cael ymweld â hen wlad ei thadau. Ac yna
meddai'r hen wraig yn ei llais crynedig: *'The thing is, you can see me but
I can't see you, because I'm blind. Even if I did go back to Wales I wouldn't
see anything.'* Mi allech chi glywed rhyw don o ochneidio llawn tosturi
yn lledaenu dros y neuadd, ac am unwaith fedrwn i ddim meddwl am
unrhyw beth i'w ddeud. Beth allwn i ei ddeud? Ond yna, ar ddiwedd
y cyngerdd, pan neidiais i lawr oddi ar y llwyfan, dringo dros y rhes
flaen a rhoi cusan i'r hen wraig, mae'n debyg nad oedd fawr neb nad
oedd yn ymestyn am eu hancesi poced. Dair blynedd yn ddiweddarach,
a ninna'n ôl yn Palmerston North, roedd amlen yn fy nisgwyl yn yr
ystafell newid. Oedd, roedd Berry yno eto ac yn edrach ymlaen at gael
cusan arall.

Dwi wedi petruso sawl tro cyn dyfynnu ambell lythyr neu
ganmoliaeth yn ymwneud â'r Orpheus oherwydd does dim byd gwaeth
na hunanfalchder. Ond, yn y pen draw mi fuaswn i'n gwneud cam
mawr â hogia Treforys pe na bawn i'n crybwyll rhyw gymaint o'r hyn
ddywedwyd gan bobol amdanyn nhw ac ynglŷn â'r hyn wnaethon nhw
ei gyflawni. A dyma'r pwynt – y *nhw* wnaeth gyflawni'r cyfan. Eu lleisia
nhw fu'n gyfrifol am godi ambell i do a pheri i ambell ddeigryn syrthio.
All arweinydd wneud dim byd heb y deunydd crai, a'm braint i oedd
bod yn ofalwr a cheidwad y lleisia rheiny am chwarter canrif.

Ambell dro mi fyddai llais yn dod o gyfeiriad annisgwyl. Un noson
ar ddiwedd rihyrsal mi gyflwynwyd gŵr nerfus, cymharol oedrannus i
mi fel person oedd â diddordeb mewn ymuno efo'r côr. O edrych ar yr
enw Wally Hastings ar y ffurflen a chlywed ei acen roedd hi'n amlwg
mai Sais oedd o, ond o ble?

'*From Somerset,'* medda fo, a'r llythyren 'r' yn rhowlio rownd ei geg. A be oedd o'n wneud yn y parthau hyn?

'We've just moved here,' medda fo, *'after my retirement.'*

Mi ddylwn i fod wedi'i gadael hi yn y fan yna ond cyn gofyn iddo fo ganu nodyn neu ddau mi ofynnais pam oedd o isio ymuno, ac a oedd o wedi canu mewn côr o'r blaen? A dyma'i ateb syfrdanol:

'No,' medda fo, *'but a few years ago I came to hear the Morriston Orpheus in a concert at the Colston Hall in Bristol. During the interval I said to my wife: "I want to sing with that choir one day," So, now that I'm retired, we've moved over here to live in Clydach.'*

Am funud bach, meddwn i wrthyf fy hunan, mae'r dyn yma wedi codi'i wreiddia a symud yr holl ffordd o'r ochr draw i Glawdd Offa er mwyn canu mewn côr y gwnaeth o ddigwydd ei glywed unwaith! Beth os na all o ganu? Pan agorais y piano ar gyfer rhoi'r prawf llais i Wally dwi'n credu 'mod i'n fwy nerfus na'r ymgeisydd ei hun. Beth petai o'n swnio fel brân? Fyddai gen i'r galon i ddeud wrtho fo bod ei freuddwyd a'i symud i Gymru'n ofer?

Ond, diolch i'r drefn, nid yn unig roedd gan Wally lais da, roedd o'n first tenor! – yn un o aelodau'r brid hwnnw y mae arweinyddion corau meibion yn eu cofleidio wrth y drws pan maen nhw'n penderfynu ymuno. Mwy na hynny, o fewn ychydig wythnosau roedd Wally yn gwbod geiria Cymraeg holl *repertoire* yr Orpheus gystal ag unrhyw un o'r brodorion, ac wedi dysgu'r nodau'n drylwyr a gwneud ei gyfraniad fel petai wedi bod yno erioed. I roi coron ar y cyfan, a ninna ar fin cychwyn ar drip i Awstralia, mi dynnodd rhywun yn ôl ar y funud ola. Allai Wally lenwi'r bwlch a dod ar y daith? Doedd dim rhaid iddo ystyried am eiliad. A dyna felly sut y bu i Wally Hastings ganu efo côr o Gymru ar lwyfan y Tŷ Opera yn Sydney, chwe mis ar ôl iddo godi'i bac a symud o Wlad yr Haf!

Un o brif uchafbwyntia 1994 oedd priodi Joy yng Nghapel y Tabernacl Treforys efo'r côr i gyd yn bresennol yn y galeri, achlysur y bu i'r *Western Mail* ei alw'n *'the musical wedding of the year'* – blwyddyn gerddorol dlawd yn amlwg! Doedd ein perthynas ni ddim wedi blodeuo o gwbl ar y dechra, Joy yn chwarae'r piano yn llawer rhy ysgafn a minna'n crefu arni i gynhyrchu mwy o sŵn. 'Côr meibion ydi hwn ti'n gyfeilio iddo fo,' meddwn i, 'nid unawd picolo!' Elfen arall a fyddai'n fy nghythruddo oedd bod Joy, fel rhywun oedd yn fwy o bianydd na chyfeilydd bryd hynny, yn mynnu rhoi ei brawddegu cerddorol ei hun i mewn yn y perfformiad. Ambell dro mi fyddai hyn yn fy ngadael efo'm breichia yn hofran yn yr awyr wrth iddi hi arafu ei rhagarweiniad eiliada cyn i'r côr ddod i mewn. Mi fydda hyn yn fy ngyrru i'n gandryll ac yn peri i mi orfod gweiddi arni: 'Y fi ydi arweinydd y blydi côr yma!' Felly, mi ddysgodd Joy yn eitha buan mai dim ond un bos cerddorol y gellir ei gael mewn côr a bod yn rhaid i bawb ufuddhau i'r bos hwnnw. Dim amheuaeth, dim dadl!

Camgymeriad felly mewn unrhyw sefyllfa o'r fath ydi i'r bos ddatblygu cysylltiadau personol efo'i gydweithwraig, ac fe wnes fy ngora glas i osgoi hynny. Ar y dechra doedd dim problem, am fod cariad gan Joy p'run bynnag, ond ar ôl i hwnnw ymadael fe newidiodd y berthynas rhyngom ni. Y foment dyngedfennol oedd yn Seville yn Sbaen pan gafodd y côr wahoddiad i berfformio yn Expo 92. Roedd Charles a Diana yno, ac er eu bod nhw'n eistedd fwy neu lai ochr yn ochr ar y llwyfan mi ellid gweld bod pellter di-ben-draw rhyngddyn nhw. Yn fuan wedyn, wrth gwrs, ymhen ychydig wythnosau, mi gyhoeddwyd eu bod nhw'n gwahanu. Ond er gwaetha wynebau surbwch y pâr brenhinol, mi weithiodd rhamant dinas Seville ar arweinydd a chyfeilyddes Côr Orpheus Treforys, ac o fewn dim roedden nhw'n eitem. Oedd angen i ni ddeud rhywbeth wrth y côr? Nag oedd, yn amlwg. Yn ôl rhai o'r bois, roedd y peth wedi bod yn datblygu'n raddol dan yr wyneb ers peth amser.

Ddiwrnod y briodas roedd hi'n andros o braf gweld Manon yn cael gwireddu ei breuddwyd o fod yn forwyn briodas o'r diwedd, a hitha'n 20 oed erbyn hyn, ac roedd Deian ynta, yn ei ffordd serchus arferol, yn dywysydd delfrydol. Fel arfer roedd y gynrychiolaeth niferus o Ynys Môn yn cynllwynio i greu hafoc, ac fe lwyddon nhw i gloi Dewi Chips (fy ngwas priodas) a minna yn un o ystafelloedd y Red Lion, lle'r oedden nhw'n aros a lle'r oeddem ninna wedi mynd i'w cyfarfod. Efo pawb yn barod yn y capel roedd Dewi a minna wedi gorfod dringo allan drwy ffenest llawr cynta'r dafarn er mwyn dianc.

Ar ôl y gwasanaeth, roedd gyrrwr y limo'n barod i agor drws ei gar i'r pâr priod pan ddwedodd o wrtha i: '*Shouldn't you be in the second car?*' Dwi'n gwbod 'mod i bron ugain mlynedd yn hŷn na Joy, ond oeddwn i'n wirioneddol yn edrach fel ei thad?

Rhyw flwyddyn yn ddiweddarach roeddem ni'n cynnal cyngerdd yn neuadd y Barbican yn Llundain efo Band y Gwarchodlu Cymreig. Er ein bod ni wedi perfformio'n eitha aml efo nhw dros y blynyddoedd roedd yr arweinydd wedi newid ers y tro cynt ac yn ddiarth i mi. Dyna lle'r oeddwn i'n ymarfer y côr ar y llwyfan pan sleifiodd yr arweinydd (yn ei lifrai cadfridog wrth gwrs) i fyny ata i ar y podiwm, amneidio at Joy a sibrwd yn fy nghlust:

'*How on earth can you concentrate with that gorgeous thing at the piano?*'

'*Oh,*' meddwn inna, '*it's quite easy really – she's my wife!*'

Wn i ddim a ydach chi erioed wedi gweld cadfridog militaraidd stiff, yn drwm o dan ei holl fedalau, ei gleddyf a'i ogoniant, yn chwilio ym mysg ei draed am dwll i ddianc i mewn iddo fo, ond mae'n olygfa fendigedig!

Cofiwch chi, mi allwn inna roi fy nhroed ynddi hefyd, ac mi wnes i hynny mewn steil un tro yn un o westai gora Llundain. Roeddwn i wedi hoffi rhai o ganeuon Matt Monro erioed, ac wedi meddwl droeon am y syniad o drefnu tair ohonyn nhw – 'Portrait of My Love', 'Softly' a 'Walk Away' – fel medli i'r côr. Pan fu farw'r canwr ym mis Chwefror 1985 fe ddaeth yn realiti ac fe newidiais y teitl 'medli' i fod yn 'deyrnged'. Maes o law fe wnaethom ni recordio'r eitem a'i chynnwys yn ein LP nesa, *Amazing Grace,* a ryddhawyd gan gwmni EMI ym 1986.

Yn amlwg roedd teulu Matt Monro wedi dod i wbod ein bod ni wedi recordio'r deyrnged oherwydd un diwrnod fe ges alwad ffôn gan ei ferch, Michelle, yn gofyn a fyddem ni'n fodlon cymryd rhan mewn noson arbennig i gofio ei diweddar dad yng ngwesty'r Grosvenor House yn Llundain. Fe fyddai nifer fawr o sêr y byd adloniant yn bresennol a rhai ohonyn nhw'n perfformio, ond dim ond y ni fyddai'n cael canu caneuon Matt Monro gan nad oedd y teulu am i unrhyw un arall geisio efelychu sain unigryw y canwr. Gan bod ein fersiwn ni o'i ganeuon yn un gorawl fyddai hynny ddim yn tarfu ar bwrpas y noson yn eu tyb nhw.

Doedd ymddangos yn y Grosvenor House ddim yn brofiad diarth i ni o gwbl. Roeddem ni'n mynd draw yno yn eitha rheolaidd ar un adeg – yn ogystal ag i westai crand eraill Llundain fel y Savoy, y Royal Garden ac yn y blaen – i ganu yng nghiniawa gwahanol gwmnïau. Michael Black, yr asiant adloniant adnabyddus yn Llundain, fyddai'n trefnu'r nosweithiau hyn, ac fe fyddai'n golygu tair awr o daith ar hyd yr M4, rhyw ugain munud o ganu i'r dorf wrth eu byrddau, ac yna taith deirawr arall yn ôl adra! Ond, roedd yr arian roeddem ni'n ei dderbyn yn sylweddol, ac yn dipyn mwy nag a gaem o wneud cyngerdd llawn arferol.

P'run bynnag, ar noson y deyrnged i Matt Monro roedd hi'n amlwg bod y gynulleidfa dipyn yn fwy 'glitzy' nag arfer. Wrth edrych i lawr o'r balconi roeddem ni'n gallu gweld Petula Clark, Vera Lynn, Barbara Windsor, Kenny Everett, Bob Monkhouse, Michael Aspel, Ernie Wise, Lionel Blair a'u tebyg yn eistedd wrth y byrddau. Ymhen hir a hwyr – sef deng munud i un y bore! – fe'n galwyd ar y llwyfan. Fel roedd yr MC yn gwneud ei gyhoeddiad, a minnau'n sefyll yn y tywyllwch wrth ochr y côr, fe dynnodd un o'r tenoriaid yn y cefn fy sylw a sibrwd 'Pwy 'di hwn?' Wrth ei ochr, ynghanol y first tenors, roedd dyn hollol ddiarth! Roedd o'n debyg iawn i bawb arall yn y côr – dyn efo gwallt gwyn wedi'i wisgo yn ei siwt ffurfiol ddu, crys gwyn a thei bô du – ond doeddwn i erioed wedi gweld ei wyneb o'r blaen.

Doedd dim amser i ymresymu oherwydd roedd yr MC yn cyhoeddi:

'*And now please welcome the choir's conductor...*' Felly mi ruthrais at y dieithryn ac yn y ffordd gyflyma posib – sef dau air bychan yn Saesneg – mi ddwedais wrtho am adael y llwyfan. Fe aeth, yn ufudd fel oen bach, ac fe aethom ninnau ymlaen efo'n perfformiad.

Roeddwn i wedi anghofio popeth am y digwyddiad bach od yna pan ffoniodd Michelle Monro yr wythnos ganlynol i ddiolch i mi a'r côr am ddod yr holl ffordd i gymryd rhan yn y noson, a dweud bod pawb o'r teulu wedi cael eu plesio, ac yn y blaen, ac yn y blaen. Ond, medda hi, roedd un peth wedi creu cryn dipyn o hwyl ym mysg y teulu. Roedd y ffordd roeddwn i wedi cael gwared ar y dyn diarth oddi ar y llwyfan cyn ein perfformiad wedi achosi rhialtwch mawr. O? Pam? Wel, oherwydd ei fod yn filiwnydd parchus ac mai fo oedd y dyn oedd wedi noddi'r côr i fod yno, gan dalu am y bysys a'r holl gostau i gyd! Pan oedd y côr yn ymgynnull ar y llwyfan mae'n debyg i'r miliwnydd ddeud wrth y cwmni o amgylch ei fwrdd:

'*I paid for these men to be here you know.*'

Ac roedd rhywun arall wedi deud:

'*Well in that case, I think you should sing with them, old chap.*'

'*Quite right too!*' meddai'r miliwnydd. '*I think I will.*'

A dyna sut y bu i un o ddynion cyfoethoca Llundain, oedd yn berchen ar nifer o gwmnïau mawrion y ddinas ac a oedd yn un o'i thrigolion mwya parchus, gerdded ar draws llawr neuadd grand y Grosvenor House, sefyll yn urddasol ym mysg un o gorau meibion enwoca Cymru ac yna cael ei syfrdanu gan ryw wallgofddyn o Fotfoth ddaeth ato fo a deud wrtho fo am 'fynd ymaith a chenhedlu'!

Ym mysg yr ymddangosiadau teledu niferus dros y blynyddoedd mi wnaethom ni sawl cyfraniad i gyfresi fel *Songs of Praise, Highway, Dechrau Canu, Dechrau Canmol, Margaret Williams, Noson Lawen* ac yn y blaen. Un gyfres nodedig ar gyfer rhwydwaith y BBC oedd un efo'r actores Thora Hird a recordiwyd yn stiwdios enwog Pinewood. *Thora on the Straight and Narrow* oedd teitl y gyfres a'r syniad oedd ail-greu'r darlun enwog hwnnw o'r llwybr cul yn arwain i'r nefoedd a'r llwybr llydan i uffern fel set ar lawr y stiwdio. Yn naturiol roedd cyfran helaeth o fois yr Orpheus wedi eu lleoli yn y dafarn wrth ochr y llwybr nad oedd yn gul. Ein cyfeilydd yn y rhaglenni hyn, gyda llaw, oedd neb llai na'r cawr o organydd o'r Unol Daleithiau, Carlo Curley, a roddodd wahoddiad i ni yn ddiweddarach i ymuno efo fo mewn cyngerdd yn Neuadd y Brangwyn.

Hefyd, yn dilyn ein cyfraniad ar y record *New South Wales* gan y grŵp roc Cymreig The Alarm (a esgynnodd i rif 31 yn siartiau'r Top 40 Prydeinig ym 1989), mi gawsom ni wahoddiad i berfformio'n fyw efo'r grŵp ar y sioe siarad deledu enwog *Wogan* yn Llundain. Fel mae'n digwydd roedd Terry Wogan ar ei wyliau'r wythnos honno felly'r actores hyfryd Joanna Lumley oedd yn y gadair. Ychwanegwch Spike Milligan at y criw o westeion ac fe gewch risêt am noson gofiadwy. Dyna'r siwrnai bella i ni erioed ei gwneud ar gyfer perfformio un gân yn unig – yr holl ffordd o Dreforys i Lundain am dri munud o berfformiad. Ond, wrth gwrs, mi roedd llawer o filiynau'n gwylio.

Taith arall bell, ac un y bu'n rhaid ei gwneud ar fyr rybudd, oedd i Lerpwl ym mis Awst 1997 ar y Sul yn dilyn marwolaeth y Dywysoges Diana. Roedd *Songs of Praise* am greu teyrnged bwrpasol yn eglwys gadeiriol babyddol y ddinas ac wedi trefnu rhaglen ar frys. Yn naturiol roedd yn rhaid iddi gael ei darlledu'n fyw ac roedd yna gryn densiwn ac emosiwn ar y noson arbennig honno. Os dwi'n cofio'n iawn fe wnaethom ni ganu 'Gwahoddiad' a 'Cwm Rhondda' – prawf pendant, os oes angen un, na ddylai unrhyw gôr meibion byth gael gwared ar eitemau o'r fath o'i *repertoire*.

Yna, ym 1995, mi gafodd Ceri Wyn Richards, o gwmni teledu Opus bryd hynny, y syniad o gael y côr yn elfen ganolog mewn cyfres deledu i S4C dan y teitl *Llwyfan*. Yn ogystal ag eitemau gan y côr ei hun fe fyddem ni'n ymuno â nifer o berfformwyr 'ysgafn' fel Huw Chiswell, Geraint Griffiths, Llio Millward, Fiona Bennett ac eraill i berfformio caneuon nad oeddent, fel arfer, yn cael eu cysylltu â chorau meibion. Elfen arall yn y gyfres fyddai perfformiad teuluol unigryw gan dad a merch fel Caryl Parry Jones a Rhys Jones, gŵr a gwraig fel Cefin a Rhian Roberts ac yn y blaen. Mewn un rhaglen roedd Ceri wedi trefnu bod y triawd barddol John Gwilym Jones, ei frawd Aled Gwyn a'i fab Tudur Dylan yn dod draw i sgwrsio ac i greu eitem. Heb yn wbod i mi roedd Ceri wedi gofyn iddyn nhw greu englyn yn gyflwynedig i mi fel syrpreis, ac fe adroddodd John yr englyn am y tro cynta ar y rhaglen. Er gwaetha'r testun, mae'n rhaid cyfadde ei fod o'n englyn ardderchog. Yn sicr mae o ymhlith y petha dwi'n ei drysori fwya yn y tŷ. Ac ydi, mae o wedi cael ei fframio, ac yn hongian mewn lle amlwg ar yr aelwyd. Oni fuasech chitha'n gwneud yr un peth?

Dy lais hudol ei sidan – a feddwn
　　Ar donfeddi diddan,
　　A'th air a'th hudlath arian
　　Yn troi yn fôr, gôr y gân.

Yn dilyn y gyfres gynta o *Llwyfan* fe benderfynodd cwmni recordio EMI y bydden nhw'n defnyddio eitemau o'r rhaglenni ar gyfer cryno-ddisg nesa'r côr. Ac felly y creodd y cwmni rhyngwladol enfawr hwnnw record hir â'i chynnwys yn uniaith Gymraeg am y tro cynta erioed. Ei theitl oedd *Côr Orffiws Treforys a'u Ffrindiau* ac roedd y manylion ar y clawr i gyd yn ddwyieithog.

Ar wahân i'r achlysur hwnnw, roedd gwneud recordia yn gyffredinol yn dipyn o straen, a hynny oherwydd bod angen chwilio am ddeunydd newydd yn rheolaidd, ei ddysgu i'r côr fesul nodyn ac yna, ar y diwrnod, recordio a gorffen y cyfan o fewn rhyw 5 i 6 awr. Dros y chwarter canrif fe wnaethom ni un record hir bob blwyddyn, ac ambell dro ddwy – cyfanswm o 28 o ddisgiau i gyd. Fe fuaswn i wedi bod yn hapusach yn gwneud llawer iawn llai o recordia a'u gwneud nhw'n well, ond tra bod cwmnïau'n gofyn roedd yn rhaid dal ati. Y ffaith syml ydi: os ydi'r record ddiweddara'n gwerthu yna bydd gwahoddiad i wneud un arall. Os na, ta ta. Felly roedd y pwysau i ddod o hyd i'r *repertoire* cywir ac un amrywiol yn ddidrugaredd.

Yn yr un modd mae adolygiadau mewn papurau newydd a chylchgronau yn gallu cael dylanwad mawr. Yn dilyn albwm wnaethom ni ym 1985 mi ysgrifennodd gŵr o'r enw Gareth H Lewis eiria angharedig iawn amdani yng nghylchgrawn *Welsh Music – Cerddoriaeth Cymru*, gan gymharu'r perfformiad o 'Martyrs of the Arena' ar y ddisg i un byw oedd o wedi'i glywed yn blentyn dan arweiniad Ivor Sims. Braidd yn annheg oedd cymhariaeth o'r fath yn fy marn i, ar sawl sail, ac fe synnais yn ddiweddarach wrth ganfod mai meddyg teulu oedd y dywededig Gareth H Lewis, nid cerddor proffesiynol. 'Falla na ddylwn i fod wedi cwyno, ond mi ges foddhad arbennig rai misoedd yn ddiweddarach wrth ysgrifennu at yr adolygydd amatur i ddeud bod yr union albwm roedd o wedi ei gondemnio wedi ennill gwobr Record Gorawl Orau'r Flwyddyn yn yr MRA Awards yn Llundain. Mi aeth criw bychan ohonom draw i dderbyn y wobr mewn seremoni yn y Cafe Royal, a thros y chwe blynedd nesa fe fyddem yn dychwelyd yno, ym 1989 a 1991, wedi i'r côr ennill y wobr ddwywaith yn rhagor.

Yna, ym 1999, ar drothwy ein hail daith i Seland Newydd yn 2000, fe wnaethom ni recordio cryno-ddisg arbennig yn stiwdios CTS yn Llundain o dan y teitl *The Morriston Orpheus Choir present the Sounds of Cardiff Arms Park*. Casgliad o ganeuon adnabyddus gwledydd y byd rygbi oedd y recordiad, efo miwsig o'r Alban, Iwerddon, Lloegr, Cymru ac, wrth gwrs, Seland Newydd. Mi fyddai'n braf gallu dweud mai ni, yn Nhreforys, feddyliodd am y syniad o greu albwm o'r fath cyn mynd ar daith i wlad sydd wedi gwirioni gymaint ar rygbi, ond y gwir ydi mai ein hasiant yn Seland Newydd, Dennis Brown, oedd yn gyfrifol am argymell rhywbeth mor amlwg. Pan gyrhaeddom ni Auckland fe gawsom ni sioc o weld bod y ddisg eisoes yn neg uchaf siartiau clasurol Seland Newydd, ac fe gyrhaeddodd rif 4 erbyn diwedd ein taith. Pan ryddhawyd hi ym Mhrydain ychydig wythnosau'n ddiweddarach fe ddringodd i rif 9 yn y siartiau clasurol. Roedd hi'n eitha braf gallu deud wedyn ein bod ni wedi bod yn y '*Top Ten*'.

Ond er cystal y teimlad wrth dderbyn unrhyw fath o anrhydedd neu ganmoliaeth mae mwy o lawer i ganu na hynny. Dydi derbyn gwobr yn ddim i'w gymharu â gweld yr effaith mae canu yn ei gael ar deimladau pobol. Yn wir, dydi o ddim yn ormod deud y gall côr fod yn llinyn cynhaliol i rai.

Ym mis Chwefror 1999, ar ein taith gynta i Seland Newydd, roedd Joy a minna'n mynd i fyny yn y lifft yng ngwesty'r Royal Lakeside yn Rotorua. Roedd pâr arall yn dod allan ar yr un llawr â ni, ac fe ofynnodd y gŵr i mi allwn i sbario munud i siarad efo dieithryn. Mi eglurodd ei fod o yn un o dros gant o gefnogwyr ar y trip ond na fuaswn i'n ei adnabod gan mai dim ond yn ddiweddar roedd o a'i wraig wedi dechra dod i'r cyngherddau. Yna mi adroddodd Hugh Cridland ei stori:

'Dim ond blwyddyn yn ôl, a finne'n 60 oed ar y pryd, mi ges i drawiad difrifol ar y galon. Yn ystod y dyddie wedyn fe ges i un arall, ac er mor beryglus oedd fy nghyflwr fe benderfynwyd ceisio achub fy mywyd drwy lawdriniaeth. Bychan iawn oedd y gobaith am lwyddiant ond heb y driniaeth doedd dim amheuaeth na fyddwn i'n marw. Cyn cael fy nghludo i'r theatr fe ddaeth yr *anaesthetist* ata i i egluro na allai roi'r cyffuriau arferol i leddfu fy ofnau oherwydd bod cymysgfa gymhleth o rai eraill i'w rhoi yn ystod y llawdriniaeth hir ac anodd. Mewn gwirionedd roedd yr holl beth yn mynd i fod yn hanesyddol – y tro cynta iddyn nhw wneud ymgais ar lawdriniaeth *quintuple by-pass* yn Ysbyty Treforys. Yr unig gysur y gallai'r *anaesthetist* ei gynnig i mi oedd pâr o gyrn clust efo miwsig i'm helpu i ymlacio a chysgu. 'Os mai miwsig pop ydi e peidiwch â thrafferthu,' meddwn i wrtho fe, ond ar ôl pwyso rhai botymau fe ddaeth o hyd i sain gorsaf S4C yn darlledu'r gyfres corau meibion *Gwahoddiad*, ac fe ddwedes inne fy mod i'n hapus gyda hynny. Yn wir, dyna'r tro cynta roeddwn i wedi gallu ymlacio ers dros wythnos. Roedd yr *anaesthetist* yn iawn, ac fe wnes i syrthio i gysgu wrth glywed llais Alwyn Humphreys yn cyflwyno'i eitem nesa.

'Ddeunaw awr yn ddiweddarach mi ddois i ataf fy hun yn raddol yn yr adran *intensive care* gan glywed sŵn canu emynau yn y cefndir. Er nad oeddwn i'n gwbod hynny ar y pryd, roedd y miwsig yn cael ei chwarae i weinidog wedi ymddeol oedd yn y gwely nesa ata i a oedd mewn coma ar ôl cael strôc. Clywais lais Rena fy ngwraig wrth ochr fy ngwely yn dweud wrth fy mab Stephen am fynd i ofyn i'r Sister droi'r miwsig i lawr ychydig bach "rhag ofn i dy dad feddwl ei fod e wedi cyrraedd y nefoedd". A dyna pryd y dwedais inne fy ngeirie cynta ar ôl y driniaeth. "Mae'n olreit, Rena, dwi'n mwynhau gwrando ar *Gwahoddiad* gydag Alwyn Humphreys."

'Felly, chi'n gweld, eich llais chi alle fod wedi bod yr un ola i mi ei glywed ar y ddaear yma. Ond dyma fi nawr, wedi bod yn y lifft gyda chi ac yma i adrodd y stori. A dyna pam bod gan Rena a minne deimlade mor gynnes ac agos tuag at Gôr yr Orpheus, a dyna pam ry'm ni wedi dod ar y trip.'

Ac y mae yna un hanesyn bach arall y mae'n rhaid i mi ei gynnwys. Yn ystod yr egwyl mewn cyngerdd yn Eglwys Gadeiriol Caerwysg ym mis Gorffennaf 1999 fe ddaeth Lawson Roberts, un o'r *first tenors*, ata i efo cais. Allwn i gyflwyno un o'r eitemau yn yr ail hanner i'w ferch, oedd yn bresennol yn y gynulleidfa? Weithia, mi all y math yma o beth fod yn niwsans mewn cyngerdd ond roedd hyn yn wahanol. Mi eglurodd Lawson fod ei ferch Elizabeth – dim ond 28 oed – yn marw o gancr ac nad oedd ganddi ond ychydig wythnosau i fyw. Doedd dim angen i mi egluro'r sefyllfa wrth y gynulleidfa – yn wir fyddai hynny ddim wedi bod yn briodol nac yn weddus – ond 'falla y gallwn i ddewis eitem addas fyddai'n arwydd o gysur iddi?

Roedd hon yn mynd i fod yn dasg anodd, ond doedd dim amheuaeth pa eitem fyddai hi: y gân ysbrydol Negroaidd ddwys 'There is a Balm in Gilead'. Mi fyddai ei chyfeiriadau at leddfu'r anobaith yn siŵr o daro tant rhwng y tad a'r ferch, heb i neb arall ond y fi fod yn ymwybodol o'r sefyllfa druenus. Ac mi fyddai yna arwyddocâd arbennig y noson honno i'r llinell anfarwol '*to make the wounded whole*'. Nid gwneud y briwedig yn well y mae balm Gilead, ond ei wneud yn *gyfan* unwaith eto.

Mi ganwyd y darn, ac er fy mod i'n trio fy ngora i osgoi edrach i gyfeiriad Lawson, mi allwn i weld nad oedd o'n canu nodyn, dim ond sefyll yno yn y côr, ei ben i lawr a'r dagra'n powlio o'i lygaid. Wedi'r cyfan, dyma ddyn oedd eisoes wedi colli mab 36 oed o gancr rhyw saith mlynedd ynghynt ac a oedd rŵan yn wynebu colled ddofn arall.

Wythnos yn ddiweddarach, ar ôl gwneud ei archwiliad arferol, roedd meddyg Elizabeth yn sylwi bod y cancr wedi arafu. Ymhen wythnos arall, er mawr syndod, roedd arwyddion bod y clefyd wedi ei atal, ac felly fe anfonwyd adroddiad i'r arbenigwr yn yr ysbyty. Blip yn y system oedd barn hwnnw, a rhybuddiodd pawb i beidio â gobeithio'n ormodol. Erbyn y Nadolig, sef tri mis wedi'r dyddiad pan ddisgwylid y byddai Elizabeth yn ei bedd, roedd ei chyflwr yn dangos arwyddion pendant o wella. Doedd gan yr arbenigwyr ddim eglurhad o gwbl am y newid dramatig yn ei chyflwr.

Heddiw, saith mlynedd yn ddiweddarach, mae Elizabeth yn byw bywyd normal a hapus yng Nghyprus.

Dewi Chips

DOES GEN I DDIM SYNIAD pryd na lle y gwnes i gyfarfod fy nghyfaill Dewi Wyn Williams – Dewi Chips i'w gydnabod – am y tro cynta. Mae hi fel petaem ni'n dau wedi bod yn ffrindia erioed, ac mae'r rhan fwya o bobol yn cymryd yn ganiataol mai felly'r oedd hi. Ond mae hynny'n amhosib.

Yn un peth, mae Dewi gryn dipyn yn ifancach na fi, ac er ein bod ni'n dau'n dod o Fôn, o dop yr ynys, pentra Pensarn, mae o'n hanu tra 'mod inna'n dod o'r canol. Wrth gwrs roeddwn i'n nabod ei dad yn iawn – roedd y rhan fwya o Gymry yn gwbod am Glyn Pensarn, yr actor a'r digrifwr Glyn Williams – ond nid dyna'r cysylltiad. Mae'n amlwg mai yn y BBC y gwnaethom ni gyfarfod: Dewi yn dod yno fel rheolwr llawr rhyw bedair blynedd ar ôl i mi ddod i Gaerdydd. Ond wnaethom ni erioed weithio efo'n gilydd. Y cwbl wn i ydi'n bod ni un diwrnod, mae'n rhaid gen i, wedi cyfarfod yn y cantîn am goffi yn y bora, wedyn cael cinio ganol dydd a phanad amser te efo'n gilydd, gan sefydlu patrwm a ddilynwyd bob dydd nes i mi adael y BBC ym 1989.

Be ydi ffrind da? O ran Dewi, y fi sy'n gosod ei luniau ar waliau ei dŷ gan nad ydi o'n gallu gwneud hyd yn oed y gorchwylion mwya syml fel taro hoelen ar bared. Fedar o ddim hyd yn oed ddal sgriwdreifar yn ei law yn y ffordd gywir, ac mae'n amheus gen i a wnaeth o erioed gyflawni rhywbeth mor elfennol â newid ffiws mewn plwg – ar wahân i drio gwneud hynny efo morthwyl wrth gwrs! Ffrind da, felly, ydi rhywun sy wir yn boendod – ond rhywun na fuasech chi byth yn gwrthod cynnig help iddo fo.

O'm rhan i, mae bod o gwmpas Dewi yn hwyl. Ac yntau yn ddramodydd a golygydd sgriptiau comedi wrth ei waith bob dydd, mae o'n eitha eang ei ddiddordebau celfyddydol ac felly yn gwmni da mewn sinema, cyngerdd neu ddrama. Yn ddiweddar fe wnaethom ni ychwanegu bale at ein *repertoire* gan fynd i weld cwmni'r Kirov a'r Australian Ballet o fewn mis. Yn naturiol, fe gododd ambell un y cwestiwn: pa fath o stad mae dau ddyn canol oed wedi'i chyrraedd pan maen nhw'n dechra ymddiddori mewn gwylio dynion yn pransio o gwmpas mewn teits?

Fel rhywun sy'n trin geiria yn ddyddiol, mae'n fwy na thebyg mai Dewi benderfynodd y dylem ni gyfoethogi'n hiaith drwy ddefnyddio geiria cyfansawdd, a hynny ar bob achlysur posib. Hynny yw, yn lle deud 'gwin da', ei ddisgrifio fel 'hyfrydwin'. Yn lle 'dillad neis' deud 'smartwisg' neu 'godidogsiwt'. Yn y math yma o siarad rhaid rhedeg y geiria drwodd yn llyfn heb stop, gan fod yn ofalus ble i roi'r acen, neu fe all y cyfan swnio'n drwsgl a di-fflach. Er enghraifft, wrth lefaru 'hyfrydwin' dylid meddwl amdano fel un gair cyflym efo'r acen yn disgyn ar y goben, sef y sill olaf ond un (hon yn rheol gyffredinol, gyda llaw). Hefyd, dylid ynganu'r ail 'y' yn 'hyfryd' fel y gyntaf, hynny yw fel yn 'yn' nid fel yn 'hyd'. Triwch o eto: hyfrydwin.

Yn naturiol, geiria sy'n disgrifio ansawdd neu gyflwr rhywbeth ydi'r rhan fwya o'n geirfa. Yn ogystal â bod yn 'hyfrydwin' fe allai fod yn 'flasuswin' neu yn 'ardderchogwin'. Yn y pegwn arall fe allai fod yn 'erchyllwin', yn 'gyfogwin' neu, yn wir, yn 'biswin'. I greu disgrifiad o rywbeth sylweddol iawn ei faint fe wnaethom ni ddyfeisio math arall o air cyfansawdd, un yn seiliedig ar enw merch. Roeddem ni'n digwydd adnabod rhywun bryd hynny oedd yn pwyso oddeutu dwy dunnell, ac felly fe ddefnyddiwyd ei henw hi fel modd i ddynodi anferthedd rhywbeth. Er enghraifft, dyweder mai enw'r ferch oedd Meleri – rhaid gwarchod enw iawn y person gwreiddiol – yna mi fyddai pwdin o gryn faintioli yn y cantîn yn cael ei gyfeirio ato fel 'Melerbwd'. Yn yr un modd, mi allai tasg sylweddol oedd yn wynebu rhywun fod yn 'Felerjob'.

Mantais fawr iaith o'r fath ydi y gallwch chi ei defnyddio heb i bobol wbod yn iawn be sy'n digwydd, ac mae gen i ofn bod cryn dipyn o'r deunydd geiriol yn cael ei gyfeirio at ferched, boed nhw'n digwydd pasio heibio neu'n gydnabod cyfarwydd. Yn erbyn pob un o reolau PC, pur anaml y daw'r gair 'merch' i mewn i ddisgrifiad, ac y mae rhai'n gallu bod yn ddeifiol. Dyma i chi rai o'r perlau: yr hirgoesbeth; y fronfawrbeth; y twtdinbeth; y dindrwmbeth; y ddelbeth; yr hyllbeth; yr erchyllbeth; yr anifeilbeth, y dinboethbeth, ac yn y blaen. Does dim terfyn ar y posibiliadau, ac y mae hi'n sialens barhaol i greu rhywbeth gwreiddiol.

Dewi ddwedodd wrtha i un tro, adeg cyhoeddi rhyw restr neu'i gilydd o anrhydeddau'r Frenhines, y byddwn i'n siŵr o gael cynnig rhywbeth felly rhyw dro. 'Paid â rwdlian,' meddwn inna. 'Ti'n bownd o gael un,' medda ynta, ac yn wir y Pensarnddyn oedd yn iawn. Un bore fe ddaeth llythyr o swyddfa'r Prif Weinidog yn fy hysbysu ei bod hi'n fwriad ganddo fo i roi fy enw gerbron y Frenhines am MBE. Oeddwn i'n fodlon?

Wel, mi fyddwn i'n anonest petawn i'n deud i mi oedi. Yn un peth, roedd yr anrhydedd yn un i'r côr yn ogystal, oherwydd y gwir plaen ydi na fyddwn i wedi gallu cyflawni dim ar fy mhen fy hun. Roedd y côr yn sefydliad enwog ers 1935, a phe byddai Ivor Sims wedi cael byw mi fyddai'n siŵr o fod wedi cael ei gydnabod. Wrth gwrs y byddwn i'n derbyn, ac mi fyddai bois y côr wrth eu bodda pan fyddai'r newydd yn cael ei gyhoeddi rai misoedd yn ddiweddarach ar 1 Ionawr 2001. Yn y cyfamser, er fy mod i wedi cael fy siarsio i gadw'r holl beth yn gyfrinachol, allwn i ddim peidio â deud wrth Dewi. Ei sylw nodweddiadol o oedd: 'Mi fydd isio mwy o le eto ar dy garreg fedd di.'

Wn i ddim ai oherwydd rhyw ymwybyddiaeth o'm henaint i oedd o ai peidio, ond yn gymharol ddiweddar mi wnaeth Dewi gyfaddef wrtha i ei fod o wedi bod yn hel meddyliau ynglŷn â'r hyn roedd o'n mynd i ddeud yn fy angladd i. Er ei fod o'n chwerthin wrth ddeud, roedd ei wyneb yn goch ac roedd o, medda fo, yn teimlo'n eitha annifyr ac yn llawn embaras am y peth. Ond cyn iddo fo gael cyfle i deimlo'n rhy anghyfforddus mi wnes inna gyfaddef fy mod inna wedi bod yn gwneud yn union yr un peth!

Fe fyddai rhai yn ystyried hyn yn forbid, ac efallai ei fod o. Ond i ni, paratoi ar gyfer yr anorfod ydi peth fel'na, a man a man i rywun ei wneud o mewn digon o bryd. Yn naturiol, rydan ni'n dau wedi cymryd yn ganiataol mai'r naill sy'n cael y fraint o gyflwyno araith angladdol y llall, ond y ffaith ydi mai dim ond un ohonom ni fydd yn cael y cyfle.

O edrach ar y peth yn realistig, Dewi fydd yn gwneud y siarad a finna'n gorwedd yn dawel yn yr arch heb allu ymyrryd. Felly, rhag ofn i'm hymdrechion a'm paratoadau i fod yn ofer, dwi am gofnodi fy nheyrnged i yma, fel y caiff o chwerthin a mwynhau'r math o hiwmor du y mae o ei hun mor hoff ohono. Y fantais fawr arall, wrth gwrs, ydi bod sgwennu yn mynd i fod gryn dipyn yn haws na thraethu'n gyhoeddus ar achlysur o alar. A dyna fydda fo i mi yn bendant.

Dyma hi felly, araith angladd Dewi:

Dewi oedd yr unig un erioed i ofyn i mi fod yn was priodas iddo fo. Dim ond un broblem fach oedd yna wrth gwrs: wnaeth o ddim dod hyd yn oed yn agos at briodi, er gwaetha sawl perthynas tymor-hir. Fel un oedd wedi bod yn was priodas ei hun bedair gwaith – unwaith i mi – roedd gan Dewi brofiad helaeth yn y maes, a phe bai'r wyrth wedi digwydd mi fyddai hi wedi bod yn gryn straen i mi fod yn perfformio o flaen 'pro'.

Ond ddim byd i'w gymharu â heddiw.

Mae'r ffaith bod Dewi wedi bod yn was priodas mor aml yn profi'r un peth sylfaenol amdano fo, sef y ffaith syml ei fod o mor gymeradwy gan bawb. Chlywais i neb erioed o'm teulu na'm ffrindia na'm cyd-weithwyr yn ei gollfarnu. Roedd o'n boblogaidd efo pawb, ac yn gallu cymysgu efo pawb – eich plant a'ch rhieni, yr ifanc a'r hen, y soffistigedig a'r gwerinol. Pwy bynnag oedden nhw, fe allai Dewi wneud iddyn nhw chwerthin, a gwneud iddyn nhw deimlo eu bod nhw am fod yn rhan o'i fyd.

Roedd o'n ormod o bersonoliaeth i fod yn rhywun y bydd yna jyst colled ar ei ôl – mwy fel andros o wagle sy'n amhosib dychmygu ei lenwi. Mi fyddwn ni i gyd wedi elwa o'i gael o yn yr hen fyd yma, ond fydd bywyd byth yr un fath eto.

Mae'n anodd iawn i mi ffarwelio â fy ffrind gora heddiw am lawer o resyma. Yn un peth, bob tro y byddem ni'n siarad ar y ffôn fyddai Dewi a finna byth yn deud 'Hwyl fawr' na 'Ta ta' na dim felly ar ddiwedd sgwrs.

Y ddefod reolaidd oedd gwneud sŵn 'Brrr' fel petaem ni wedi rhoi'r ffôn i lawr ar ein gilydd ac yna, wrth gwrs, gwneud hynny.

Mae'n chwith meddwl na fydda i byth yn clywed y gwahoddiad 'Peintddyn nos Iau?' bellach, na'r cais i fynd draw i fod yn 'ffafrddyn' efo fy mocs tŵls. Er gwaetha'r poendod, mi faswn i'n rhoi rhwbath i glywed y geiria yna eto. Mae'n ofnadwy o ryfedd bod yma'n sôn am un mor fyrlymus, ac ynta'n deud dim – rhyfedd gorfod meddwl amdano fo fel y 'tawelddyn', y 'segurddyn' a'r 'exddyn'.

Diolch i ti am bob dim, boi. Ac am y tro ola – Brrr.

Yn naturiol, dwi wedi hepgor fan yma y rhannau rheiny lle'r ydw i'n cydymdeimlo â'i deulu, yn enwedig ei fam Kitty – sydd gyda llaw yn gwneud y jam mwyar-duon gora yn y greadigaeth – oherwydd mi fydda hynny'n ddi-chwaeth. Ond dyna fyrdwn y deyrnged, a dwi'n gobeithio y bydd o'n eitha hapus wrth ei darllen hi.

Ar y llaw arall, dwi'n gobeithio na fydd byth rhaid i mi ei chyflwyno hi'n gyhoeddus.

PENNOD 20

PAN DDECHREUODD gwasanaeth teledu S4C Digidol ym mis Tachwedd 1998 mi sefydlwyd nifer fawr o gyfresi newydd i gynnal amserlen fyddai'n golygu bod rhaglenni Cymraeg ar y sianel yn ddi-dor rhwng hanner dydd a hanner nos drwy'r wythnos. Ym mysg y cynlluniau ar gyfer y cynnyrch newydd roedd rhaglen gylchgrawn yn y prynhawn dan y teitl *P'nawn Da*. Pan enillodd cwmni Agenda o Lanelli y cytundeb fe gefais gynnig bod yn rhan o'r tîm cyflwyno. Roedd hi'n anodd gwrthod yr hyn fyddai'n waith cyson a dibynadwy am gyfnod o amser, ac yn enwedig o feddwl mai cyd-gyflwyno efo fy hen ffrind Elinor Jones y byddwn i, ond ar ôl fy mhrofiad yn dreifio i Abertawe bob dydd wrth gyflwyno *Heno* doeddwn i ddim yn awyddus i fynd drwy'r poendod hwnnw eto. Felly, a hynny siŵr o fod am y tro cynta erioed, mi fedrais agor fy ngheg a deud y gair 'Na'. Roeddwn i bron iawn â llongyfarch fy hun am fy newrder pan ddaeth galwad ffôn o Lanelli yn gofyn a allwn i ystyried cyflwyno'r rhaglen ar ddydd Llun yn unig, gan fod yr aelod arall o'r tîm, Lyn Ebenezer, yn brysur yn gwneud pethau eraill ar y diwrnod hwnnw. Y tro yma mi gytunais, gan aros efo'r rhaglen am rhyw chwe blynedd i gyd.

Rhaglen hamddenol braf oedd *P'nawn Da* er, wrth gwrs, bod unrhyw raglen fyw – yn enwedig un sy'n para bron i ddwy awr – yn anorfod yn mynd i fod yn llawn tensiwn. Roedd hi'n bleser pur cael cyd-gyflwyno efo Elinor unwaith eto, un o'r bobol fwya proffesiynol yn y byd teledu Cymraeg erioed ac un sydd ar yr un pryd yn hwyl i fod yn ei chwmni. Mawredd Elinor ydi ei bod hi'n gallu holi unrhyw un ar unrhyw bwnc dan haul heb unrhyw arwydd o straen, a hynny oherwydd bod ei gwybodaeth a'i diddordebau mor eang. Yr unig fan gwan posib oedd chwaraeon, ac ar raglen a fyddai'n cael ei darlledu ar ddydd Llun roedd cryn berygl y byddai tipyn o rygbi neu bêl-droed yn cael ei gynnwys. Gan nad oedd gen inna chwaith y mymryn lleia o ddiddordeb yn y maes, mi fyddai hi'n aml yn fater o dynnu gwelltyn i benderfynu pwy oedd yn mynd i wneud y cyfweliad chwaraeon. Ond roedd yna wahaniaeth mawr yn y pen draw: pan fyddai Elinor yn holi, mi fuaswn i'n taeru ei bod hi'n anelu'n syth at dudalennau ôl pob papur newydd bob bore, ac yn ymboeni'n angerddol am ddyfodol pob tîm ac unigolyn ym mhob camp yn y bydysawd.

Yn aml ar ôl cyngerdd nos Sadwrn, mewn llefydd fel Caerlŷr, Luton neu ble bynnag, mi fyddai yna Gymry alltud yn dod ata i a deud 'Mi welwn ni chi eto ddydd Llun ar *P'nawn Da*, ac roedd hi'n deimlad eitha braf cael gwbod bod y rhaglen yn ddolen gyswllt i'r Cymry oddi cartref.

Canlyniad arall i ddyfodiad S4C Digidol oedd y byddai'n bosib bellach cael darlledu byw cyson o'r prif eisteddfodau – oriau meithion yn hytrach nag ambell awr o uchafbwyntiau yma ac acw. Yn Eisteddfod Genedlaethol yr Urdd Llanbedr Pont Steffan ym 1999 y gwnaed yr arbrawf cynta, pan gafodd holl ddigwyddiadau'r llwyfan eu dangos fel roedden nhw'n digwydd, a minnau'n ychwanegu llais cefndirol i lenwi unrhyw fylchau. Wrth gyrraedd y maes fe fu'n rhaid i mi ddiodde rhialtwch a gwawd fy nghyfeillion o Radio Cymru. 'Fydd neb yn gwylio!' medden nhw. 'Dy fam ydi'r unig un sy'n berchen ar focs digidol yn Sir Fôn!' Roedd eraill yn disgrifio'r peth fel 'y rihyrsal teledu hwya mewn hanes'.

Yn naturiol, efo unrhyw ddatblygiad newydd, mae angen rhyw gymaint o ffydd. O'm rhan i doedd dim ots faint oedd yn gwylio – mi fyddai'n rhaid gwneud y gwaith yn union yr un fath â phe bai'r holl fyd yn gwylio'r rhaglen. Yr unig wahaniaeth ymarferol oedd bod y camerâu, a fyddai yn y pafiliwn drwy'r dydd p'run bynnag, bellach yn darlledu'r lluniau'n fyw yn hytrach nag yn recordio'r deunydd ar gyfer y rhaglenni o uchafbwyntiau. Mae'n rhyfedd meddwl heddiw, ond ym 1999 dim ond dau ohonom oedd wrthi – yn gyfrifol am y gwasanaeth digidol i gyd! – sef fi a Stephen Frost. Stephen oedd yn gyfrifol am y peiriannau a finna efo meicroffon wrth fy ngheg i lenwi unrhyw fylchau. Bellach mae yna fintai gref yn gweithio ar y rhaglenni digidol, ac mae'r gwasanaeth yn un llawer mwy cyflawn a soffistigedig o'r herwydd.

Oherwydd natur Eisteddfod yr Urdd, lle'r oedd y gweithgareddau fel arfer yn rhedeg fel wats, roedd y llenwi roeddwn i'n ei wneud yn eitha hawdd – dim ond ychwanegu ychydig o fanylion am gefndir y cystadleuwyr o'r ffurflenni gwybodaeth roedd yr ymchwilwyr wedi eu casglu drosta i. Ond pe byddai yna unrhyw oedi go iawn, oherwydd bod cystadleuydd neu feirniad ar goll neu mewn rhagbrawf, yna mi fyddai'n rhaid i mi weithio'n eitha caled. Ambell dro mi fyddwn i'n gorfod malu awyr am tua deng munud go dda efo dim ond lluniau o'r pafiliwn i'm helpu. Dyna lle mae radio yn gymaint haws na theledu. Ar y radio mae'n bosib i chi ddisgrifio yr hyn sydd o'ch cwmpas chi, boed hynny'n digwydd neu beidio! Ond ar y teledu afraid yw disgrifio'r hyn mae pobol yn gallu'i weld drostynt eu hunain. Does dim pwrpas deud: 'Dyna i chi ddynes yn darllen cylchgrawn tra bod ei gŵr yn bwyta'i frechdana.' Mae'r lluniau'n deud y cyfan. Ar yr un pryd, allwch chi ddim stopio siarad neu fe fydd pobol yn dechra meddwl bod nam ar y gwasanaeth.

Peth arall am y busnes sylwebu nad oes fawr neb yn ei sylweddoli wrth wylio ydi'r ffaith bod y cyflwynydd druan yn clywed llifeiriant diddiwedd o siarad a gweiddi yn ei glustia drwy'r amser. Yn un glust mae lleisia nid yn unig y rhai sy'n rhoi'r holl gyfarwyddiadau o'r oriel gynhyrchu ond hefyd sŵn lleisia'r rhai sy'n cyfarwyddo'r camerâu yn y pafiliwn o'r oriel. Mi all yr holl gyfuniadau lleisiol hyn godi'n uchel a chroch weithia pan fo rhyw argyfwng yn digwydd. Fel pe na bai hynny'n ddigon, mae sain arall, hollol wahanol yn y glust arall, sef y sain o lwyfan y pafiliwn ei hun, hynny yw y canu, y llefaru a'r cystadlu yn gyffredinol. Ac ynghanol hyn i gyd mae gofyn i'r cyflwynydd sgwrsio efo'r gwrandawyr yn y modd mwya hamddenol a phwyllog posib. Dydi o ddim yn waith mor hawdd ag y mae o'n ymddangos!

Ond os oedd Eisteddfod yr Urdd yn gymharol hwylus, mater arall oedd hi yn Eisteddfod Ryngwladol Llangollen. Yno doedd hi ddim yn beth anarferol i arweinydd llwyfan gyhoeddi egwyl o ryw awr rhwng cystadlaethau. Yn ffodus, fe fyddai gennym ni ddigon o dapiau o eisteddfodau'r gorffennol i lenwi'r bylchau, tra 'mod inna'n trio rhoi'r argraff 'mod i'n gwbod yn union sut i ynganu llond ceg o enwa amhosib grwpia dawnsio o Uzbekistan neu Mongolia.

Ac yna wedyn, i gwblhau'r drindod, fe fyddai mis Awst yn dod â'r Eisteddfod Genedlaethol yn ei sgil. Y gwahaniaeth mwya ynglŷn â'r brifwyl oedd yr oriau. Tra bod ambell hanner awr yma ac acw o seibiant i'w gael yn yr Urdd a Llangollen, roedd y gwasanaeth digidol o'r Genedlaethol yn ddi-dor. Roedd hynny'n golygu rhyw chwech neu saith awr o ddarlledu byw parhaol, di-stop bob dydd! Nid cael bwyd a diod i gynnal y corff a'r enaid drwy'r holl oriau hirion oedd y broblem – roedd yna ddigon o gydweithwyr caredig yn awyddus i gyflawni'r gymwynas honno. Yn hytrach, y drafferth oedd cael y cyfle a'r cyfleusterau i gael gwared o'r ymborth yma unwaith bod system gorfforol rhywun wedi penderfynu faint oedd yn wastraff.

I'r perwyl yma fe ddaethpwyd â *portaloo* personol arbennig i mi, wedi ei leoli mewn safle cyfleus dim ond ychydig lathenni o'm stiwdio fechan. Unwaith y byddwn wedi penderfynu bod rhyw berfformiad llwyfan yn debygol o bara rhyw bedwar munud go dda mi fyddwn yn llamu allan o'm cwt gan weiddi'n uchel fel bod pob gweithiwr o fewn y safle'n gwbod bod angen neidio o'r neilltu o fod rhyngof i a'm hwylusfan. Fe fyddai ambell un angharedig ym mysg fy nghyd-weithwyr yn hoffi awgrymu ambell dro nad oedd fawr o wahaniaeth rhwng yr hyn roeddwn i'n ei ddarlledu wrth lenwi bylchau a'r hyn fyddai'n disgyn yn y *portaloo!*

Mewn adolygiad papur newydd un tro mi ges fy nisgrifio fel 'y fersiwn wrywaidd o Beti George' – canmoliaeth yn wir! Dyma gyflwynydd arall rwy'n meddwl y byd ohoni ac wedi cael oria o bleser yn cydweithio efo hi. Yn ystod y blynyddoedd dwetha fe fuom ni'n gyfrifol am gyd-gyflwyno cyngherddau Cerddorfa Genedlaethol Gymreig y BBC ar Radio Cymru – hynny yw, llenwi'r gofod rhwng y darnau. Ambell dro mae'r cyngherddau'n fyw, ond ran amla ail-greu'r cyfan mewn stiwdio fyddwn ni, a hynny'n golygu llenwi rhyw slot arbennig o amser. Gan fod Beti'n gwbod llawn cymaint â minna, os nad mwy, am y darna dan sylw, mae ei chwestiynau bob amser yn berthnasol ac mae hi hefyd yn porthi yn wybodus er mwyn cadw'r holl beth i symud yn ddiddorol.

Beti hefyd oedd wrth law pan fu criw ffilmio'n fy nilyn i bobman o gwmpas y lle yn ystod misoedd ola 2004, a hynny oherwydd i mi un diwrnod yn ystod y flwyddyn flaenorol ddod i'r penderfyniad y byddwn yn gadael yr Orpheus. Mi fyddwn i wedi bod yn arwain am 25 mlynedd cyn bo hir ac roedd hwnnw'n swnio'n ffigwr twt i ddod â'm cyfnod efo'r côr i ben. All neb barhau am byth, ac fe wnes i resymu efo mi fy hun y byddai'n well gadael o'm gwirfodd na mynd yn rhy hen yn y gwaith. Roedd hi'n well i mi wneud y penderfyniad fy hun i gilio o'r llwyfan nag aros tan i rywun arall orfod deud wrtha i ei bod hi'n amser ymadael. Hefyd, mi fyddwn yn rhoi digon o rybudd fel y gellid apwyntio olynydd mewn da bryd i fedru trosglwyddo'r awenau'n raddol ac yn daclus.

Ymateb cynta Joy oedd y bydda hitha yn gadael yr un pryd, ond o dipyn i beth mi allais ei pherswadio i aros; wedi'r cyfan, mae colli cyfeilyddes dda yn fwy o ergyd na cholli arweinydd. Mae unrhyw ffŵl yn gallu chwifio'i freichia, ond allwch chi ddim gadael bysedd i redeg yn wyllt fel y mynnon nhw ar biano.

Fe fu fy ymadawiad â'r Orpheus yn un cyhoeddus iawn gan i Ceri Wyn Richards (sydd bellach efo'i chwmni teledu ei hun, Torpedo) gynhyrchu rhaglen ddogfen i S4C dan y teitl *Maestro*, efo Beti'n cyflwyno. Er gwaetha'r holl hwyl yn ystod y ffilmio, yng nghefn fy meddwl roedd yna rhyw hen gwestiwn bach annifyr yn codi'i ben yn aml: oeddwn i'n gwneud andros o gamgymeriad yn gorffen efo'r côr a gadael hogia Treforys, oedd wedi bod mor ffyddlon i mi? Fe rwbiwyd halen ar y briw pan ges i e-bost un bora oddi wrth ddyn hollol ddiarth i mi o'r enw Desmond Hawken. Pwrpas ei neges oedd gofyn am wybodaeth am ryw ddarn o fiwsig, ond dyma'i union eiria cynta: '*Congratulations on a wonderful concert last Saturday at Truro. It was the first time I have heard the Morriston Orpheus Choir and it was a truly memorable experience. How can you bring yourself to leave them*'

Sut yn wir?

Coda

DWI'N CASÁU YR HOLL SYNIAD o fynd yn hen. Beth bynnag am y nonsens yna mae pobol yn ei ddeud mai mynd yn hŷn mae rhywun nid mynd yn hen, i mi mae'r ddau beth yn union yr un fath, a fedra i ddim meddwl am un fantais o gynyddu dyddia fy modolaeth. Yn ôl rhai, mae rhywun i fod yn fwy goddefol wrth fynd yn hŷn. I mi, y gwrthwyneb yn hollol sy'n digwydd, ac os oes yna fersiwn Gymreig sy'n cyfateb i Grumpy Old Men yna mae fy nhâl aelodaeth ar y ffordd.

Un o'r petha dwi'n edrach ymlaen ato fo bob mis ydi cyfarfod y Clwb Cyrri. Mae'r rheola'n syml, sef bod y pum aelod – Meical Povey, Rhisiart Arwel, Geraint Jones (nid yr un sy'n arwain band pres ond y cyhoeddwr a'r arbenigwr snwcer sy'n digwydd bod yn ŵr i Margaret Williams), Hywel Gwynfryn a minna – yn dewis yn ein tro fwyty Indiaidd gwahanol yn ein hardal ni ein hunain o'r ddinas. Yna, ar ôl cyrraedd, rhempio a rhuo wrth stwffio'n hunain efo *bhajees, bhunas* a *baltis*. Does yr un pwnc yn waharddedig a does neb yn cymryd ei hun na neb arall yn rhy ddifrifol. Y canlyniad? Therapi, ym mysg y gora y gellir ei gael, efo pob un ohonon ni'n mynd adra wedi cael iachâd, yn well person ac yn haws byw efo fo. Yn ogystal, y gobaith ydi y bydd cynnyrch mwy pendant yn deillio o'r cyfarfodydd misol hyn ryw ddydd, sef cyhoeddi llawlyfr neu gydymaith i dai bwyta Indiaidd Caerdydd – yr unig lawlyfr o'i fath fydd yn dynodi nid yn unig safon bwyd a gwasanaeth y cyfryw fwytai, ond hefyd lefel goddefgarwch y staff i ddiodde bytheirio a gwawdio swnllyd hen ddynion!

Dowch i ni fod yn onest: does yna'r un fantais o fynd yn hen. Am y tro cynta erioed mae rhyw hen flewiach wedi dechra tyfu allan o 'nghlustia i a dwi'n treulio lot o f'amser yn eu herlid nhw. Dwi wedi cyrraedd y cyfnod o'm bywyd pan fo pobol yn cynnig eu sedd i mi ar y bws. Un tro fe ddigwyddodd hynny ddwywaith mewn wythnos, ac mi deimlais i ryw iselder mawr yn ystod y dyddia canlynol. Mae'n eironig hefyd fy mod i, ryw unwaith y mis, yn arwain cyngherddau efo Cerddorfa Siambr Cymru. Pam eironig? Wel, nosweithia rhamantus ydi'r rhain sy'n cael eu cynnal 'dan olau cannwyll', ond gan nad ydi fy ngolwg i cystal ag y bu dwi'n gorfod perfformio o dan anfanteision dybryd – nid yn unig dwi'n cael trafferth i weld y miwsig, ond hefyd i weld y perfformwyr hyd yn oed!

Mae'n rhyfedd, ond mae rhyw ddeuoliaeth newydd ynghlwm wrth hyn i gyd hefyd. Wrth fynd yn hen dwi'n mynd yn dendar ar y naill law ac yn hen ddyn blin ar y llall. Dwi'n sgwennu hyn o eiria wrth fwrdd y tu allan i gaffi ar gornel stryd yng nghanol Buenos Aires – nid er mwyn creu argraff gobeithio, ond oherwydd bod gen i amser ac awydd i sgwennu gair neu ddau. Ychydig ddyddia yn ôl roeddwn i'n eistedd wrth fwrdd y beirniaid mewn neuadd anferth yn Nhrelew ar achlysur Eisteddfod y Wladfa. Fel roedd y gynulleidfa'n dod i mewn roedd miwsig yn cael ei chwarae dros yr uchelseinyddion, miwsig côr meibion. Mi gymrodd gwpwl o funuda i mi sylweddoli, ond yna fe'm trawodd i. Na, doedd dim amheuaeth – un o fy recordia i efo'r Orpheus oedd hi. Wel, mi ddaeth rhyw don o hiraeth drosta i – nid yn gymaint hiraeth am adra ond am y côr. Dyna lle'r oeddwn i, wyth mil o filltiroedd o'm cynefin mewn gwlad ddiarth, wedi dechra pennod newydd yn fy hanes erbyn hyn, roeddwn i'n meddwl, ac eto'n cael fy llorio gan y seinia cyfarwydd yma. Roeddwn i isio mynd at bobol a deud 'Fy nghôr i ydi hwn wyddoch chi', ond wrth gwrs doedd hynny ddim yn wir bellach, nag oedd?

Wedyn, ar y dydd Sul, yn y gymanfa ganu yng nghapel Bethel y Gaiman, mi ddigwyddodd rhywbeth arall rhyfedd, rhywbeth nad oedd erioed wedi digwydd i mi o'r blaen. Cyn ledio'r emyn ola mi benderfynais i roi'r dewis i'r gynulleidfa, ac mi ofynnodd Edith MacDonald am 'Os Gwelir Fi, Bechadur' ar y dôn 'Clawdd Madog'. Dewis da, meddwn inna, heb sylweddoli'r eiliad honno pa mor hynod berthnasol oedd y geiria. Mewn gwirionedd roedd y cynnwys yn berffaith, ac wrth ddarllen yr emyn roedd hi'n anorfod fy mod i'n sôn am hynny. Dyna lle'r oeddem ni, filoedd ar filoedd o filltiroedd o Gymru a'r capel dan ei sang:

'Rhyfeddol fydd y canu
A newydd fydd yr iaith.'

Allech chi ddim peidio meddwl am yr hen Gymry a'u brwydrau caled i ymsefydlu mewn gwlad ddiarth a thiroedd creulon, a rhyfeddu at eu dewrder a'u dyfalbarhad:

'A gurwyd mewn tymhestloedd
A olchwyd yn y gwaed.'

Faint bynnag mae rhywun yn ei ddarllen am Batagonia, does dim i'w gymharu â bod yno. Roedd bod yn yr union fan a'r lle, yn gweld y rhyfeddod efo'n llygaid ein hunain, yn brofiad ysgytwol, ac mi fyddem ni'n gyfoethocach ar ôl y bererindod:

'Os dof fi drwy'r anialwch
Rhyfeddaf fyth dy ras.'

Roeddem ninna, y Cymry oedd yno ar ymweliad, wedi croesi anialwch y paith – taith anhygoel a blinedig o ryw naw neu ddeng awr ar y bws. Ond mae'n amhosib amgyffred ymdrechion y gwladfawyr gwreiddiol yn wynebu'r fath sialens ar droed ac ar geffyl, a hynny heb wbod beth oedd o'u blaenau. Eto i gyd, er gwaetha sawl siom, roedden nhw wedi goroesi, wedi dianc oddi wrth ormes y gorffennol ac wedi profi rhyddid a gorfoledd:

'Y maglau wedi eu torri,
A'm traed yn gwbwl rydd...'

Ac yna, prin y gallwn i ddeud mwy. Mi ddechreuodd fy llais gracio a'm llygaid loywi. Mi ffendiais fy hun o dan wir deimlad a hynny am y tro cynta erioed mewn cymanfa ganu. Roedd y profiad yn ormod i mi a doedd dim amdani ond amneidio ar yr organydd i ddechra. Fyddai hyn wedi digwydd i mi ugain mlynedd yn ôl? Mae'n amheus gen i. Er bod y newidiada allanol sy'n digwydd i ni'n weddol amlwg wrth edrach yn y drych, mae rhai o'r petha oddi mewn yn llechu yn y dirgel cyn penderfynu neidio allan a'n syfrdanu. Mae cymaint wedi digwydd ers dyddia Llangwyllog ers talwm, adeg claddu'r gath a minna'n methu crio.

Wrth edrach yn ôl dwi'n gweld pa mor ffodus ydw i wedi bod. Yn y lle cynta, o ystyried yr amgylchiada, yn amlwg dwi'n lwcus o fod yn fyw o gwbl. Dwi wedi cael bonws o ddeng mlynedd ar hugain yn fwy na'm haeddiant. Yna, ar ôl fy holl bryderon pan oeddwn yn blentyn, mi ges i weld Mam yn byw i fod yn 90 oed y llynedd, a hitha'n dal yn ysbrydoliaeth ac yn gefn i mi. Wedyn, i rywun a gafodd ei orfodi i fod yn gerddor ac a gafodd ei berswadio, yn erbyn ei ewyllys, i fod yn gyflwynydd radio a theledu, mi dwi wedi mwynhau fy ngyrfa od a chymysglyd. Er 'mod i wedi bod yn gwisgo dwy het braidd yn anghyfforddus ar adegau, dwi wedi dal fy nhir rywsut, a hynny'n aml drwy gymryd arnaf bod yn gerddor ym mysg pobol y cyfryngau ac yn gyfryngi ym mysg cerddorion!

Dwi hefyd mor lwcus bod Deian a Manon yn byw yn ddaearyddol agos atom ni. Does dim yn waeth na rhywun sy'n canmol ei blant, ond eto mae'n bwysig eich bod chi'n deud, a dangos iddyn nhw pa mor falch ydach chi ohonyn nhw. Erbyn hyn maen nhw'n fwy na phlant wrth gwrs – yn ffrindia mynwesol – ac er eu bod nhw wedi ychwanegu at fy henaint drwy gynhyrchu wyrion, mae Llew a Catrin wedi cael eu siarsio o'r cychwyn cynta nad ydi'r gair sy'n dechra efo 'T...' byth i gael ei ddefnyddio. Fel Al dwi'n cael fy adnabod, a dwi'n gobeithio'r nefoedd – ac yn benderfynol – y bydd gan y ddau, ryw ddiwrnod, atgofion llawer gwell na'r rhai sydd gen i am William Wmffra.

Ambell dro y dyddia yma, wrth gyfri fy mendithion, dwi'n ffendio fy hun yn gofyn cwestiyna – pam y digwyddodd hyn a hyn, pam y gwnes i'r peth a'r peth. Hyd yn oed heddiw mae pobol yn gofyn i mi, 'Pam ar y ddaear aethoch chi i Hull?' Ia, pam? Sut mae esbonio pan nad ydi rhywun yn siŵr iawn ei hun? 'Falla bod yn rhaid aros weithia nes bod yr atebion yn cyflwyno'u hunain.

Wel, fis Gorffennaf y llynedd, ar b'nawn ola Eisteddfod Llangollen a minna wedi gorffen fy ngwaith sylwebu, yn hytrach nag aros i weld cystadleuaeth Côr y Byd gyda'r nos mi benderfynais ddreifio'n ôl i

Gaerdydd. Roedd Joy wedi cael gwahoddiad i farbeciw yn nhŷ ein ffrind Pondi i fyny'r lôn ac allwn inna ddim meddwl am well ffordd i ddathlu diwedd wythnos galed o waith nag ymuno â'r criw llawen. A dyna fu. Roedd hi'n hanner nos erbyn i Joy a minna gyrraedd adra ar ôl y parti. 'Beth am agor potel o siampên?' medda hi, yn ei ffordd fyrbwyll arferol. 'Wedi blino gormod,' meddwn inna, 'gwely pia hi.' Wrth basio'r bwrdd yn y cyntedd mi welwn fwndel o lythyra oedd wedi cyrraedd tra oeddwn i ffwrdd, ac mi fu bron i mi eu gadael nhw tan y bora. Ond mi dynnodd un amlen fy sylw – un efo'r geiria 'The University of Hull' arni. Isio pres mae'n siŵr, meddwn i wrthyf fy hun, ond mi'i hagorais, p'run bynnag. Dyma'r hyn neidiodd allan:

The University of Hull Vice Chancellor's Office

4th July, 2005

Dear Mr Humphreys,

I write with much pleasure to say that the University wishes to confer upon you the degree of Doctor of Music...

Doctor of Music! Mi fu'n rhaid i mi edrach eto – ac eto – i wneud yn siŵr. *Doctor of Music!*

Prin bod angen deud i'r botel o siampên gael ei hagor y noson honno wedi'r cyfan, er gwaetha'r blinder. Ond hyd yn oed cyn i'r corcyn neidio allan roedd fy mhen i'n nofio. Wrth drio derbyn yr holl syniad, allwn i ddim llai na meddwl bod fy mhenderfyniad i fynd i Hull wedi bod yr un cywir wedi'r cwbl, a'i fod yn gwneud synnwyr o'r diwedd. Roeddwn i'n falch 'mod i wedi mynd yno, a rŵan roedd hi'n ymddangos bod awdurdodau'r brifysgol yn teimlo'r un fath amdana inna. Anhygoel!

Ac wrth i mi ddechra glanio 'nôl eto ar y ddaear, roedd yna un peth arall yn rhoi rhyw deimlad cynnes i mi oddi mewn – gallu deud mai fi fyddai'r Doctor of Music cynta erioed i ddod o Fotfoth!

Atodiad 1

DYDDIADUR TAITH

Dim ond un tro y gwnes i gadw dyddiadur ar daith dramor efo'r côr, a hynny am reswm arbennig. Yn 2003 fe gytunom ni wneud taith a chynnal tri ar ddeg o gyngherddau yn Seland Newydd ac Awstralia efo cwmni Event Entertainment. Hon fyddai'r daith fwya prysur a chaled yn ein hanes ac felly mi benderfynais roi'r manylion ar gof a chadw. Roedd gen i nifer o bryderon cyn mynd, ac un yn enwedig. Cyn gadael Cymru roedd yna gais wedi dod i ni wneud cyngerdd ychwanegol yn Auckland gan fod y tocynnau i gyd wedi'u gwerthu yno a phobl yn crefu am fwy. Ond roedd y pwyllgor a minna'n hollol unfrydol bod y daith yn ddigon o sialens fel roedd hi. Dyna'r cefndir, dyma'r manylion:

Diwrnod 1   20.2.03   18.05 Maes awyr Heathrow

Cathay Pacific: Heathrow i Hong Kong. Taith o 12 awr, a chysgu fawr ddim ar y ffordd er gwaetha cymryd tabled. Cyrraedd gwesty'r Royal Windsor, Kimberley Road, Kowloon – neis iawn.

Allan i siopa gyda'r nos – dinas ofnadwy o brysur, pobol fel morgrug ymhobman ar ruthr gwyllt. Cannoedd o siopau electroneg. Prynu *palmtop organiser*, chwaraewr CD i Joy a mân ddyfeisiadau cyfrifiadurol. Wedyn am drip llong fferi i Hong Kong Island, ac yn ôl (dim ond 16c bob ffordd). Golygfeydd anhygoel ynghanol yr holl oleuadau llachar.

Diwrnod 2   21–22.2.03   Hong Kong–Brisbane

Codi am 7.00, brecwast, wedyn ar y bws ar gyfer yr Hong Kong Tour, 5 awr o hyd! – wel mae'n rhaid ei wneud o! Pwy a ŵyr, falla na fydda i byth yn dod yn ôl y ffordd yma eto.

Y prif uchafbwyntia oedd: y Peak Tram i fyny i ben y mynydd; Repulse Bay gafodd ei enwi ar ôl y llong HMS *Repulse*; Aberdeen, lle cawsom ni drip ar gwch bach; Stanley, lle prynais i dri chrys am £8!

Bwyd yn y Pizza Hut ganol p'nawn, wedyn mwy o siopa gyda'r nos ac yna i'r maes awyr.

Ein taith i Brisbane (drwy Cairns) yn cychwyn am 23.50, hynny yw deng munud i hanner nos! Bydd hyn yn cymryd rhyw 10 awr arall.

Cyrraedd Brisbane tua chanol dydd – pa ddiwrnod ydi hi bellach, wn i ddim! Aros yn y Grand Chancellor Hotel, a rhyw ychydig o'r bois yno'n barod ers rhai dyddia. Pawb mewn hwyliau da. Pryd o fwyd yn yr Hollywood Gardens (stecen arbennig o dda) ac yna gwely cynnar.

Diwrnod 3   23.2.03   Brisbane

Brecwast da, wedyn cyfarfod â Terry Jones (swyddog y côr sy'n gyfrifol am drefnu'n teithiau tramor ni) ac Ali, y brodor o Iraq sy'n cynrychioli cwmni Event Entertainment, yr asiantaeth gyngherddau o Seland Newydd sy'n ariannu a threfnu'r daith. Mae yna broblem gan fod pwysau arnom i wneud cyngerdd ychwanegol yn Auckland oherwydd bod yr holl docynnau gogyfer â'r cyngerdd yno wedi eu gwerthu a channoedd yn siomedig. Dwi'n bendant bod 13 cyngerdd yn ddigon ac mai'r unig ffordd y gallwn wneud un ychwanegol yn Auckland ydi canslo un o'r lleill.

Yn y cyfamser, Joy yn mynd i lawr i'r dre i gael gwneud ei gwallt, ac yn cael ei dal mewn andros o gawod. Mae'n cyrraedd y gwesty yn edrych fel llygoden Ffrengig. Cinio yn y gwesty heno. Mae rhai o fois y côr yn cyflwyno tei i mi maen nhw wedi ei phrynu yn Hong Kong – tei ddychrynllyd o ddi-chwaeth efo llun allweddell, *treble clef* ac yn blaen.

Gwely am 10.00, ond methu cysgu – y tabledi ddim yn gweithio. Mi fydda i fel cadach llawr os na fydda i'n ofalus.

Diwrnod 4   24.2.03

Glawio eto. Diwrnod dioglyd, fi'n gweithio ar raglenni'r cyngerdd tra bod Joy, fel arfer, yn penderfynu mynd i siopa. Gyda'r nos, mynd i lawr i ganol y dre am swper i'r lle mae bois y côr yn ei argymell, sef y Sizzler (*All You Can Eat for $16.50*). Mae'n anhygoel! Dim ond rhyw gwpwl o oria mae'r bois hyn ei angen mewn dinas hollol ddiarth i ddod o hyd i'r llefydd rhata am unrhyw beth!

Gwely cynnar eto – plîs ga i gysgu heno!

Diwrnod 5   25.2.03

I lawr mewn tacsi efo Ali, Terry a Joy i'r neuadd gyngerdd yn Brisbane, yr ardderchog QPAC (Queensland Performing Arts Centre). Roeddem ni yma dair blynedd yn ôl, felly yn gyfarwydd â hi, ond rydan ni'n mynd i gyfarfod Keith, rheolwr y llwyfan, i wneud yn siŵr bod popeth yn iawn.

Wedyn trip ar yr afon. Cael tipyn o ffrae efo llywiwr un cwch oedd yn anfoddog iawn i roi gwybodaeth ynglŷn â be oedd system y gwahanol lefydd lle roedden nhw'n stopio ar yr afon. Dyn annifyr y dylid ei riportio am ddwyn anfri ar un o ddinasoedd hyfryta Awstralia.

Tipyn o siopa yn y dre, prynu dau lyfr, un dan y teitl *Singing in Tune!* Swper ysgafn wrth y bar yn y gwesty a gwely cynnar – eto! Diolch byth bod gennym ni'r ychydig ddyddia yma i setlo cyn cychwyn y cyngherdda a'r teithio gwallgo.

Diwrnod 6   26.2.03

Cael fy neffro am 7.00 efo galwad gan *The Alan Jones Programme* o Sydney i wneud cyfweliad radio byw. Yr arddull gyflwyno ffrantig arferol, ar ruthr gwyllt efo miwsig y côr yn cael ei chwyddo yn y cefndir rhwng y cwestiynau.

'*I was interviewing Bryn Terfel the other day,*' medda fo, '*and he was saying that the reason you guys from Wales sing so well is because you have more vowels in your alphabet than English.*'

Digon gwir, meddwn inna, ac mi fedrais stopio fy hun rhag ychwanegu ein bod ni'r Cymry hefyd yn tueddu i agor ein cegau wrth siarad, nid gwasgu'r sain allan drwy ochr ein safnau fel brodorion Awstralia a Seland

Newydd. Gwell peidio gwneud gelynion cyn cychwyn canu. Drwy gydol y cyfweliad mae Mr Jones yn chwarae pytiau o'n perfformiada o 'Barcarolle', 'Swing Low Sweet Chariot'(!), 'I Still Call Australia Home' a 'Hen Wlad fy Nhadau' – yr olaf yn arwain at uchafbwynt wrth i'r sgwrs ddod i ben. Mi fydd hyn i gyd, fel ym 1995, yn sicrhau gwerthiant tocynnau ardderchog yn Sydney.

Diwrnod cymylog iawn. Bydd yn rhaid golchi tipyn o ddillad heddiw gan y bydd y teithio gwyllt yn cychwyn yn fuan. Sgwn i ydi André Previn yn gorfod golchi ei ddillad pan fydd o ar daith?

Am 12.30 i lawr efo Terry ac Ali i'r stiwdio radio leol, 4BC, i wneud cyfweliad ynglŷn â'r ddau gyngerdd drennydd. Brian Bury ydi'r cyflwynydd ac mae o'n dda – cyfeillgar ac ysgafn. Cyfweliad chwarter awr o hyd, efo dwy o ganeuon y côr yn cael eu cynnwys yn ystod y sgwrs.

Ddim yn teimlo'n rhy dda gyda'r nos, felly am aros i mewn a mynd i'r gwely hyd yn oed yn gynt. Joy yn dod â brechdana i mi cyn iddi fynd allan am fwyd efo'r hogia.

Diwrnod 7 27.2.03

I lawr i stiwdio radio 4EB i wneud cyfweliad arall, ac erbyn i mi ddod yn ôl mae gweddill aelodau'r côr wedi cyrraedd, gan gynnwys ein horganydd Rob Nicholls, ein hunawdydd soprano Iona Jones, ein hunawdydd tenor Dewi Wyn Williams a'n cyfeilyddes wadd Janice Ball. Andros o ryddhad i gael pawb yma.

Swper yn yr Hollywood Gardens unwaith eto, ac er 'mod i yn y gwely cyn 10.00 mae hi o leia 2.00 o'r gloch y bore cyn i mi gysgu.

Diwrnod 8 1.3.03 Brisbane (Cyngherddau 1 a 2)

Dydd Gŵyl Dewi, a diwrnod mawr heddiw, sef cyngerdd cynta'r daith – neu i fod yn fanwl gywir, dau gyngerdd cynta'r daith, un am 2.00 y p'nawn a'r llall heno am 8.

Ond cyn hynny i gyd, cyfweliad radio byw ar y ffôn o'm stafell am 9. Y cyflwynydd yn fy holi am Dewi Sant – dylwn i fod wedi paratoi!

I lawr i'r neuadd gyngerdd erbyn 11.45 er mwyn sicrhau bod pob dim yn ei le. Rihyrsal sydyn efo'r côr wedi iddyn nhw gyrraedd – dim ond ychydig noda oherwydd mi fydd angen arbed y lleisia dros y pythefnos nesa.

Y neuadd yn llawn dop (1,800) ac ar eu traed ar y diwedd yn gweiddi am fwy. Braf cael *standing ovation* yn y cyngerdd cynta a'r bois yn falch iawn o gael cyngerdd cynta llwyddiannus.

Dim pwynt mynd yn ôl i'r gwesty rhwng y ddwy sioe, felly pryd o fwyd efo Iona, Jan, Joy a Rob mewn tŷ bwyta Groegaidd/Twrcaidd ger yr afon. Yn ôl i'r neuadd erbyn 8 a'r neuadd yn orlawn eto, hyd yn oed y seddau y *tu ôl* i'r côr wedi'u gwerthu. Derbyniad ffantastig eto a'r gynulleidfa ar ei thraed ar y diwedd. Yn ystod y cyngerdd cael nodyn i ddeud bod Cymraes o'r enw Gwladys yn y gynulleidfa a'i bod hi'n dathlu ei phen blwydd yn 97! O Gaerdydd yn wreiddiol, roedd hi wedi cael gwersi canu gan neb llai na Clara Novello Davies, mam Ivor Novello, ac wedi sgwennu ei hunangofiant (*From Wales to Warringah*) pan oedd yn 96 oed! Gwneud tipyn o ffws ohoni a chanu 'Pen Blwydd Hapus'. Wrth lofnodi CDs ar y diwedd mi welwn Gwladys, er gwaetha'i hoedran, yn ciwio fel pawb arall. Tipyn o gymeriad. Mae hi'n addo anfon copi o'i hunangofiant i mi.

Noson dda, diwrnod da, a chychwyn bendigedig i'r daith. Yn ôl i'r gwesty tua 11.15, pacio oherwydd y byddwn ni'n gadael yn gynnar bora fory, ac i'r gwely cyn hanner nos.

Diwrnod 9   2.3.03   Brisbane i Auckland (Cyngerdd 3)

Codi am 5.00 o'r gloch y bora, ac i lawr at y bysys i gychwyn i'r maes awyr am 6 ar gyfer ein taith i Auckland yn Seland Newydd (3 awr). Efo'r newid awr, mae'n golygu bydd ein cyngerdd heno (sydd am 8 yn amser Seland Newydd) mewn gwirionedd yn dechra am 11.00!! – ac yn gorffen tua 1.30 yn y bore! A ninna wedi bod ar ein traed ers 5.00 o'r gloch!

Anelu'n syth am Quality Inn, Logan Park, lle mae Jeannie Wyn Williams o Gymdeithas Gymraeg Rotorua a Denis Williams o Gymdeithas Gymraeg Auckland yn ein croesawu gan chwifio baneri'r ddraig goch.

I lawr i'r Town Hall yn y p'nawn, neuadd gyfarwydd i ni ers 1999, efo acwstics ardderchog. Cyngerdd da ar y cyfan ond dim *standing ovation*. Mae'n bwysig peidio â disgwyl un ym mhobman neu fe wnawn ni deimlo rhyw syniad o fethiant. Rhai pobl yn y gynulleidfa yn cwyno nad oedden nhw'n clywed fy nghyflwyniadau – problem efo'r meicroffon mae'n debyg.

Diwrnod 10   3.3.03   Auckland i Wellington (Cyngerdd 4)

I'r maes awyr am 12.00, taith rhyw awr i Wellington. Galwad sydyn i ollwng petha yng ngwesty'r Portland Hotel ac yna i lawr i'r Michael Fowler Centre am 4:00 o'r gloch. Heb berfformio yma o'r blaen gan i ni fod yn y Town Hall ar yr ymweliadau blaenorol, honno yn neuadd draddodiadol ond ardderchog. Bellach mae'r prif gyngherddau yn Wellington yn cael eu cynnal yn y neuadd newydd yma, ac mae hi'n edrach yn smart iawn. Ond beth am yr acwstics?

Mynd am baned tua 6 a rhyw wraig mewn cadair olwyn yn sôn wrtha i cymaint mae hi'n edrach ymlaen at y cyngerdd, ac fel mai'r Cymry ydi'r cantorion gora. Does ganddi hi ddim syniad pwy ydw i, felly dwi'n smalio anghytuno â hi a deud na fyddwn i byth yn mynd i gyngerdd côr meibion.

Mae hi'n siŵr o gael andros o sioc pan fydda i'n cerdded ar y llwyfan heno, ac rydw i'n cyflwyno ein perfformiad o 'Myfanwy' yn arbennig iddi hi.

Cyngerdd yn mynd yn eitha da, ond roedd yna ychydig o ganu fflat ar brydia – ydi'r blinder yn dechra taro?

Diwrnod 11   4.3.03   Wellington i Palmerston North (Cyngerdd 5)

Diolch byth does dim taith hir heddiw ac mi fyddwn yn aros yn yr un gwesty â neithiwr. Brecwast hwyr felly (9.30), a fawr ddim bwyd ar ôl yn y stafell fwyta. Wrth fynd i chwilio am lwy lân i fwyta fy Special K dwi'n cael row gan y waitress.

'*If you want anything ask, don't go looking,*' medda hi'n sur.

Tra bod Joy yn mynd allan i'r dre i siopa (am newid!), dwi'n gorwedd ar fy ngwely yn darllen.

Y bws yn cychwyn i Palmerston North am 2.30, cyrraedd y Regent Theatre lle buom droeon o'r blaen. Dyma'r lle y ces i'r profiad teimladwy hwnnw ym 1999 pan wnaeth Berry Morse, y ddynes ddall o Abertawe, alw allan o'r gynulleidfa. Yn fy nisgwyl yn fy stafell newid mae nodyn oddi wrthi yn deud y bydd hi yma heno ac yn edrach ymlaen at ein clywed.

Sain dda yn y cyngerdd heno (meicroffonau yn helpu) ac awyrgylch arbennig.

Diwrnod 12 5.3.03 Wellington i Christchurch (Cyngerdd 6)

Maes awyr am 11.00, a thaith fer o rhyw dri chwarter awr i Christchurch. Aros yng ngwesty'r Sudima Hotel reit wrth y maes awyr, ac ar ôl cinio i lawr i'r neuadd – y Town Hall ardderchog rydan ni wedi perfformio ynddi o'r blaen. Cyn y cyngerdd cyfarfod Lydia, andros o gymeriad, 87 oed ac yn wreiddiol o Bwllheli – acen anhygoel!

Y cyngerdd yn wirioneddol ardderchog, un o'r goreuon erioed, popeth yn gweithio i'r dim, a'r gynulleidfa ar ei thraed ar y diwedd. Y côr ar ben eu digon a phawb yn canmol. Dwi mor falch heno nes 'mod i'n cael gwydraid o win yn y bar ar ôl cyrraedd nôl yn y gwesty (y cynta ar y daith yma!). Mynd i'r gwely tua 1.00.

Diwrnod 13 6.3.03 Christchurch i Dunedin (Cyngerdd 7)

Deffro efo cur yn fy mhen a sŵn drymia yn curo'n ddidrugaredd. Faint o win ges i neithiwr felly? Ond yna, ar ôl ychydig eiliada, dwi'n sylweddoli *bod* yna fand go iawn – band Albanaidd efo *'bagpipes, fifes and drums'* – yn ymarfer reit y tu allan i'm ffenest! Diolch yn fawr iawn!

Ar ôl brecwast mynd i ddarllen y sylwadau ar wefan y côr gan bobl sydd wedi bod yn y cyngherddau hyd yn hyn – calonogol dros ben.

I'r maes awyr ar gyfer ein taith i Dunedin. Yno mae Dennis Brown, pennaeth asiantaeth Event Entertainment, yn dod i'n cyfarfod ac yn deud ei fod o'n hapus iawn efo'r daith. Mae'n mynnu mynd â Joy a finna yn ei gar i'r gwesty, ac ar ôl cyrraedd rydan ni'n sylweddoli ei fod o wedi ein rhoi yn yr *honeymoon suite*, lle mae yna botel o siampên mewn bwced o rew yn ein haros.

Ond does dim amser i hynny rŵan oherwydd rhaid mynd i lawr i'r Regent Theatre i baratoi am y cyngerdd. Mae'n debyg nad oedd y Town Hall yn Dunedin (un o neuaddau gorau'r wlad, a lle'r oeddem ni'n perfformio'r tro dwetha yma) ar gael heno, sy'n siom ofnadwy gan fod y Regent Theatre yn andros o dymp.

Yr organ sydd wedi cael ei hurio yn edrach fel un o greadigaethau Bontempi, ac yng nghanol y sioe mae'n dechra gwneud ei synau ei hun. Rob yn cochi drwyddo! Rhaid gwneud hebddi am weddill y cyngerdd.

Cyngerdd da iawn er gwaetha'r acwstics ofnadwy – pobl yn chwerthin fwy nag arfer ar fy jôcs heno. Ydyn nhw'n bobol gleniach, ynte fi sy'n eu deud nhw'n well tybed? Dennis Brown wrth ei fodd ac yn sôn am fynd â ni ar *world tour*. Nefi wen, mae'r boi'n gallu siarad!

Diwrnod 14   7.3.03 Dunedin i Auckland

Diwrnod rhydd! – ar wahân i'r teithio wrth gwrs.

Hanner ffordd drwy'r cyngherddau ac mae pawb yn ymdopi'n arbennig o dda. Ond ar y ffordd i'r maes awyr mae Dennis Brown yn deud wrtha i fod gennym ni broblem. Mae'n amhosib canslo'r cyngerdd yn Tanunda oherwydd bod pob sedd wedi'i gwerthu. Mae hwn yn dro gwael iawn. Roeddem ni wedi cytuno i wneud ail gyngerdd yn Auckland ar yr amod eu bod nhw'n canslo un o'r cyngherddau eraill, yn benodol yr un yn Tanunda oherwydd hwnnw oedd yr un oedd arafa i werthu. Ar ein noson rydd gynta ers wythnos rydan ni'n penderfynu mynd allan am bryd o fwyd i'r Orbit Restaurant *(revolving restaurant* – neu, yn ôl Rob, *revolting restaurant)* ar dop y Sky Tower.

Wrth gyrraedd yno pwy sy'n sefyll y tu allan ond Graham Henry, bellach yn ôl yn ei wlad enedigol ac yn hyfforddi'r Auckland Blues. Mae o eisoes wedi gweld rhai o fois y côr o gwmpas y lle, ac mae'n rhoi andros o gwtsh i Joy. Mae Graham yn un o lywyddion anrhydeddus y côr, ond yn methu â dod i'r cyngerdd nos yfory oherwydd gêm bwysig.

Yn y *restaurant* mae'r golygfeydd wrth gylchdroi'n wirioneddol ysblennydd, ond ellid ddim deud hynny am y bwyd na'r gwasanaeth.

Diwrnod 15 8.3.03 Auckland (Cyngerdd 8)

Codi am 9.00 a mynd am frecwast tra bod Joy yn dal i gysgu. Wedyn, golchi tipyn o ddillad ac yna ista yn y *foyer* i ddarllen.

I lawr i'r Town Hall erbyn 4.00 a rhybuddio'r staff i wneud yn siŵr bod y meicroffon a'r system PA yn gweithio'n iawn heno.

Y cyngerdd yn wych. Cael hanesyn bach difyr i ddweud wrth y gynulleidfa. Adeg ein cyngerdd blaenorol – pan oedd pob tocyn wedi ei werthu – roedd hysbyseb bersonol wedi ymddangos yn y papur newydd lleol yn erfyn am docyn. Y geiriad oedd: *'Desperately seeking ticket for Morriston Orphans Choir concert!'* *Standing ovation* heno, ein cyngerdd ola yn Seland Newydd am y tro.

Diwrnod 16 9.3.03 Auckland i Sydney (Cyngerdd 9)

I'r maes awyr am y daith tair awr i Sydney. Symud y clociau'n ôl ddwy awr, sy'n golygu bod ein cyngerdd heno, sy'n dechra am 8 yn amser Awstralia, mewn gwirionedd yn cychwyn am 10 wrth y cloc wnaethom ni godi iddo fo bora 'ma, ac yn gorffen tua 12.30.

Ry'm ni'n aros reit ar lan y môr yn y Coogee Sands Apartments, lle bendigedig petaem ni ar wyliau efo amser i ymlacio! Prin bod amser i roi'r cês i lawr cyn i Ali alw i fynd â Rob a minna i lawr i'r Sydney Town Hall. Dyma'r tro cynta i ni berfformio yn y neuadd yma gan ein bod ni wedi bod yn y Tŷ Opera enwog ar y ddau achlysur blaenorol. Doedd y Tŷ Opera ddim ar gael ar gyfer y daith y tro yma, ac er 'mod i'n siomedig ar un ystyr mi rydw i wastad wedi bod isio perfformio yn y Town Hall, sy'n adeilad hynod iawn.

Ar ôl cyrraedd mi dwi'n synnu gweld rhes o feicroffonau ar y llwyfan. *'Surely we don't need those,'* meddwn i wrth y technegydd.

Ei ateb oedd:

'Even the Vienna Boys Choir used them,' felly gwell i mi blygu i'r drefn er mor anhygoel ydi'r syniad. Mae yna feicroffon oddi mewn i'r piano hefyd – pam?

Cyn y cyngerdd, Joy a fi'n mynd i McDonald's cyfagos am cheeseburger, fries a Fanta. Am steil!

Y cyngerdd yn llwyddiannus iawn, efo'r meicroffonau'n bendant yn rhoi hyder i'r côr – ond oedd eu hangen mewn gwirionedd? Yn ystod yr egwyl rhai o'r gynulleidfa yn cwyno bod sain y piano'n rhy uchel. Dyna'r broblem efo meicroffons – rydach chi ar drugaredd technegwyr sain.

Tua hanner y gynulleidfa ar ei thraed ar y diwedd, felly *semi standing ovation!*

Crwydro i lawr i'r harbwr ar y diwedd i gael golwg ar y Tŷ Opera yn ei holl ogoniant.

Diwrnod 17   10.3.03   Sydney i Melbourne (Cyngerdd 10)

Codi'n gynnar ac i'r maes awyr am y daith i Melbourne. Cyrraedd ganol dydd ac yn syth i westy'r Grand Chancellor.

Ali yn gofyn am gyfarfod yn y p'nawn efo swyddogion y côr a minna ynglŷn â chyngerdd Tanunda. Mae Ali'n mynnu ei bod hi'n amhosib ei ganslo am fod yr holl docynnau wedi eu gwerthu. Eu problem nhw ydi hynny, meddwn i gan mai'r cytundeb oedd ein bod ni'n gwneud yr ail gyngerdd yn Auckland ar yr amod bod un o'r lleill yn cael ei ganslo. Mae hyn yn fater o egwyddor, ond mae Ali yn ddisymud felly dwi'n colli 'nhymer ac yn gadael yr ystafell. Dwi o dan ddigon o straen ar daith fel hon heb gael y pwysa ychwanegol yma.

Wedyn i'r neuadd gyngerdd – y Melbourne Concert Hall – lle nad ydan ni wedi perfformio cynt gan nad oedd hi ar gael. Cyfarfod ein ffrindia o Gôr Meibion Cymry Melbourne am bryd o fwyd, wedyn am y sioe.

Acwstics llawer rhy sych, ond yn well yn yr ail hanner ar ôl i staff y llwyfan dynnu'r 'banners' i ffwrdd, beth bynnag oedd rheiny.

Diwrnod 18   11.3.03   Melbourne i Adelaide (Cyngerdd 11)

Y cloc larwm yn seinio am 6.30 a.m.! Molchi'n sydyn, rhuthro drwy frecwast ac allan i'r bysys am 7.15 i fynd i'r maes awyr. Pawb wedi blino ond mewn hwylia da. Dwi'n rhyfeddu at ysbryd a stamina'r bois yma, a'u hiwmor yn wyneb yr holl ymdrech. Wedi'r cyfan mae yna nifer yn eu 70au a'u 80au! Anhygoel! Un cyngerdd heno ac yna dau ddiwrnod o seibiant – gobeithio! Yn sicr rydan ni'n eu haeddu nhw.

Cyrraedd Adelaide tua chanol dydd ac i'r Holiday Inn. Mynd i'r gwely i orffwys ond yna'r ffôn yn canu. Angen cael cyfarfod brys ynglŷn â Tanunda. Mae Event Entertainment yn bygwth camau cyfreithiol os na wnawn ni'r cyngerdd! Does dim dewis ond rhoi'r mater o flaen y côr heno.

Nôl i'r ystafell ond dim gobaith am gwsg bellach felly cawod ac yna i lawr i'r neuadd gyngerdd.

Am siom! Mae'r Thebarton Theatre yn dwll o le! Wedi ei hadeiladu ym 1927 mae'n edrych fel amgueddfa i gofio'r Ail Ryfel Byd. Y côr yn ymgynnull ar y llwyfan er mwyn i'r cadeirydd drafod cyngerdd Tanunda. Yr ymateb yn anhygoel! Am galon ac ysbryd sydd gan yr hogia yma! Mae pawb yn cytuno ein bod ni'n gwneud y cyngerdd ychwanegol ar yr amod bod Event Entertainment yn gwneud taliad ychwanegol amdano. Y cyngerdd heno, er gwaetha'r neuadd, yn mynd yn ardderchog – a diolch byth am hynny! Dyna'r union beth roeddem ni ei angen heno i godi'r hwylia cyn mynd i Tanunda. Ymateb anhygoel gan y gynulleidfa i'r miwsig ac i'r jôcs. Rhaid cyfaddef, fodd bynnag, fod y lleisia'n swnio'n flinedig, ac mi aeth 'Myfanwy' i lawr o leia hanner tôn mewn traw.

Diod sydyn (sudd oren) yn y bar wedi'r sioe ac yna i'r gwely. Rhyw 50% o *standing ovation* heno – ond cyngerdd ardderchog!

Diwrnod 19   12.3.03   Adelaide (Cyngerdd 12 – Tanunda)

O leia does dim taith awyren heddiw ac fe gawn ni aros yn yr un gwesty am ail noson. Brecwast anferth tua 9.00, wedyn Joy a finna i lawr i'r dre ar y tram. Heb fod yn Adelaide o'r blaen felly isio sbio o gwmpas ac ymlacio. Prynu eli haul gan ei bod hi'n danbaid yma – 35 gradd. Bwyd yn y gwesty i bawb ganol dydd, wedyn ar y bysys i Tanunda – ar gyfer y cyngerdd sydd wedi bod yn ddraenen yn ein hystlys o'r cychwyn.

Teithio drwy ardal gwinoedd y Barossa Valley, a gweld enwau cyfarwydd fel Jacob's Creek. Cael syrpreis neis yn Tanunda o weld bod y neuadd gyngerdd (Brenton Langbein Theatre) yn un fodern ardderchog. Y lle dan ei sang a'r cyngerdd yn arbennig. Y gynulleidfa i gyd ar ei thraed ar y diwedd, rhai pobl wedi teithio cannoedd o filltiroedd i ddod yno, felly da o beth ein bod ni wedi cytuno i wneud y sioe. Mi fyddai wedi bod yn drychineb i siomi'r fath nifer. Nôl yn y gwesty yn Adelaide tua hanner nos, felly sudd oren sydyn efo'r bois ac yna gwely. Pawb mewn hwyliau da heno, y côr yn aruthrol o bositif. Diwrnod rhydd fory!!

Diwrnod 20 13.3.03 Adelaide

Brecwast anferthol eto am 9.00. Diwrnod pen blwydd Terry, ein trefnydd teithiau tramor, heddiw felly pawb yn canu iddo fo adeg brecwast – hynny wrth gwrs ar ôl i mi roi fy nghaniatâd (cofier y rheol nad oes DIM canu ar y daith dim ond mewn cyngherddau!).

Mynd ar y tram i Glenelg a cherdded ar y prom. Wedyn, i lawr i'r traeth i roi un droed yn y môr er mwyn medru deud fy mod wedi rhoi fy nhroed yn y Môr Tawel – y tro cynta erioed. Picio i mewn i fwyty Scampi's i archebu bwrdd ar gyfer cinio syrpreis i ddathlu pen blwydd Terry heno.

Noson dda – bwyd da a chwmni da. Gwely am 10.30.

Diwrnod 21 14.3.03 Adelaide i Perth (Cyngerdd 13)

Codi am 8.00, brecwast, ac yna ar y bysys i'r maes awyr am daith tair awr i Perth. Croesi tiroedd anial dros ben. Wedi cyrraedd Perth, sylweddoli ei bod hi bron yr union 'run amser ag ydoedd pan adawom ni Adelaide. Mae hynny'n golygu, o safbwynt ein cloc corfforol ni, y bydd y cyngerdd heno am 10.30 y nos!

Aros yng ngwesty'r Grand Chancellor – yr 'executive floor', neis iawn! Draw i'r Burswood Centre am 4.00, sef canolfan adloniant sy'n cynnwys casino, neuaddau perfformio ac yn y blaen. Mae'r neuadd lle'r ydan ni'n perfformio yn dal 2,300. Yn ôl y staff mae 1,800 o docynnau yn barod wedi eu gwerthu ar gyfer heno a 2,000 nos yfory. Llwyfan anferth (proscenium arch) felly does dim acwstics naturiol o gwbl. Mae yna feicroffonau ym mhob man, felly unwaith eto mi fyddwn ni ar drugaredd technegwyr sain wrth berfformio.

Neges frys yn dod bod yr ail o'r awyrennau oedd yn dod â ni o Adelaide heddiw wedi gorfod troi'n ôl oherwydd bod gwraig Larry Perry, un o fois y côr, yn ddifrifol wael. Y tebygolrwydd ydi mai *meningitis* sydd arni.

Y cyngerdd yn ddigon llwyddiannus, hanner y gynulleidfa ar ei thraed.

Yn ôl i'r gwesty, sudd oren a gwely.

Diwrnod 22 15.3.03 Perth (Cyngerdd 14 – y cyngerdd ola!)

Rhaid rhoi'r cyfan heno! Ond, yn gynta mae yna gyfarfod boreol yn un o neuaddau'r gwesty efo ymgynghorydd iechyd lleol i'n cynghori ynglŷn â'r peryglon posib o fod wedi bod yn agos at y wraig sy'n dioddef o *meningitis*. Mae hi bellach yn cael gofal arbennig mewn ysbyty yn Adelaide, a'r neges gyffredinol ydi nad oes angen i neb boeni'n ormodol.

Dim i'w wneud heddiw ond aros yn y gwesty a diogi. Mynd allan amser cinio am fwyd i Fast Eddie's 24-Hour Diner rownd y gornel. Draw i'r neuadd gyngerdd tua 6.00, lle mae amlen yn fy nisgwyl – 'from Carly'. Byrdwn y nodyn ydi bod Carly yn byw efo'i rhieni yn Perth ond bod ei theulu'n wreiddiol o Gymru. Neithiwr fe fu farw ei thaid yn Abertawe ac er bod y teulu yn dal mewn sioc maen nhw wedi penderfynu dod i'r cyngerdd. Allwn ni ganu rhywbeth er cof am 'Tad-cu'? Er nad ydw i'n hoffi cyfadde hyn mae'r cais yma'n rhoi elfen ychwanegol, deimladwy i'r cyngerdd, ac mae'r distawrwydd yn llethol wrth i ni ganu 'Balm in Gilead' er cof am yr hen ŵr.

Y neuadd yn llawn dop heno a'r 2,300 i gyd ar eu traed ar y diwedd. Diweddglo bendigedig i'r daith ac y mae John 300 (arolygwr llwyfan y côr) yn tywys y bois oddi ar y llwyfan a thrwy'r gynulleidfa am *lap of honour*

– cyffyrddiad bach neis sy'n hynod o effeithiol. Da iawn John. (Gyda llaw, John 300 am mai dyna oedd ei rif yn y Welsh Guards!) Dathlu diwedd y daith yn y gwesty efo rhyw dri neu bedwar gwydraid o win. Ond cofier fy mod wedi bod yn llwyrymwrthodwr am dros bythefnos! Deffro am 4.00 y bore efo cur pen anferthol. Cymryd pilsen, ond methu â chysgu'n ôl. Teimlo'n ofnadwy yn y bore ond mae Joy yn mynnu codi am 8.00 i frecwast. Nôl i'r gwely wedyn a diogi drwy'r dydd.

At y bysys yn y p'nawn i fynd â ni i 'Sausage Sizzler' (math o farbeciw) wedi'i drefnu gan Gymdeithas Gymreig Perth. Yfed sudd oren drwy'r cyfan! Lot o ganu a lot o sŵn. Falch o fynd yn ôl i'r gwesty ac yn syth i'r gwely. Diolch byth bod yr holl beth drosodd!

Diwrnod 23 16.3.03 Perth

Diwrnod ola'r daith cyn hedfan adra fory. Cyfle heddiw i fynd ar y trên i Fremantle, hanner awr o daith. Ymweld â'r carchar yno, prynu anrhegion ac yn y blaen. Mynd yn ôl i Perth ar y cwch ar yr afon, heibio i dai – na, palasau – crand ofnadwy. Yn ôl y sôn mae mwy o filiwnyddion yn byw yn yr ardal yma nag yn unlle arall yn y byd!

Tipyn o siopa cyn mynd yn ôl i'r gwesty, ac yn falch o weld cymaint o CDs y côr ar werth – hyn yn wir ym mhobman drwy gydol y daith. Mewn siop lyfra mae un o'r staff yn dŵad ata i a deud: *'Can I help you?'* Cyn i mi gael cyfle i ateb mae o'n gofyn, *'Are you the compere?'* Roedd o wedi bod yn bresennol yn ein cyngerdd ni ddwy noson ynghynt. *'It was outstanding,'* medda fo. *'In fact I went to the West Australian Symphony Orchestra concert of Mahler 2 the following night and yours was much better.'* Chwarae teg iddo fo. Oedd ganddo fo gysylltiadau Cymreig tybed? *'No, no Welsh connection – except that I honeymooned in Snowdonia.'*

Joy a finna'n cael pryd o fwyd Tsieineaidd bendigedig reit ar yr harbwr gyda'r nos, wedyn yn ôl i'r gwesty. Y newyddion yn y bar ydi bod Mrs Perry (gafodd *meningitis*) allan o berygl yn Adelaide ond bod yna andros o ffliw peryglus wedi torri allan yn Hong Kong. Dyna lle byddwn ni fory!

Diwrnod 24   17.3.03   Perth i Hong Kong, wedyn Heathrow

Brecwast am 8.00, wedyn y bysys i'r maes awyr. Rhai o'r bois wedi clywed o adra bod un o gorau meibion dalgylch Abertawe (does dim rhaid dyfalu pa un!) wedi bod yn lledaenu straeon mai dim ond 60 o gantorion oedd gennym ni ar y daith yma a bod rhai o'n cyngherdda ni wedi gorfod cael eu canslo oherwydd diffyg diddordeb! Da gweld bod y cythraul canu'n dal yn fyw!

Aros am ryw dair awr ym maes awyr Hong Kong. Y rhan fwya o'r brodorion o gwmpas y lle yn gwisgo mygydau oherwydd peryglon y ffliw.

Cyrraedd Heathrow am 5.00 y bore, a nôl yng Nghymru tua 11.00. Diwedd y daith!

Atodiad 2

Rhestr o deithiau tramor y Côr rhwng 1979 a 2004:

1979   Ferrara, yr Eidal

1981   **Berlin** – Tattoo Miltaraidd ar y thema Tywysogion Cymru
(Dau berfformiad bob dydd, p'nawn a nos am wythnos – 14 perfformiad
i gyd).

1983   **Berlin – Tatoo Militaraidd**

1985   **mis Mai: Nancy, Ffrainc** – Gŵyl Gorawl Ryngwladol
          mis Mehefin: Berlin – Cyngerdd Mawreddog Militaraidd yn
amphitheatr y Waldbuhne.

1989   **Canada a'r Unol Daleithiau**
Cyngherddau yn London (Ontario), Utica, Kingston, Montreal, Kitchener,
Hamilton a Toronto
Ymddangosiad yng Ngŵyl Gorawl Ryngwladol Canada yn y Roy
Thomson Hall, Toronto, a recordiwyd gan CBC

1991   **Canada a'r Unol Daleithiau**
Cyngherddau yn Cincinnati (Cymanfa Ganu Gogledd America), Howe
(Indiana), Hamilton, Cleveland, Philadelphia, Efrog Newydd a Toronto

1992   Seville, Sbaen – Expo 92. Perfformio i Dywysog a Thywysoges
Cymru

1995   Awstralia

Cyngherddau yn Melbourne (2), Canberra, Newcastle, Wollongong a
Sydney (y Tŷ Opera).

1996   Gwlad Pwyl

Perfformio yng Ngŵyl Gorawl Bydgoszcz
Cyngherddau yn Gdansk, Bydgoszcz a'r cylch

1997   Canada a'rUnol Daleithiau

Cyngherddau yn Toronto, Chatanooga, Atlanta, Gainesville, Greenville
a West Palm Beach, Florida.

1998   Yr Iwerddon

Perfformio yng Ngŵyl Ennis, Co Clare.

1999   Seland Newydd ac Awstralia

Cyngherddau yn Auckland, Hamilton, Palmerston North, Wellington,
Nelson, Dunedin, Christchurch, Wollongong, a Sydney (y Tŷ Opera).

2000   Seland Newydd ac Awstralia

Cyngherddau yn Hamilton (2), Auckland, Napier, Palmerston North,
Wellington, Dunedin, Christchurch, Timaru, Twin Towns, Toowoomba
a Brisbane (2).

2001   Unol Daleithiau – Gŵyl 'UK in NY' yn Efrog Newydd

Cyngherddau yn Grand Central Station, Long Island a Carnegie Hall

2003   Awstralia a Seland Newydd

Cyngherddau yn Brisbane (2), Auckland (2), Wellington, Palmerston North, Christchurch, Dunedin, Sydney, Melbourne, Adelaide, Tanunda a Perth (2).

2004, mis Gorffennaf Taiwan

Cyngerdd yn y Neuadd Genedlaethol yn Taipei i ddathlu 25 mlynedd un o adrannau celfyddydol y llywodraeth.

mis Medi: United Arab Emirates ac Oman

Cyngherddau dan nawdd adrannau celfyddydau y ddwy wlad

Am restr gyflawn o gofiannau'r
Lolfa ac o lyfrau eraill y wasg,
mynnwch gopi o'n Catalog
newydd, rhad – neu hwyliwch i
mewn i'n gwefan

www.ylolfa.com

i chwilio ac archebu ar-lein.

TALYBONT CEREDIGION CYMRU SY24 5AP
e-bost ylolfa@ylolfa.com
gwefan www.ylolfa.com
ffôn (01970) 832 304
ffacs 832 782